Elon Musk
イーロン・マスク

ウォルター・アイザックソン 著　井口耕二 訳

文藝春秋

イーロン・マスク　下　目次

第52章　スターリンク　スペースX（2015～2018年）　10
第53章　スターシップ　スペースX（2018～2019年）　16
第54章　オートノミー・デイ　テスラ（2019年4月）　25
第55章　ギガテキサス　テスラ（2020～2021年）　30
第56章　家族（2020年）　36
第57章　フルスロットル　スペースX（2020年）　47
第58章　ベゾス対マスク（第2ラウンド）　スペースX（2021年）　56
第59章　スターシップのシュラバ　スペースX（2021年7月）　64
第60章　ソーラーのシュラバ（2021年夏）　81
第61章　夜遊び（2021年夏）　90
第62章　インスピレーション4　スペースX（2021年9月）　98
第63章　ラプターの大改造　スペースX（2021年）　105
第64章　オプティマス誕生　テスラ（2021年8月）　114
第65章　ニューラリンク（2017～2020年）　121

第66章 ビジョンのみ　テスラ（2021年1月） 129
第67章 お金（2021〜2022年） 135
第68章 今年の父（2021年） 140
第69章 政治（2020〜2022年） 147
第70章 ウクライナ（2022年） 164
第71章 ビル・ゲイツ（2022年） 175
第72章 積極的な投資家　ツイッター（2022年1〜4月） 183
第73章 「申し入れをした」　ツイッター（2022年4月） 197
第74章 熱と冷　ツイッター（2022年4〜6月） 211
第75章 父の日（2022年6月） 222
第76章 スターベースのオーバーホール　スペースX（2022年） 233
第77章 オプティマスプライム　テスラ（2021〜2022年） 245
第78章 波乱含み　ツイッター（2022年7〜9月） 254
第79章 オプティマス発表　テスラ（2022年9月） 264

第80章　ロボタクシー　テスラ（２０２２年）　272
第81章　「洗いざらい」　ツイッター（２０２２年10月26〜27日）　279
第82章　買収　ツイッター（２０２２年10月27日木曜日）　286
第83章　三銃士　ツイッター（２０２２年10月26〜30日）　291
第84章　コンテンツモデレーション　ツイッター（２０２２年10月27〜30日）　303
第85章　ハロウィーン　ツイッター（２０２２年10月）　318
第86章　青いチェックマーク　ツイッター（２０２２年11月2〜10日）　324
第87章　オールイン　ツイッター（２０２２年11月10〜18日）　338
第88章　本気　ツイッター（２０２２年11月18〜30日）　347
第89章　奇跡　ニューラリンク（２０２２年11月）　359
第90章　ツイッターファイル　ツイッター（２０２２年12月）　365
第91章　迷い道　ツイッター（２０２２年12月）　378
第92章　クリスマスの大騒ぎ（２０２２年12月）　389
第93章　車用ＡＩ　テスラ（２０２２〜２０２３年）　405

第94章　人間用AI　X・AI(2023年)　414
第95章　スターシップの打ち上げ　スペースX(2023年4月)　425

謝辞　438

インタビュー取材先リスト　440
参考書籍　449
原注　450
写真クレジット　460

イーロン・マスク　上　目次

序章　火の女神　炎のミューズ
第1章　冒険者の系譜
第2章　マスク自身の心　プレトリア（1970年代）
第3章　父との暮らし　プレトリア（1980年代）
第4章　探求者　プレトリア（1980年代）
第5章　脱出速度　南アフリカを出る（1989年）
第6章　カナダ（1989年）
第7章　クイーンズ大学　オンタリオ州キングストン（1990〜1991年）
第8章　ペンシルバニア大学　フィラデルフィア（1992〜1994年）
第9章　西へ　シリコンバレー（1994〜1995年）
第10章　Zip2　パロアルト（1995〜1999年）
第11章　ジャスティン　パロアルト（1990年代）
第12章　Xドットコム　パロアルト（1999〜2000年）
第13章　クーデター　ペイパル（2000年9月）
第14章　火星　スペースX（2001年）
第15章　ロケット開発に乗りだす　スペースX（2002年）
第16章　父と息子　ロサンゼルス（2002年）
第17章　回転を上げる　スペースX（2002年）
第18章　ロケット建造のマスク流ルール　スペースX（2002〜2003年）
第19章　マスク、ワシントンへ行く　スペースX（2002〜2003年）
第20章　創業者そろい踏み　テスラ（2003〜2004年）
第21章　ロードスター　テスラ（2004〜2006年）
第22章　クワジュ　スペースX（2005〜2006年）
第23章　ツーストライク　クワジュ（2006〜2007年）
第24章　SWATチーム　テスラ（2006〜2008年）
第25章　ハンドルを握る　テスラ（2007〜2008年）
第26章　離婚（2008年）

第27章　タルラ（2008年）
第28章　スリーストライク　クワジュ（2008年8月3日）
第29章　崖っぷち　テスラ、スペースX（2008年）
第30章　4回目の打ち上げ　クワジュ（2008年8〜9月）
第31章　テスラを救う（2008年12月）
第32章　モデルS　テスラ（2009年）
第33章　民間による宇宙開発　スペースX（2009〜2010年）
第34章　ファルコン9、リフトオフ　ケープカナベラル（2010年）
第35章　タルラと結婚（2010年9月）
第36章　生産　テスラ（2010〜2013年）
第37章　マスクとベゾス　スペースX（2013〜2014年）
第38章　ファルコン、鷹匠に従う　スペースX（2014〜2015年）
第39章　タルラのジェットコースター（2012〜2016年）
第40章　人工知能　OpenAI（2012〜2015年）
第41章　オートパイロットの導入　テスラ（2014〜2016年）
第42章　ソーラー　テスラエナジー（2004〜2016年）
第43章　ザ・ボーリング・カンパニー（2016年）
第44章　苦難の人間関係（2016〜2017年）
第45章　闇に沈む（2017年）
第46章　フリーモント工場の地獄　テスラ（2018年）
第47章　オープンループ警報（2018年）
第48章　落下（2018年）
第49章　グライムス（2018年）
第50章　上海　テスラ（2015〜2019年）
第51章　サイバートラック　テスラ（2018〜2019年）
原注

イーロン・マスク

下

ウォルター・アイザックソン

第52章

スターリンク
スペースX（2015〜2018年）

低地球軌道のインターネット

スペースXは、人類を火星に届けることを目的に掲げ、２００２年に立ち上げた会社だ。だからマスクは、エンジンやロケットなどの技術検討会に加え、「火星開拓検討会」なる夢物語のような会議を毎週開いている。どういうコロニーになりそうか、どう統治すべきかなどを話しあうのだ。

「火星開拓検討会はなるべく開くようにしていました。彼が一番楽しみにしている会議で、あれに出ると機嫌がよくなるんですよ」と、マスクの元アシスタント、エリッサ・バターフィールドは言う。

火星に行くのは、お金がものすごくかかる。そういう夢追いミッションに現実的な事業計画を組み合わせるのがマスク流だ。収益が望める事業なら、（ジェフ・ベゾスやリチャード・ブランソンも考えているように）宇宙旅行を提供する、米国をはじめとする各国政府の委託で衛星を打ち上げるなど、いろいろと考えられる。だが２０１４年末にマスクが選んだのは、もっと金のなる木だった。有料のインターネットサービスだ。通信衛星を作って打ち上げ、宇宙空間にインターネットを再構築しようというのである。

「インターネットの市場規模は年に１兆ドルというところです。その３％を獲得できれば、３００億ドルと、ＮＡＳＡの予算以上になります。だからスターリンクを立ち上げ、火星に行く資金の足しにしようと思ったわけです」

　少しの間ののち、強調の言葉が続いた。

「スペースXでは、あらゆることを火星に行くというレンズを通して考え、決断するのです」

　このミッションを実現するため、２０１５年1月、シアトルの近くにスペースXの新部門を設置すると発表。スターリンクである。高度約55万メートルの低地球軌道に衛星を打ち上げるという。一般的な高度約３５００万メートルの静止衛星では信号の伝達に時間がかかり、いわゆるレイテンシーが大きくなってしまうが、低軌道ならレイテンシーを比較的抑えられるからだ。ただし、高度を下げればカバーできる範囲が狭くなる。だから、必要な衛星の数は増える。スターリンクでは、最終的に４万基をめざすとしている。

マーク・ジュンコーサ

　大荒れの２０１８年夏、スターリンクがどうにもおかしいとマスクは感じていた。衛星が大きすぎるし高すぎるし、作るのも難しすぎるのだ。10分の１のコストで10倍速く作れなければ収益の上がるスケールに到達できない。だというのに、スターリンクには危機感があまりないようだ。マスクにしてみれば、これは大罪である。

だから6月のとある日曜夜、シアトルに飛ぶと、スターリンクの首をすげかえてしまう。上層部を全員クビにして、信頼しているスペースXのロケット技術者8人を後任に据えたのだ。8人とも衛星については素人だが、工学的課題への対処法はよく知っているし、どうすればマスクのアルゴリズムが適用できるのかもよくよくわかっている。

責任者はマーク・ジュンコーサだ。スペースXでは構造工学部門のトップを務めている。つまりこれで、ブースターから衛星まで、スペースX関連の製品すべての設計や製作をひとまとめにできたわけだ。またその責任者がジュンコーサという、マスクと精神融合さえできてしまう熱と腕を持つ技術者であるのも大きなメリットだと言えよう。

ジュンコーサはやせぎすのサーファーとして南カリフォルニアで育ち、その気候や文化や雰囲気を深く愛しているが、のんびりとした気風には染まっていない。サーカスの皿回し芸人もかくやというスピードで親指と人差し指を動かしてiPhoneを操作するし、「ほら」とか「みたいな」とか「おおっと」とかをあちこちに交え、感情をたっぷり乗せた機関銃連射のような話し方をする。

大学はコーネルで、F1レーシングチームに所属した。仕事はサーフボード製作のスキルが生きるカーボディ製造からエンジニアリングの深みへと入っていった格好だ。

「マジで大好きになった感じで、ほら、おおっと、これこそ僕がやるべきことだ、みたいな？」

スペースXで働くことになったのは、マスクが2004年にコーネル大学を訪問して工学部の教授数人と昼食会を持ったとき、こいつはと思う学生、ひとりかふたりを連れてきてくれと頼んだからだ。

「あのときは、ほら、お金持ちが昼飯をおごってくれるというんだけどどうだ、みたいな感じで。おお、そらよさげだ、もちろん行きまっせと答えました」

昼食会でスペースXの話を聞いたときには「おおっと、こいつ、どう考えても頭おかしいよな。そのうちきっと、ほら、すってんてんになるぞ。でも頭はめっちゃいいみたいだし、やる気もめっちゃある。こんな人、いいよな、みたいな？」と思ったそうだ。

だから、ウチに来ないかと問われたとき、一も二もなく快諾したという。

ジュンコーサはリスクを取る気概があるし、規則もあまり気にしないとマスク好みのタイプだ。ファルコン9のペイロードを軌道に届けるドラゴン宇宙船を開発していたとき、ジュンコーサは、ちゃんと書類を作れと品質管理にさんざ小言を言われたという。ジュンコーサらは昼間に設計し、夜に自分たちで作るというやり方で宇宙船の開発を進めていた。

「だから、発注書や品質確認書なんて、ほら、作ってるヒマはない、とにかく作ってって、最後に試験すりゃいいって言ってやったんですよ。そしたら品管のやつが頭にきちゃいましてね、みたいな？　いや、まあ、それはそうだろうとは、ほら、思うんですが。で、結局、イーロンの前でやりあうことになりました」

マスクはいきりたち、品質管理のマネージャーを叱りとばした。

「あそこまで怒らんでもとは、ほら、思いますが、でも、彼も私も、この宇宙船をなんとか完成させようと、ほら、必死だったわけですよ。おおっと、お金がなくなるぞ、みたいな？」

改良型スターリンク

スターリンクの責任者となったジュンコーサは設計を白紙に戻し、「第一原理」からやり直すことにした。要件を一つひとつ、物理のレベルで問い直すのだ。目標は、ミニマムな通信衛星を作ること。付加機能はあとから付け加えればいい。

「えんえんと検討会をしました。細かなところを、ほら、いちいちイーロンに突っ込まれながら、みたいな？」

たとえばアンテナ。これがフライトコンピューターと異なる構造体に取り付けられていた。熱的に分離する必要があるからだという。ジュンコーサは、なぜだとくり返した。アンテナが過熱するおそれがある。そうか、なら、その試験データを見せてくれ。

「『なぜ？』って5回も問うと、みんな、ほら、めんどくさくなって、おおっと、もう、ひとまとめにしてもいいんじゃね？って思いはじめるんです」

こうして、ネズミの巣のように入り組んでいた衛星が、ごくシンプルで平べったいものとなった。製造費は一桁安くできる可能性がある。ファルコン9のノーズコーンに積める台数は2倍以上。つまり、1回の打ち上げで倍の衛星を軌道に投入できるわけだ。

「これならいいじゃん、みたいな？　いや～、オレ様すごいって、ほら、思いましたね」

それでもマスクは満足せず、細かなところへの突っ込みをやめない。軌道に放出するとき互いに衝突しないように、衛星はひとつずつ固定しておく。

「ぜんぶひとまとめに放出したらいいんじゃないのか？」

マスクにそう問われたとき、ジュンコーサら技術陣はありえないと思ったそうだ。ぶつかったらどうするんだ、と。だがマスクは、宇宙船が動いているんだから、衛星は自然と間隔があくはずだと譲らない。ぶつかったとしても、相対速度が小さく、衛星が壊れることはないはずだ。というわけで、固定具はなくすことにした。これでコストは下がるし、少し単純になるし、質量も減る。

「あそこを削ったら、ほら、ずいぶん楽になりました。さすがの私も、おおっと、これは怖いと思っちゃいましたが、ほら、イーロンのおかげで試せたわけです」

2019年5月、シンプルなスターリンク衛星の設計が完了し、ファルコン9による打ち上げが始まった。そしてその5カ月後に衛星が稼働すると、マスクは、テキサス州南部の自宅から、勝利の報告をツイッターにあげた。

「このツイートは、スターリンク衛星を経由し、宇宙から送る」

自分のインターネットでツイートできるようになったわけだ。

第 53 章

スターシップ
スペースX（2018〜2019年）

左：ボカチカのマスク自宅のリビングと裏庭
右：ビル・ライリーとマーク・ジュンコーサ

スターシップ

目的が儲かるロケット会社を作ることであれば、マスクは、２０１８年を生き抜いたところで勝ち金を手にのんびりしてもよかっただろう。再利用可能な荷馬、ファルコン9は効率でも信頼性でも世界一になったし、開発した通信衛星ももうしばらくしたらじゃんじゃん稼いでくれるはずだったのだから。

だが彼の目標は、宇宙分野のアントレプレナーになることではない。人類を火星に送ることである。そのためには、ファルコン9でも不足なら、その強化版であるファルコンヘビーでも不足だ。ファルコンではそこまで高く飛べないのだ。

「あの時点で金は儲けられるようになりましたが、でも、複数惑星に命を広げることは不可能でした」

だからマスクは、２０１７年9月、もっと大型の再利用可能ロケットを開発すると発表した。長さも出力もかつてないものとなる。コードネームはＢＦＲだ（1年後にスターシップと改称）。

スターシップは1段目がブースター、2段目が宇宙船で、全長は約１２０メートルとなる。これはファルコン9の70％増しで、１９７０年前後にＮＡＳＡがアポロ計画で使っていたサターンＶ型ロケットに比べても9メートル長い。ブースターエンジン33基を装備し、ファルコン9の5倍にあたる１００トン以上のペイロードを軌道まで運ぶことができる。いつの日か、１００人を乗せて火星まで飛ぶことを念頭に置いた仕様だ。発表したのはネバダとフリーモントのテスラ関連工場で地獄と格闘していた時期だが、それでもマスクは、火星まで9カ月の旅に使うアメニティや居室などの想像図をチェックする時間を毎週なんとか捻出した。

ステンレススチール再び

プレトリアにいた子ども時代、父親の工作室で遊んだころから、マスクには材料に対する感覚のようなものがあった。だから、テスラやスペースXの検討会でも、バッテリーの正極・負極、エンジンバルブ、車両フレーム、ロケット構造体、小型トラックのボディなどについて、さまざまな選択肢をよく検討する。リチウム、鉄、コバルト、インコネル、ニッケル・クロム合金各種、プラスチック複合材料、各種グレードのアルミニウム、鉄系合金についてえんえん語ることもできる(実際によくやる)。その彼が2018年ごろ特に気になっていたのが、ごく一般的な合金なのに、ふと気づけば、ロケットともサイバートラックともすごく相性がいいもの、ステンレススチールだ。「ステンレスと一緒に住める部屋が欲しいな」という冗談さえ飛び出したほどだ。

スターシップ部門に、ビル・ライリーという控えめで明るい技術者がいた。昔、コーネル大学自動車レーシングチームでマーク・ジュンコーサにいろいろと教えていたつながりで、彼に呼ばれてスペースXに入った男だ。ライリーとマスクはふたりとも材料科学が大好きだったこと、加えて第一次世界大戦、第二次世界大戦の空中戦など軍事史も大好きだったことから意気投合した。

2018年末ごろ、スペースXの本社工場から南へ25キロメートルほど、ロサンゼルス港の近くにあるスターシップの工場をふたりが訪れた。炭素繊維系の材料がどうにもうまくないとライリーが言う。しわができてしまうというのだ。加工に時間がかかり、高コストなのも問題だ。そう言われたマスクは、こう返した。

「炭素繊維だとそのうち死ぬな。行き着く先は死だ。火星には到達できない」

実費精算のコントラクターにはない発想である。

１９６０年代初頭に4人の米国人を軌道まで送り届けたアトラスロケットはステンレス製だった。マスクはそれを知っていたから、サイバートラックのボディにステンレスを採用した。このときも工場を一回りすると、港に入ってくる船をじっと見たあと、こう言った。

「方針を変える必要があるな。いまのやり方では時間がかかりすぎる。ぜんぶステンレスにしたらどうだろうか」

最初は抵抗もあったし、疑いの声さえ多少あがった。この数日後、スペースXの会議室で幹部陣と開いた検討会では、ファルコン9のアルミニウムリチウム合金や炭素繊維に比べ、ステンレスだとロケットが重くなると反論される。そうはならないのではないかと、マスクは直感的に思っていた。

「計算してみろ。一度計算してみろ」

計算してみると、スターシップの条件では鋼鉄のほうが軽くなる可能性があると判明する。極低温でステンレスは強度が50％増しになるので、液体酸素と液体窒素の燃料が入ると強度が上がるのだ。

さらに、融点が高いので宇宙側に熱シールドを取り付ける必要がなく、その分、軽量化が図れる。ふつうの溶接で作れるのもメリットだ。ファルコン9のアルミニウムリチウム合金は特殊な環境で摩擦溶接をしなければならないが、ステンレスの溶接なら大きなテントの下で十分だし、いよいよとなったら青天井でもなんとかなる。テキサスやフロリダの射場近くでも作業ができてしまうのだ。

「ステンレスなら、葉巻をふかしながらでも溶接できてしまいます」とマスクは言う。

ステンレスなら、炭素繊維を取り扱う特殊技能のないふつうのビルダーでいい。テキサス州マクレガーのエンジン試験場で放水やぐらをステンレスで作ったとき頼んだ会社がある、そこに相談してみろとマスクはライリーに指示した。

板厚はどのくらいにすればいいのか。マスクは作業員に話を聞いた。幹部連中ではなく、現場で作業をしている人々に、どのくらいなら安全だと思うかと尋ねたのだ。

「情報を求めるとき、イーロンは、大本までなるべくさかのぼろうとするのです」とライリーは言う。

4・8ミリくらいならなんとかなるんじゃないかと返ってきた。

「4はきついか?」——マスクがさらに尋ねる。

「それは神経使いそうですね」

「わかった。4ミリだ。それでやってみよう」

試してみると4ミリで大丈夫だった。

ほんの何カ月かで、プロトタイプのスターホッパーが完成した。低高度を上がったり下がったりの試験に使う機体だ。スターシップも着陸・回収・再利用が可能か否かを検討するため、格納式の脚3本も用意した。そして2019年7月には、20メートルほど上下する試験に成功する。

マスクはスターシップにのめり込んだ。そして、のめり込むあまり、スペースXで打ち合わせをしている最中に、ふと、いつもみたいに背水の陣を敷こうと思い立ってしまった。ファルコンヘビーは中止だと命じる。同席していた幹部陣は、あわててグウィン・ショットウェルにメッセージを流した。ご注進を受けたショットウェルは会議室に駆け込み、椅子にぽんと座ると、それはだめですとマスクをいさめる。ブースターコア3本のファルコンヘビーなしには、軍と結んだ大型偵察衛星の打ち上げ契約が果たせない、と。彼女の立場だからできる進言だ。

「状況を説明したら、彼も、自分がやりたいことはできないのだと納得してくれました」とショットウェルは言う。

ある意味、みんな怖がってこういうことを言わないのが、マスクの抱える問題だと言えよう。

スターベース

テキサス州南端のボカチカは、お手軽バージョンの楽園だ。砂丘もビーチも、すぐ近くの高級リゾート、パドレ島とは比ぶべくもない。だが周囲が自然保護区で、ロケットを打ち上げるには安心な場所と言える。だから2014年、スペースXは、ここに簡単な発射台を建設した。ケープカナベラルとバンデンバーグのバックアップにすぎないので、結局、ずっとほこりをかぶっていたのだが、2018年からは、スターシップ専用基地として活用していくことにした。

スターシップは巨大なので、ロサンゼルスで作ってボカチカに運ぶのは非現実的だ。だからマスクは、発射台から3キロメートルほどのところ、強い日差しで乾いた低木地と蚊だらけの湿地が入り交じる地域にロケット工場を建設することにした。組立ライン用に格納庫のような巨大テントが3張りと、天井が高くスターシップを立てておける波板製建物「ハイベイ」が3棟だ。既存の建物は、事務用キュービクル、会議室、軽食スタンド（食べ物はまずまずというレベルだが、コーヒーはすばらしい）に転用した。2020年に入ったころには、技術者と作業員、合計500人ほどが交代制勤務で休みなく作業を続けるようになった。ちなみに、半分は現地採用である。

「ボカチカに来て、ここの環境を整えてほしい」――マスクは、当時アシスタントだったエリッサ・バターフィールドに頼んだ。「宇宙的な人類の進化発展がかかってるんだ」

まずは住むところだ。モーテルは一番近くても内陸に37キロメートル入ったブラウンズビルにしかない。だから、エアストリームのキャンピングトレーラーをずらりと並べた。ヤシの木も、ホーム・デポで買ってあちこちに植えた。ティキバーとBBQデッキも用意した。蚊対策に、ドローンによる殺虫剤の空中散布も試した。若手設備チーフ、サム・パテルのアイデアだ。

「虫に食われちまったら火星に行けなくなるからねぇ」とマスクは笑う。

マスク自身は、組立ラインの構成を検討するなど、工場テントのレイアウトと作業環境に集中した。

2019年末に訪れた際には、進捗があまりに遅いと怒りを爆発させている。スターシップの頂部にかぶせるドームがひとつもできていなかったのだ。夜が明けるまでにドームを完成させるぞと、テントの前で宣言した。大きさを正確に測れる装置がないので無理だと言われても、「死んでも完成させるんだ」と引かない。そして、胴体の端を切り落とし、それに合わせて作れと指示。

そのまま、ドームが完成するまで、技術者と溶接作業員、4人とともに徹夜で作業した。「結局、夜明けまでには完成できませんでしたけどね」とこのとき作業にあたったひとり、ジム・ボーは言う。「朝9時までかかりました」

スペースXの設備から2キロと離れていないところに、住宅地があった。1960年代に開発された建売住宅で、2本の道路にプレハブなどの住宅が31棟、ぱらりと並んでいる。いいかげん古いこの建売住宅を、スペースXは、相場の3倍も出すなどして買い上げた。なかには意固地になって売らないと言う人や、発射台そばに住んでいたいととどまる人もいたが。

マスクはその1軒、2ベッドルームの家を自分用とした。淡色フローリングの広々としたLDKに木の小さなテーブルを置き、仕事スペースにする。床に置いたWi-Fiはスターリンクのアンテナにつながっている。キッチンカウンターは白いメラミンだ。そのほか家具らしい家具は、カフェインフリーのダイエットコークが山のように入った業務用冷蔵庫くらいだ。アメージング・ストーリーズ誌の表紙のポスターなどが飾られていて、昔の寮といった雰囲気が漂う。コーヒーテーブルには、ウィンストン・チャーチルの『第二次世界大戦』第3巻、ジ・オニオンの『我らが愚鈍なる世紀（Our Dumb Century）』、アイザック・アシモフの『ファウンデーション』シリーズ、さらには、2021年5月、NBCのサタデー・ナイト・ライブに出演した際の写真集などが置かれている。隣の小部屋にはトレッドミルがあるが、あまり使っていないそうだ。

庭は雑草にヤシの木が2、3本。これがヤシの木だというのに、8月の暑さにしおれるのがなんともだ。白レンガの壁にはグライムスがグラフィティを描いた。真っ赤なハートに雲、絵文字っぽい泡は青だ。屋根はソーラータイルで、大きなテスラパワーウォール2基も用意されている。庭には小屋もあり、グライムスがスタジオに使ったり、母メイが泊まったりすることもあるそうだ。

ビリオネアの本宅にしてはあまりに質素だと言えよう。だがマスクにとってここは天国だ。スターベースでえんえん会議をしたり、ロケット組立ラインの巡察で疲れても、ここに戻ると、肩の力がすっと抜けるのだ。口笛を吹きながら家の中をぶらつく姿は、郊外の自宅でくつろぐどこその親父という風情である。

第54章

オートノミー・デイ

テスラ（2019年4月）

毎日毎日、マスクは、恋人グライムスの隣でベッドの端に腰を下ろし、まんじりともせず夜を明かした。夜が明けるまで身動きさえしないこともある。テスラのことが心配なのだ。2018年のシュラバや嵐は乗り切ったが、資金をまた調達しなければならないし、ハゲタカのような空売り筋には狙われたままだ。2019年3月、彼は、また、危急存亡モードに突入していた。

「資金を調達できなければ終わりだ」と、空が白むころ、グライムスに泣き言をこぼす。

テスラは世界で一番価値のある車会社になる――そう投資家に信じてもらえるなにかが必要だった。世間の認識を変えるなにかが。

明かりをつけたまま、空中をじっとにらんでいたこともある。

「何時間か寝て目を覚ますと、そこに座ったままなんですよ。考える人そっくりの姿勢で、みじろぎもせず、ベッドの端に腰掛けてるんです」とグライムスは言う。

そこまでしたかいはあったらしい。朝、目覚めたグライムスにマスクは、妙案を思いついたと語った。投資家にテスラの自動運転を体験してもらう「オートノミー・デイ」を開くのだ。

マスクは、2016年からずっと、完全自律の車を作る、すなわち、運転席に人がいなくても走れて、呼び寄せることも可能な車を作るというビジョンを追求してきた。追求を始めてすぐ、ハンドルをなくせとまで言い出している。フォン・ホルツハウゼンらに命じ、ブレーキなどのペダルもハンドルもないロボタクシーをデザインさせているのだ。金曜定例のデザインスタジオ訪問では、いろいろな実物大模型の写真をスマホで撮る。

「世界が向かうのはここだ」――打ち合わせでそう宣言した。「なにがなんでも実現するぞ」

それから毎年、マスクは、もうあと1年ほどで完全自律の車が完成すると世の中に語り続けている。

実際にそうはなっていない。蜃気楼(しんきろう)かなにかのように、完全自律は1年くらい先から近づいてこない。

それでもなお、自律走行車のデモを華々しくおこない、これでテスラは桁外れの利益を上げていくと示すことが、資金調達の最善手だとマスクは判断した。未来の姿を見せるデモができるはずだ、場合によっては、これはすごいと思ってもらえるプロトタイプを見せつけることさえ可能かもしれない――そう考えたわけだ。

カレンダーに印をつける。2019年4月22日、4週間後に、第1回テスラ・オートノミー・デイを開催し、半自動運転のデモンストレーションをおこなう、と。

「もう現実になっているのだと世の中に示さなければならない」とマスクは発破をかけた。実際はまだまだなわけだが。ともかく、さしたる理由もなく切られた非現実的な期限までに成果を出すべく、毎度おなじみ、総員甲板1日24時間週七日のてんてこ舞い、マスクの言う「シュラバ」が始まった。

シュラバになるとみんな頭のネジを何本かとばして働くわけだが、今回は、部下に加えて、マスク本人もおかしくなっていたようだ。

「凶事が避けられない状況から逃げるためには、自分自身を現実から切り離す必要があったのです」と、人工知能関連のプロジェクトを手伝ってくれとマスクが呼び寄せた友人、シボン・ジリスは言う。「万が一プッツンしたら教えてくれと、昔、頼まれたことがあります。彼の部屋に行き、顔を合わせて、プッツンという言葉を口にしたのは、後にも先にもこのときだけです。私が泣いているところを見せたのも、あれが初めてでした」

そんなある夜、オートパイロットのコーダーをしているまだうら若いとこのジェームズ・マスクがチームリーダーのミラン・コバックとサンフランシスコの高級レストランで食事をしていると、彼の電話が鳴った。

「イーロンからだったので『やばいな』と思いました」

駐車場に移動して話を聞いた。思い切った対策を講じないとテスラは倒産する――声が暗い。続けて、オートパイロットチームで優秀なのはどいつだと1時間も問われた。危機対応モードのマスクによくあることなのだが、組織の刷新がしたいらしい。シュラバの真っ最中だというのに、である。

よし、オートパイロット部門の幹部は全員クビだ。そう言い出したマスクを、せめてオートノミー・デイのあとにしてくださいと副官のオミード・アフシャーが必死でなだめる。オートパイロット部門のバッファー役という損な役回りのシボン・ジリスも、さらにはサム・テラーもまた、もう少し我慢をと割って入る。マスクもしぶしぶながら承知せざるをえなかった。だがこの件がマスクの不興を買ったのはまちがいない。ジリスはテスラからニューラリンクに飛ばされるし、テラーも、この混乱の最中に去ることになる。

ジェームズ・マスクは、赤と青の信号を認識する機能を作ることになった。ごく基本的な機能なのに、まだ実現されていなかったのだ。この機能は問題なく作れたが、自動運転でパロアルトを走り抜けられるようにしろというチーム全体の課題は達成できそうにないことが判明する。日は迫っている。さすがのマスクも目標を引き下げた。「テスラ本社を1周したあとハイウェイに上がり、7回曲がって戻ってくればいい」である（本人も「めちゃくちゃ難しい」課題だとのちに述べている）。

「とても無理だと思ったのですが、彼はできるって言うんですよ」とオートパイロットチームのアナンド・スワミナサンは言う。「結局、難しい右左折7回を何週間かでできるようになりました」

オートノミー・デイのあいさつは、例によって例のごとく、ビジョンと怪気炎が入り交じるものだった。本人の頭の中も、信じていることと信じたいことの境目があやふやなのだ。このときもマスクは、1年以内に完全な自律走行ができる車を作るとぶち上げた。呼べば来るロボタクシー100万台を展開する、と。

CNBCは「とても大胆でビジョナリーな約束であり、文字どおりの意味に取るのはごく一部だろう」と報じた。有力投資家の心をつかむこともできなかった。

「あのあと、アナリスト向けの電話会見で厳しい質問をたくさん投げかけました」とT・ロウ・プライス社のインベストメントマネージャー、ジョー・ファスは言う。「彼は『どうしてわからないんですかねぇ』とだけくり返して電話を切ってしまいました」

そんな話を信じるほうがどうかしているだろう。実際、その1年後——いや、4年後でさえ——街中を自律的に走り回るテスラロボタクシーなど、100万台どころか1台も登場していない。それでもなお、怪気炎と夢想の裏には、たしかに、再利用可能なロケットと同じくいつの日か我々の暮らしを大きく変えるとマスクが信じるビジョンがあるのだ。

第 55 章

ギガテキサス

テスラ（2020〜2021年）

オミード・アファシャー

オースティン

どこがいいと思う？　２０２０年に入ったころから、マスクの周囲ではやったゲームだ。みな、スマホを取りだして地図アプリを起動し、それぞれ勝手な町の名前を挙げる。シカゴとかニューヨークとかは？　いいところだけど、今回の目的にはそぐわないぞ。ロサンゼルスやサンフランシスコのあたりは？　おいおい、そこから逃げだそうって話をしてるんじゃないか。このころのカリフォルニア州は、施設誘致反対の気運が強くなりすぎている、規制が多すぎる、当局の干渉がきつい、新型コロナへの対応が適当すぎるといいところなしだ。じゃあ、オクラホマ州タルサなんてどうだ？　オクラホマというのは意表を突く場所だが、現地から熱いラブコールが届いている。ナッシュビル？　観光しにいく場所であって住む場所じゃないとオミード・アフシャーが却下した。ダラス？　テキサス州は魅力的な場所だが、ダラスはさすがにテキサス、テキサスしすぎている。だったら、学園都市のオースティンなんかどうだろう。音楽の町としても有名だし、風変わりな雰囲気を守ろうという姿勢も好感が持てる。

検討していたのはテスラの新しい工場、ギガファクトリーと呼ぶにふさわしい巨大工場をどこに作るか、だ。カリフォルニア州フリーモントの工場は、週に８０００台以上と米国で一番生産的な自動車工場になりつつあったが、生産能力の限界に達しているし、拡張も難しい。

ジェフ・ベゾスはアマゾンの第２本社、ＨＱ２をどこに置くべきかで都市同士を競わせた。対してマスクは、だいたいいつもそうするように、自分や幹部の直感を信じて決めることにした。

政治家の売り込みやコンサルタントのパワーポイントに何カ月も浪費するなどまっぴらだからだ。

そして2020年5月、最終判断が下る。スペースX初の有人飛行が始まる15分前、マスクは、ケープカナベラルの管制室からアフシャーにメッセージを投げた。「タルサとオースティン、どっちに住みたい?」と。タルサも十分に重んじているアフシャーから期待どおりの答えを得たマスクは、「わかった。じゃあオースティンにしよう。きみに任せるからな」とまたメッセージを投げた。


同じようなやり方で、欧州のギガファクトリーはベルリンに置くこととなった。

オースティンとベルリンの工場は2年で完成し、フリーモント、上海とともにテスラの生産を支える大黒柱となる。

建設開始から1年の2021年7月、オースティンのギガファクトリーは基本的なところがだいたいできていた。現場事務所の前では、マスクとアフシャーが、各建設段階の写真を確認している。

「ここは規制が多いのですが、それでも、建設スピードは面積基準で上海工場の倍に達しています」とアフシャーが報告する。

この工場、ギガテキサスは、床面積が93万平方メートルとフリーモント工場の50%増しでペンタゴンを超えている。計画どおり中二階を設置した暁には、ある意味、床面積で世界最大の工場になる可能性もあるという。ただし、床面積で比べるならもっと大きなショッピングモールが中国にあるし、体積で比べるなら巨大な格納庫がいくつもあるボーイングのほうが上だ。「世界最大の建物だと言うには、あとどのくらい大きくしなきゃいけないんだ?」とマスクが問う。将来的にもうあと5万平方メートルほど拡張する計画はあるが、それでもそこまでにはならないが回答だった。マスクはうなずくと、しばらくだまっていた。そして、あきらめた。

床のすぐ上から天井までの巨大な窓について、床から天井までぜんぶガラスにしたらどうかと建設業者がアフシャーに提案していた。高さ10メートルほどの特注ガラスならそうできるという。その写真をアフシャーがマスクに見せる。ガラスにこだわりのあるスティーブ・ジョブズなら、ニューヨーク五番街のアップルストアなどショーケースとする場所にコスト度外視で採用しそうな話だ。マスクは慎重だった。ここまでの厚みは必要なのかとか、太陽光による建物の暖まり方が変わったりしないのかなどを業者に確認していく。

「コスト的にばかげていることはできませんからね」

マスクは、ほぼ完成した工場の中を、ステーションごとに足を止めつつ、生産ラインに沿って歩いていく。鉄材を冷却するステーションでは、冷却液の流速をもっと上げられないのかと技師を締め上げた。冷却速度には限界があるのでが技師の回答だった。マスクは納得しない。それは物理的にそうだという話なのか？　鋼鉄の外側だけ固くて中は柔らかいとか、クッキーみたいなことになるのか？　そこまで言っても技師は引かない。マスクはそれ以上締めようとはしなかったが、だが、1分もかからないはずというのが彼の直感だった。だから、目標だけ定め、実現の方法は技師に任せることにした。

「はっきり言っておく。サイクルタイムは59秒以内にしろ。できなければ、私自身が来てカットするからな」

ギガプレス

２０１８年も終わりに近づいたころ、マスクは、パロアルトのテスラ本社で自分の机に向かい、モデルＳの小さなおもちゃをいじっていた。本物そっくりのよくできたおもちゃで、ばらしてみるとサスペンションまで再現されている。ただ、アンダーボディはダイキャストで作られていて、ひとかたまりの金属だった。その日の打ち合わせで、マスクはこのおもちゃを取りだすと、白い会議テーブルに置いて尋ねる。

「なぜこうしないんだ？」

実際の車はもっと大きいからだと自明の理を技術者のひとりが指摘した。そこまで大きなものを作れる鋳造機は存在しない、と。マスクは納得しない。

「なんとかする方法を検討しろ。でかい鋳造機を探せ。物理学の法則に反するような話はなにもないはずだ」

マスクも手伝って、鋳造の専門会社、大手6社に電話をかけていく。5社には鼻であしらわれた。だが1社、高圧ダイキャスト機を専門とするイタリアのアイドラという会社は、超大型の機械を作ってみようと言ってくれた。モデルＹのリア側アンダーボディとフロント側アンダーボディをそれぞれ一発で作れるマシンだ。

「こうして世界最大の鋳造機を作ったのです」とアフシャーは言う。「モデルＹ用で６０００トンでした。サイバートラック用には９０００トンのものを採用する計画です」

この機械を使えば、融けたアルミニウムを冷たい金型に吹き込み、わずか80秒でシャーシ全体を作ることができる。従来は１００個以上の部品を溶接したりリベット止めしたり接着したりして組み立てなければならなかったし、できあがったものはあちこち隙間があったりカラカラ音がしたり、漏れたりすることがあった。

「というわけで、悪夢だったものが、アホみたいに安く、簡単に、かつすばやく作れるようになってしまったわけです」

この経験から、おもちゃ業界はすごいと思うようになったとマスクは言う。

「彼らは、不具合のない製品を安くすばやく作れなければなりませんし、クリスマス前には大量に作らなければなりませんからね。できなければ悲しい顔だらけになってしまいますから」

だから、ロボットやレゴといったおもちゃからヒントを得ろと口を酸っぱくして言う。工場の現場では、レゴブロックの精度を機械工に語って聞かせる。誤差は10ミクロン以下。だからどのピースを組み合わせてもカチッとはまるのだ。車の部品もそうでなければならない。

「精度は金の問題じゃない。どこまで気を遣うかだ。精度を上げようと注意する気はあるか？それさえあれば精度は上げられる」

第 56 章

家族

（2020年）

左上：グライムス、Xとともに
右上、下：マスクとその子どもたち

X Æ A-12

マスクの私生活は、２０２０年5月、Xとして知られるようになる息子が生まれて大きく変わる。グライムスとは子どもを3人もうけることになるのだが、そのひとり目であるXは、リアル世界にありえないほど愛らしく、彼がいるとマスクは心が安らぎ、幸せを感じる。だから、どこにでも連れていく。長い会議では膝に載せる、テスラやスペースXの工場では肩車で歩く、ソーラールーフの施工現場では好きにさまよわせる（少々危なっかしい）、ツイッターのラウンジでは好きに遊ばせる、夜中の電話会議では近くで好きにおしゃべりさせるという具合だ。ロケット打ち上げの動画もふたりでくり返し見るので、Xは、１から10まで数えられるようになる前に10から１へとカウントダウンできるようになった。

ふたりの関係にはマスクらしさも漂う。親密でありながら、同時に、少し距離を置いているところがあり、お互いに相手の存在を愛でつつ、相手の空間を犯さないのだ。マスクは自分の両親と同じように、過保護でもなければうるさくつきまとうこともない。Xも、まとわりつくこともなければなにかと頼ることもない。関わりは多いがべたべたするわけではない。

実のところ、マスクとグライムスは女の子が欲しいと体外受精を受けたのだが、２０１９年のバーニングマンに向かう直前に戻した受精卵がなぜか男の子だったらしい。女の子のつもりで名前も考えてあった。エクサだ。スーパーコンピューターは１秒間に１００京回（10の18乗回）の演算を単位に性能を表すが、その単位、エクサフロップスにちなんだ名前である。それが男の子だったわけで、生まれるその日まで名前を決められずに来てしまう。

最終的に選んだのは、X Æ A-12という、自動生成のパスワードかドルイドの呪文かと思うようなものだった。グライムスによると、Xとは「未知の変量」だという。Æはラテン語や昔の英語で使われていた合字で、「アッシュ（灰）」と発音する。また、「愛や人工知能を表すAIをエルフ流につづったもの」でもあるらしい。ちなみに、A-12のほうはマスクのアイデアで、アークエンジェルというかっこいい偵察機のことだ（カリフォルニアは名前に数字が使えないので、出生証明書にはA-Xiiと記した）。A-12とは「武器ではなく情報で戦う」意味だとグライムスは言う。「名前を決めるとき、この三つ目がいつも大騒ぎになります。ごてごてしすぎだとイーロンはなくしたがるので。私としては五つくらい欲しいのですが、三つまでなら歩みよってもいいかと」

Xが生まれたとき、マスクは、帝王切開を受けているグライムスの写真を撮り、それを友だちや家族に送った。もちろん、グライムスの父親や兄弟にもだ。さすがのグライムスもこれにはあわてて、削除してくれと頼んで回った。

「あれはアスペ全開の事件でした。私がろうばいするだろうとか、まったく気づけないんです」

ティーンエイジャー

1週間後、マスクの子どもたちが会いに来た。

サクソンは赤ん坊が大好きでとてもうれしそうだった。自閉症のサクソンはシンプルながら鋭い観察をする子で、このころマスクは、それをメモしてジャスティンに知らせたりするようになっていた。

「サクソンはモノの見方が本当におもしろくて」とジャスティンは言う。「時間や人生の意義みたいな抽象概念と格闘しているのがわかるんです。なんでも字義どおりに考えるあの子を見ていると、森羅万象の見え方が変わります」

サクソンは体外受精で生まれた三つ子のひとりで、あとふたりのカイとダミアンは一卵性だ。このふたりは、小さいころ、母親のジャスティンでさえ区別がつきにくいほどよく似ていた。このふたりを見ていると、遺伝と環境と偶然がどう絡みあうのかがよくわかるとマスクは言う。

「同じ家の同じ部屋で暮らし、同じ経験をして、試験のできも同じくらいなのに、なぜかダミアンは自分のことを頭がいいと思っていて、カイはそう思っていないんです。不思議です」

性格は大きく異なる。

ダミアンは内向的で小食だ。また、8歳のときにベジタリアンだと言い出した。どうしてそんなことをとジャスティンに尋ねると、理由は本人に聞いてくれと電話がダミアンにかわった。「カーボンフットプリントを減らしたいと思ったのです」が回答だった。また、クラシック音楽の神童で、ダークな雰囲気のソナタを作曲したり、何時間もぶっ通しでピアノを練習したりする（マスクは演奏の様子をスマホで撮影し、人に見せたりしている）。数学と物理学も天才的だ。「あなたよりダミアンの方が頭いいんじゃないかしら」と母メイに言われ、マスクがうなずいたこともあるという。

カイはすらりと背が高く、イケメンだ。わりと外向的で、現実の問題を体当たりで解決することを好む。ダミアンよりも大きく、体を動かすことも得意なので、ダミアンを守ろうとしがちだとジャスティンは言う。父親がしていることの技術面に一番興味を示す子どもでもあり、ロケットを打ち上げるときケープカナベラルまで父親についていくことも一番多い。マスクにとってこれはうれしい話である。お父さんといるのはつまらないと子どもに言われるほど悲しいことはないと思うタイプだからだ。

彼らの兄グリフィンもかわいらしく、価値観も共通している。父親のこともよくわかっている。テキサス州テスラ工場のイベントで、楽屋に来てくれないかと父親に頼まれたときも、友だちといたいと一瞬はとまどったものの、みんなに肩をすくめてみせると、父親の後を追っている。得意なのは科学と数学。父親に欠けている優しさを持ち合わせていて、家族の中で一番、人付き合いがうまい。少なくともXが生まれるまではそうだった。

そしてもうひとり、グリフィンの二卵性双生児、ゼイビアがいる。名前は、マーベルコミックス『X－Men』シリーズに登場する、マスクが大好きなキャラクターにちなんだものだ。意志が強く、資本主義や富を憎む子に育った。マスクに対しても「あんたも大嫌いならあんたが象徴するものもすべて大嫌いだ」と直接あるいはメッセージでぶつけるなど大げんかをくり返している。そのあたりもあったのでマスクは家を売り、多少なりともつつましやかな暮らしに転じたのだが、ふたりの関係は改善せず、2020年にはどうしようもない状態になっていた。新しい義理の弟を訪ねる今回の旅にもゼイビアは同行していない。

Xが生まれたころ、イーロンとすっかり疎遠になっていたゼイビアは、16歳で、女性として生きていくと決め、「私はトランスジェンダーなので、これからはジェナと名乗ります。あ、父には内緒でお願いします」とキンバルの妻クリスティアーナにメッセージで伝えた。グライムスにも同じような連絡をしている。だがマスクは、この件を警備の人間から聞くことになる。

このあとマスクは、トランスジェンダー問題でいろいろと失敗する。表でやらかしたこともある。たとえば、ゼイビアがジェナになった数カ月後、その事実がまだ公表されていないころに、マスクは、痛みに耐える軍人の風刺絵に「彼という言葉を略歴に書いたとき」とキャプションが添えられたものをツイッターに投稿。その後批判を受けて削除し、「トランスは心から支持しているが、この代名詞問題は身の毛がよだつほど美しくない」と説明らしきものを試みている。またこの問題については声をあげることがだんだんと増え、2023年には、18歳以下の性別移行には医療費を支援しないとする保守派の反発を擁護したりしている。

ゲイやトランスの人々に偏見を持っているわけではないと、クリスティアーナはマスクをかばっている。ジェナと折り合いが悪いのは、彼女がマルクス主義に傾倒していることが主因で、彼女の性自認はあまり関係がないというのだ。実はクリスティアーナもやはりビリオネアの父と折り合いが悪く、キンバルと結婚する前には、スキンとして知られる黒人女性のロックスター、デボラ・アン・ダイアーと結婚していた時期がある。そして、スキンと一緒のとき、ふたりの子どもを持つべきだと言われたくらいで、イーロンは、ゲイについてもトランスについても人種についても偏見など持っていないというのだ。経験者は語る、である。

ジェナが単なる社会主義を超えて完全な共産主義に走り、金持ちは全員悪だと考えるようになって彼女との仲は決定的に悪くなったとマスクは言う。そうなった原因のひとつは、彼女が通ったロサンゼルスの私立学校、クロスロードが「進歩的教化」に包まれていたからだそうだ。子どもたちは、もともと、マスクが家族や友だちのために創設した学校、アド・アストラに通っていた。

「14歳ごろまではそこに通わせていたのですが、高校では現実世界と向き合わせたほうがいいかと思いまして。でもアド・アストラを高校まで延長すべきだったんです」

ジェナとの溝は、マスクにとって、最初の子ども、ネバダが赤ん坊のときに死んだことに次ぐ痛みである。

「いろいろ提案するのですが、彼女は私と一緒にいたがらないのです」

住まい

ジェナの怒りに直面したことで、マスクは、ビリオネアに対する反発を気にするようになった。会社を作って成功し、そこに投資したお金を自分のものとして金持ちになるのはなにも悪いことじゃないともともとは考えていたのだが、2020年ごろには、そうして富を手に入れ、自分のためにじゃんじゃん使うのは見苦しく非建設的だと感じるようになったのだ。

それまでの暮らしぶりは、かなり派手だった。本宅は2012年に1700万ドルで購入したもので、ロサンゼルスの高級住宅街、ベルエアの丘にたつ600平方メートルの豪邸だ。ベッドルームが七つ、ゲストスイートがひとつ、バス・トイレは11箇所もある。加えて、ジムにテニスコート、プール、2階建ての図書室、シアタールーム、さらには果樹園までもある。5人の子どもにとってはお城である。週に四日ここに滞在し、テニスを習ったりマーシャルアーツの練習をしたりしていた。

道の向かいにたつジーン・ワイルダーの家が売りに出ると、マスクは、保存するのだとこれを購入。周辺3軒も購入し、しばらくは、理想の家に建て替える夢を追ったりしている。このほかにも、敷地面積19万平方メートルに建つ、13ベッドルームの地中海風邸宅もシリコンバレーに持っている。

だが2020年に入ると、すべてを売ってしまうことにする。

「実物資産は基本的に売り払うことにした」――Xが生まれる三日前のツイートだ。「家も持たない」

そして、どうしてそんなことを決めたのかをジョー・ローガンに説明している。

「モノというのは重りのようなものだし、攻撃ベクトルでもあると思うんだ。『ビリオネア』という言葉は、最近、軽蔑や非難の色を帯びるようになった。まるで悪いことのように、ね。『ビリオネアはいいよな。なんでも持っててさ』みたいなことを言われるわけだ。だからモノは持たないことにした。これでも非難できるものならしてみろってところさ」

カリフォルニアの家をすべて売ると、マスクはテキサスに引っ越した（グライムスもすぐに後を追った）。ボカチカの小さな建売住宅をスペースXから借りて本宅とする。オースティンにいることが一番多いのだが、そちらでは、ペイパル時代の友だち、ケン・ハウリーの家を借りた。駐スウェーデン大使を辞めたあと、しばらく世界を見て歩くと旅に出たので、その家が空いていたのだ。オースティンのビリオネアが集まるゲート付きコミュニティにたつ700平方メートルあまりの家で、休みに子どもたちを集めるのに格好の場所だった。ここにマスクが住んでいるとウォール・ストリート・ジャーナル紙に報じられるまでは。

「ジャーナルにすっぱ抜かれてケン宅に泊まるのはやめました。入ってこようとする人が次々現れるようになりましたし、実際、ゲートをすり抜け、私がいないときに家の中まで入ってきた人もいたものですから」

近くを適当に探した結果、マスクは、それなりに大きく、「アーキテクチュラルダイジェスト誌が取りあげるようなものではないが、クールな家」をみつけた。売値7000万ドルに対し、カリフォルニア州の家を売った代金である6000万ドルを提示。だが、不動産はそのころ超売り手市場だし、相手が世界一の金持ちだしと、売り手は値を上げてきた。マスクは購入を断念する。そんな無理をしなくても、友だちのコンドミニアムか、グライムスが借りた袋小路にひっそりとたつ家かを使わせてもらえば十分だ。

イーロンとキンバルの仲直り

2020年11月にケン・ハウリーの誕生パーティでストックホルムを訪れたあと、マスクはコロナ陽性になり、同じころ陽性判定となったキンバルに連絡を取った。ふたりは2018年の仲たがい以来、疎遠になっていたが、イーロンがコロラド州ボールダーに飛んで、軽いとはいえコロナを一緒に乗り切ることで仲直りに成功する。

キンバルは法律で認められた天然幻覚剤を使う心のヒーリングを信じていて、アヤワスカの儀式を計画していた。シャーマンに導かれて幻覚作用のあるお茶を飲むやつだ。この儀式にイーロンを誘う。悪魔を飼いならすのに役立つだろうと思ったのだ。

「アヤワスカの儀式をするとエゴが死ぬんだ。抱えている荷物がみんな消える。まったく違う人間に変わるんだよ」

遠慮しとくがイーロンの答えだった。

「コンクリートの板を何枚も重ねた下に感情を埋めてるんだ。それを掘り出す気にはまだなれない」

キンバルと遊んで回れればそれでいいんだとマスクが言うので、スペースXの打ち上げをコンピューターで見たりボールダーの街をぶらついたりしたが飽きてしまい、イーロンの飛行機でオースティンへ行くことにした。そちらでは、イーロンがそのころはまっていたビデオゲーム、『ポリトピア』を一緒にプレイしたり、ネットフリックス制作の『コブラ会』シリーズを一気見したりした。

『コブラ会』は映画『ベスト・キッド』の続編で、子どもだったキャラクターがイーロンやキンバルと同じ40代後半になっていて、マスクの子どもくらいの子どもがいる。

「あのドラマは身につまされましたよ。ラルフ・マッチオ演じるキャラクターは共感力がすごくて、もうひとりはそのあたりがまるでダメという設定でしたから」とキンバルは言う。「ふたりとも、自分にとっての父親的存在との関係に悩み、また同時に、自分の子どもに対し父親としてどう接するべきか悩むんです」

アヤワスカの儀式はなかったが、このときの体験は、ふたりにとってカタルシスとなった。

「子ども時代に戻った気がしました。すごくいい、最高の時間でした。あんな時間をまた持つことができるなんて、思いもしませんでした」

第 57 章

フルスロットル

スペースX（2020年）

上：キコ・ドンチェフとマスク
下：ケープカナベラルの打ち上げタワーにて

人を軌道へ

２０１１年のスペースシャトル退役で、米国は、能力、意志、想像力を欠いた時代に突入する。2世代前に月ミッションを9回も成功させた国にあるまじきことだ。最後のシャトルミッションから10年近くたっても、人をまた宇宙に送り出せていない。国際宇宙ステーションの往復はロシアのロケットに頼らなければならない始末だ。だが、２０２０年、スペースXがその状況を変える。

その年5月、クルードラゴン宇宙船を頭に付けたファルコン9ロケットがＮＡＳＡの宇宙飛行士ふたりを乗せ、国際宇宙ステーションに旅立つことになった。民間企業が軌道まで人を送り届けるのは史上初である。トランプ大統領とペンス副大統領も現地ケープカナベラルまで来て、第39Ａ発射台近くの見学席に陣取っている。マスクはヘッドホンを付け、息子のカイを伴って管制室に座っている。１０００万人もがテレビや各種ストリーミングプラットフォームで生中継を見ている。

「信心深い人間ではないのですが、思わず、膝をついてミッションの成功を祈ってしまいました」と、マスクはのちにポッドキャスターのレックス・フリードマンに語っている。

ロケットが離陸すると管制室に歓声があふれた。トランプら政治家も来てお祝いを述べる。「宇宙について大きなメッセージが世の中に示されたのは50年ぶりだ。すごいことだよ」とトランプ大統領は言う。「そのメッセージを伝えるのは本当に名誉なことだ」

なにが言いたいのかわからなかったマスクは、距離を置いたままにしていた。すると大統領がマスクらのところまで来て、尋ねた。

「もう4年、やる気はないか？」

マスクの目が遠くを見るものに変わる。

宇宙飛行士を国際宇宙ステーションまで運べるロケットを開発する契約をスペースXと結んだ際、NASAは、2014年の同日付で、同等の契約を予算60％増しでボーイング社と結んでいる。だがスペースXがミッションを達成した2020年、ボーイングは、国際宇宙ステーションと宇宙船の無人ドッキング試験さえできていなかった。

スペースXの打ち上げ成功を祝うため、マスクはキンバルやグライムス、ルーク・ノゼックらとともにケープカナベラルから2時間ほど南にあるリゾート地、エバーグレイズに行った。ノゼックによると、リゾート地についてから、「歴史的な成果」の実感がじわじわ湧き上がってきたという。みな、夜遅くまで踊りまくった。キンバルなど、「兄貴が宇宙飛行士を宇宙に送り出したぞ～！」と飛び上がって叫んだりしていたらしい。

キコ・ドンチェフ

スペースXは、国際宇宙ステーションに向けて宇宙飛行士を送り出した2020年5月から5カ月間で、衛星を打ち上げる無人飛行に11回成功という偉業を達成した。だがいかにもマスクで、だからこそ、みんなが安心してしまわないかと心配になってしまった。気が狂いそうな切迫感を保てなければ、ボーイングのようにたるんで動きが鈍くなるのではないか、というのだ。

だから10月の打ち上げのあと、夜遅くに第39A発射台へ行ってみた。残って仕事をしているのはふたりだけだった。こういうシーンを見ると、マスクは爆発する。のちにはツイッターの従業員も思い知ることになるのだが、マスクの会社では、どこまでも集中して働くことが求められる。「ケープカナベラルでは、いま、783人が働いている」――マスクは、そこにいた打ち上げのバイスプレジデントに言った。「なのに、いまここにふたりしかいないのはなぜなんだ?」

全員について、本来なにをしているべきなのか、48時間以内にまとめて報告しろ。冷たい怒りがこもっていた。

望んだ答えは返ってこなかった。であれば自分で確かめるだけだ。本気のオールインモード発動である。ネバダとフリーモントのテスラ工場でもしたように、また、のちにツイッターでもするように、マスクは現場――今回はケープカナベラルの格納庫――に飛び込み、エンドレスで仕事をした。夜通し働くことには、身をもって示す意味と実際的な意味がある。二晩目、打ち上げのバイスプレジデントに連絡が取れない。妻と家族を優先して、無断離隊しやがったなとマスクは思った。それなら、自分と一緒に格納庫で仕事をしてきた技術者、キコ・ドンチェフと話をしよう。

ドンチェフはブルガリアで生まれ、数学者の父親がミシガン大学に職を得たので、子どものとき移民として米国に来た。そして、大学と大学院で航空宇宙工学を学び、ボーイングのインターンという夢のチャンスをつかむ。だがすぐ幻滅してしまい、スペースXで働く友だちを訪ねた。「あの日、現場を歩いたときのことは忘れられません。たくさんの若い技術者がばりばり張り切って働いてるんです。みんなTシャツ姿で、タトゥーをしている人もいました。ともかく、こいつをなんとかしようって気持ちがびんびん伝わってきて。『これだよ。僕が求めていたのはこれだよ』って思いました。雰囲気がまるで違うんです。ボーイングはボタンをぜんぶきっちり止めて火が消えたような感じでしたから」

その夏、彼は、若手に工夫を許す文化がスペースXにあるとボーイングのバイスプレジデントにプレゼンした。

「ボーイングも変わらないと、優秀な人材を持っていかれることになるでしょう」

だがバイスプレジデントの答えは、混乱をもたらすような人材はいらない、だった。

「我々が求めているのは、能力的に最高ではないかもしれないが、辞めずにずっといてくれる人なのかもしれないな」

ドンチェフはボーイングを辞めた。

ユタ州でとある会議が開かれたとき、ドンチェフはスペースX主催のパーティに参加し、景気づけに何杯か飲むとグウィン・ショットウェルに突撃した。ポケットからしわくちゃの履歴書を取りだして衛星機材を作っていたと写真を示し、自分は結果を出せる人間だとアピールする。

おもしろいとショットウェルは思い、面接に来いと伝えた。

「私のところにしわくちゃの履歴書を持ってくる勇気がある人なら採用を考えてもいいかなと思いました」

マスクとの面接は午後3時の予定だった（マスクは、このころまだ、技術者の採用面接を自分でしていた）。だが、いつものことながらマスクは忙しく、後日また来るようにと言われてしまう。それでもドンチェフは、キュービクルの外で待ち続けた。そして5時間後の夜8時、ようやくマスクに会うと、自分のやる気がボーイングでは評価されなかったなどとまくしたてた。

採用や昇格を考えるとき、マスクは、履歴書やスキルより姿勢を重視する。そして、狂ったように働きたいと望むのが、マスクの考える「いい姿勢」だ。ドンチェフは採用する。即決だった。

ケープカナベラルで仕事祭りに入った2020年10月、マスクがドンチェフを探したとき、彼は、三日の完徹明けで久しぶりに家に帰り、ワインを開けたところだった。電話が鳴ったが知らない番号なので無視する。すると妻のところに仲間から電話が入った。いますぐ格納庫に戻れとキコに伝えてくれ、マスクがお呼びだ、と。

「超疲れているしほろ酔いだし、何日も寝てないしって状態なわけですよ。ともかく車に乗ると、眠気覚ましにタバコを買って、格納庫に向かいました。飲酒運転でつかまるかもと思いましたが、そんなの、イーロンを無視するのに比べたらたいしたリスクではないと思えてしまったので」

そんなふうに飛んできたドンチェフに、マスクは、幹部を飛び越えて現場技術者と直接話がしたい、だから「スキップレベル」の話し合いができるようにしろと命じる。

この話し合いから、組織の大改造がおこなわれた。ドンチェフはケープカナベラルのチーフエンジニアに抜擢（ばってき）されたし、彼のメンターである物静かなベテラン管理者、リッチ・モリスが現場の総責任者となった。このときドンチェフが打った手がすばらしい。マスク直属ではなく、モリスの下に付けてくれと頼んだのだ。

こうして、ヨーダのようなメンターになれるマネージャーとマスクに匹敵する激しさで働く気概を持った技術者が率いる最高のチームが誕生した。

無視

マスクは、もっと速くとプッシュし、リスクを取り、規則など無視し、要件を問い直すことで、人を軌道へ送り届ける、電気自動車を普及させる、住宅を電力グリッドから切り離すといった大きな成果を次々とあげてきた。だがそんなふうだから、米証券取引委員会（ＳＥＣ）の要件を無視する、カリフォルニア州のコロナ規制に違反するなど、トラブルを招くこともしてきている。

スペースXにハンス・ケーニヒスマンという創設当時からの古株がいる。２００２年にマスクが採用した技術者だ。最初の3回に失敗し、4回目にようやく成功したファルコン1の打ち上げをクワジュで支えた勇猛果敢なメンバーのひとりでもある。その後彼は、フライトの信頼性を担当するバイスプレジデントに昇進した。規制に従い、安全なフライトを実現するというマスクのもとでは簡単と言いがたい仕事である。

２０２０年末、スペースXは、スーパーヘビーブースターの無人飛行試験を予定していた。フライトは、必ず、天候のガイドラインなど、米連邦航空局（ＦＡＡ）の要件すべてを満たさなければならない。打ち上げ当日の朝、ＦＡＡの担当監督官は、高層の風から打ち上げは危険だと判断した。ロケットが爆発でもしたら、近隣の家に被害が出るおそれがある。スペースXの気象予測モデルでは安全だと予想されていると反論するが、ＦＡＡは判断を撤回してくれない。

ＦＡＡはリモートで打ち上げを監督していて管制室に担当官はいないし、規則も不明瞭なところがなきにしもあらずだ。打ち上げ責任者がイーロンのほうを向き、意味ありげに首を少しかしげる。これにマスクは軽いうなずきで答える。あうんの呼吸だ。ロケットはそのまま打ち上げとなった。

「なんとも微妙な話です」とケーニヒスマンは言う。「あれがイーロンなんです。うなずくだけでリスクを取ると伝えるんです」

打ち上げは完璧で、気象も問題にならなかった。ただし、10キロほど離れた場所への垂直着陸は失敗した。

天候の判断を無視されたFAAの調査が入り、2カ月間の試験禁止を言い渡されたが、逆に言えばその程度ですんでしまった。

この件について報告書を書くのもケーニヒスマンの仕事だ。その報告書で、彼は、スペースXの行動を言い繕うようなことはしなかった。

「FAAは無能ですし保守的にすぎます。最悪の組み合わせですね。ですがそれでも打ち上げ前にFAAの承認は得なければならないのに、我々は得ていなかったわけです。FAAにだめだと言われたのにイーロンは打ち上げを強行したわけです。ですから、その真実を報告書に記しました」

スペースXにもマスクにも、やったことの責任はきちんと取ってもらわなければならないというわけだ。

もちろん、マスク好みの姿勢ではない。

「イーロンはそういう見方をせず、かっかしてました。ものっすごく」

ケーニヒスマンは創業当初の大変な時期からずっとスペースXを支えてきた古参で、マスクもその場ですぐ彼をクビにするようなことはしなかった。だが、監督役からは降ろしたし、数カ月後には引導を渡す。

「きみは長年にわたってすばらしい仕事をしてくれた。だが、どんな人にもいつか退職の日が来る」――マスクは電子メールにこう記した。「きみの日は今日だ」

第 58 章

ベゾス対マスク（第2ラウンド）
スペースX（2021年）

左：宇宙の旅からもどったジェフ・ベゾス
右：宇宙に旅立つリチャード・ブランソン

つつき合い

ジェフ・ベゾスとイーロン・マスクは、２０１３年以来、どちらがケープカナベラル第39Ａ発射台をリースするのか（マスクの勝ち）、どちらが先に宇宙の際まで行ったロケットの着陸を果たすのか（ベゾスの勝ち）、軌道まで上がったロケットの着陸を果たすのか（マスクの勝ち）、人を軌道まで送り届けるのか（マスクの勝ち）とくり返し競ってきた。宇宙に個人的な情熱を抱くふたりの争いは、百年前にくり広げられた鉄道王の争いと同じように、この分野が進歩・発展する原動力になってくれるはずだ。宇宙がビリオネアの趣味になってしまったと口をとがらす向きもあるが、中国に後れを取り、ロシアにさえ先行された米国が宇宙開発の最前線に返り咲けたのは、打ち上げを民間が担うべしという彼らのビジョンあったればこそである。

そのふたりの争いが、２０２１年4月に再燃する。スペースXがベゾスのブルーオリジンに競り勝ち、月の旅の最終段階を担う契約を獲得したのだ。不服を申し立てるが敗訴したブルーオリジンは、スペースXの計画は「あまりに複雑でハイリスクだ」とウェブサイトで言い立てた。負けじとスペースXも、ブルーオリジンは「軌道に到達できるロケットも宇宙船も作れていない」とやり返す。ツイッターではマスクファンがブルーオリジンを笑いものにするフラッシュモブをくり広げ、マスク本人も参戦した。

「（軌道まで）おったてられないでやんの（爆）」

ベゾスとマスクはある意味似ている。ふたりとも、情熱とイノベーションと意志の力で業界を根底から変えてきた。部下の扱いは手荒だし、なんでもすぐばかやろうと言い出すし、できない理由ばかり探す人がいると腹を立てる。目先の利益を追求せず、未来を見すえて進む。ベゾスは、利益(profit)のつづりは知っているかと尋ねられ、同音異義の「ｐｒｏｐｈｅｔ（予言）」と答えたことさえある。

だが、こと技術開発の方向性はまるで異なる。ベゾスは体系的に進める。モットーはラテン語の"Gradatim Ferociter"、「一歩ずつ、果敢に」だ。対してマスクは直感的である。めちゃくちゃな期日を設定し、リスクを取らなければならなくても構わず、そこに向けて周囲の尻をたたきまくってシュラバを生み出す。

マスクは打ち合わせを何時間も続け、技術的な提案をしたり思いつきの命令を下したりするが、それはどうなんだろうとベゾスはいぶかしげだ。マスクは言うほどモノを知らないし、彼の介入はあまり役に立たないどころか問題を増やすだけのことが多いと、スペースXやテスラにいた人々からも聞いているそうだ。

一方マスクは、ブルーオリジンがスペースXほど成果を挙げられない理由のひとつに、ベゾスが下手の横好きで技術を重視しないこともあると言う。２０２１年末の取材でも、「工学の才能がそれなりにある」と一応はベゾスを持ち上げたあと、「細かな点にエネルギーを注ぐつもりがないように見受けられる。悪魔はそういうところに潜んでいるのに」とくさしている。

家をぜんぶ売り払い、テキサスで借家住まいとなったマスクは、あちこちに構えた豪邸を渡り歩くぜいたくなベゾスのライフスタイルもやり玉に挙げた。
「ある意味、もっと時間をつぎ込んでブルーオリジンが前に進むようにしろとつついてるんですけどね。ホットタブでくつろぐ時間を減らして、ブルーオリジンにつぎ込む時間を増やすべきなんです」

衛星通信の分野でもふたりは角を突き合わせている。２０２１年夏の時点で、スペースＸが打ち上げたスターリンク衛星は２０００基近くに達していて、14カ国で宇宙経由のインターネットが使えるようになっている。対抗してベゾスも、アマゾンで同様の衛星網を構築しインターネットサービスを提供すると２０１９年に発表した。プロジェクトカイパーだ。だがいまだに衛星を打ち上げられていない。

軌道まで打ち上げる質量１トンあたりのコストや、人が介入することなくオートパイロットのみで走れる平均距離など、明快な基準を設けるとイノベーションが進むとマスクは考えている。たとえばスターリンクでは、衛星のソーラーパネルで何個の光子をとらえることができて、そのうち何個を地上に届けることができるのかと尋ね、ジュンコーサを驚かせている。よくわからないが、１万対１などごくごく一部にすぎないことはまちがいない。ともかく、ジュンコーサは、それまでそういう考え方をしたことがなかった。
「おおっと、それを基準にするという発想はなかったな、みたいな？　そこの発想を転換すると、こんどは、ほら、どうすればその効率を高められるのか、いろいろ工夫しなきゃみたいになります」

その結果、スペースXはスターリンクの計画を改定し、新たな認可を米連邦通信委員会に申請した。周回軌道の高度を低くするのだ。そうすればレイテンシーも小さくなる。

問題がひとつあった。カイパーの予定高度に近いのだ。当然、ベゾスは不服を申し立てる。マスクはいつもどおり、ツイッターで応戦した。しかも、名前をベゾス(Bezos)ではなく、スペイン語で「キス」を意味するベソス(Besos)とあえてまちがえて。

「どうやら、ベソスは引退し、スペースXを訴える仕事に時間をすべて使うことにしたらしい」

なおマスクの申請は、米連邦通信委員会に認められ、計画を進められることになった。

ビリオネアの遠足

自分自身が宇宙に行きたい――これもベゾスの夢だ。だからマスクと立ち回りを演じていた2021年夏、弟のマークと一緒にブルーオリジンのロケットに乗り、軌道高度よりは低いが、宇宙の際まで往復する11分間の旅に出ると宣言した。実現すれば、宇宙に行く最初のビリオネアになるわけだ。

ヴァージンアトランティック航空やヴァージンミュージックを立ち上げたことで知られる英国のビリオネア、サー・リチャード・ブランソンも同じ夢を抱いている。そのために宇宙飛行の会社、ヴァージンギャラクティックも立ち上げている。ビジネスモデルの中心は、ほかでできない体験ができるなら金に糸目を付けない富裕層に宇宙旅行を楽しんでもらうことだ。ブランソンは、自分を広告塔にマーケティングするのがうまい。自社のロケットで自分が宇宙に行く以上に優れた宇宙旅行のプロモーションはないし、もともと自分自身も宇宙旅行をしてみたくてたまらない。というわけで、予定をベゾスが変えられないぎりぎりのタイミング、九日前の7月11日に、自分も宇宙に行くと発表した。実況中継はスティーブン・コルバート、さらに、シンガーのカリードにこのイベントに合わせた新曲を発表してもらうあたりはブランソン一流の興行手腕と言うべきだろう。

打ち上げの日の朝というか夜というかの午前1時、目を覚ましたブランソンがキッチンに行くと、赤ん坊のXを抱くマスクがいた。「私のフライトがあるからと、わざわざ赤ん坊を連れて会いに来てくれたんですよ」とブランソンは語っている。マスクははだしで、「アポロ50周年」と入った黒いTシャツを着ていた。アポロの月面着陸から50年を祝う記念Tシャツだ。ふたりはキッチンに座って2、３時間話をしたという。

「あまりよく寝れていないようでした」とブランソンは言う。

フライトは有翼の準軌道ロケットをジェット輸送機で持ち上げて飛ばすもので、すべて順調に終了した。ブランソンとヴァージンギャラクティックの関係者５人が高度約８万６０００メートルまで行ってくることに成功したのだ。もっともこの高度は、これで本当に「宇宙」まで行ったと言っていいのかと議論の的になった。ＮＡＳＡは高度８万メートル以上を宇宙だとしているが、いわゆるカーマンラインの10万メートル以上を宇宙だとしている国も多いからだ。

九日後におこなわれたベゾスのミッションも成功した。当然ながら現地にマスクの姿はなかった。ベゾス、その弟、乗員が到達した高度は10万メートル以上とカーマンラインを十分に越えている。ここまでできれば大口をたたく権利もあるだろう。宇宙船はパラシュートで降下し、テキサスの砂漠に柔らかく着陸した。出迎えは心配にふるえる母親と冷静な父親だ。

マスクは、わずかながら称賛する言葉をベゾスとブランソンに贈っている。

「宇宙開発にお金を使っている彼らはクールだと思います」と、9月のコードカンファレンスでカーラ・スウィッシャーに語ったのだ。だが同時に、カーマンラインへの到達はごく小さな一歩にすぎないと付け加えてもいる。

「どういうことかと言いますと、軌道に到達するには、準軌道飛行に比べて100倍ほどものエネルギーが必要になるのです。さらに、軌道から戻ってくる際にもそれだけのエネルギーに耐えなければなりません。つまり、頑丈な熱シールドが必要になります。軌道フライトは準軌道フライトに比べて二桁は難しいということです」

マスクは心のありようから陰謀論に傾きがちで、自分に対するネガティブな報道は、基本的に、報道機関の人間がなにがしかの意図でわざと流していたり、あるいは、よからぬ目的があって流していると信じている。ベゾスがワシントンポスト紙を買収したときのエピソードを見るとそれがよくわかる。2021年に取材の申し込みを受けた際、「お宅のあやつり人形師によろしく」と返信したのだ。実際には、ワシントンポストの報道にベゾスが口を出すことはないし、航空宇宙分野担当のクリスチャン・ダベンポート記者は、ベゾスと競っているものも含めてマスクの成功をいつも報じているというのに、である。

「いまのところ、あらゆる分野でマスクが大きく先行している」とダベンポート記者は報じている。「スペースXは国際宇宙ステーションへ宇宙飛行士を届けるミッションも3回実施しているし、こんどの火曜日には、地球をめぐる軌道の旅、3日間を民間人に提供する予定だ。対してブルーオリジンは、飛行時間10分強の準軌道ミッションを1回成功させるにとどまっている」

第 59 章

スターシップのシュラバ

スペースX（2021年7月）

左上：アンディ・クレブス
左下：ルーカス・ヒューズ
右：メカジラの腕で積み上げられるスターシップ

メカジラ

15カ月になったXは、ボカチカのスターベースで白い会議テーブルの上をよちよち歩いては、両腕を伸ばして開いたり閉じたりした。ロケットを発射するタワーの腕が動くアニメーションを見て、そのまねをしているのだ。ちなみに、彼が最初に覚えた言葉は「ろけっと」「くるま」「ぱぱ」だ。このころは「ちょっぷすてぃっくす」と言うのを練習していた。そんなXに父親はまるで注意を払っていないし、そのとき一緒にいた技術者5人はそのあたりよくわかっていて、全員、Xに気など取られていないフリをしていた。

チョップスティックスの話は、その8カ月前、２０２０年の終わりにさかのぼる。発端は、スターシップの着陸脚に関する検討会だ。すぐに再利用できること――マスクはこれを強く求め、「再利用性こそ、人類が宇宙を旅する文明になるための聖杯だ」と口癖のようによく言う。言い換えれば、飛行機のようにならなければならない、離陸し、着陸し、またなるべく早い時期に離陸する、そうできるべきということだ。

そして、ファルコン9は、世界で唯一のすぐに再利用できるロケットとなった。２０２０年だけで、ファルコンブースターは23回も着陸に成功している。まっすぐ垂直に着陸脚で立つ形で安全に、である。マスクはいまも、すさまじい炎を吹き上げつつ、そっと着陸する様を見るたび椅子から飛び上がり、歓声をあげてしまうという。それでもなお、スターシップのブースターに着陸脚をつけるべきか否か、マスクは迷っていた。脚の重さの分、ペイロードが小さくなるからだ。

「タワーでキャッチしたらいいんじゃないだろうか」

タワーとは、発射までロケットを保持しておく装置だ。マスクはすでに、ロケットを積み上げる機能もタワーに持たせるべきだ、腕で1段目のブースターをつかんで発射台に載せ、続いて2段目の宇宙船をつかんでブースターの上に載せればいいと言っていた。その腕でこんどは、地球に戻ってきたブースターをつかめばいいのではないかと言い出したわけだ。

奇想天外な発想で、みな、驚いてしまった。

「着陸するブースターがタワーに突っ込んだら、ながい期間、打ち上げができなくなってしまいます」とビル・ライリーは言う。「ですが、どういうやり方があり得るのか、いろいろと考えてみることになりました」

それから数週間がたち2020年のクリスマスが終わったころ、またブレインストーミングをおこなった。技術者はほとんどが反対した。積み上げられるようにするだけでも腕部分は危険なほど複雑になるのだ。1時間ほどの議論は、ブースターに着陸脚を装備するという従来のやり方に傾いていく。その中でひとり、宇宙船エンジニアリングのディレクター、スティーブン・ハーロウだけが、もっと大胆なアプローチにすべきだと言い続けていた。せっかくタワーがあるんだから、それを使わない手はないだろう、と。

もう1時間話しあったところでマスクが介入する。

「ハーロウ、きみが推してるアイデアだ。きみが責任者ということでいいな?」

決断するとマスクはおバカな冗談モードに入る。ネタは、映画『ベスト・キッド』で空手の師匠、ミスター・ミヤギがお箸でハエをつかまえようとするシーンだ。だからタワーの腕も

「チップスティックス」と呼ぶべきだと大笑いする。ついでにタワー本体は「メカジラ」にするという。

「打ち上げタワーのアームでブースターをつかまえてみることにした！」とツイッターでも宣言した。着陸脚を使えば簡単なのになぜ使わないのかというフォロワーの問いには、「脚でも当然にいいいんだけど、でも、そんなもの、ないほうがいいに決まっている」と答えている。

そしてくそ暑い2021年7月末の水曜午後、チョップスティックスのついた部分が組み付けられ、メカジラが完成した。その動きを示すアニメーションを見たマスクは大興奮で「やったぞ～！」と叫ぶ。「こいつの閲覧数はすごいことになりそうだ」

2分ほどの短い『ベスト・キッド』のクリップをみつけると、iPhoneからツイートする。

「空飛ぶ物体として史上最大のものをロボットのお箸でつまみたいとスペースXは考えている。成功は保証できないが、興奮は保証する！」

シュラバ

「宇宙船をブースターの上に載せなければならない」

集まってくれた100人ほどの作業員にマスクはこう言った。場所は、ボカチカに3張りある格納庫型テントのひとつだ。2021年7月のくそ暑い日で、スターシップの飛行許可をFAAから取り付けることが急務だった。そのためには、ブースターと2段目の宇宙船を発射台で積み重ね、準備は整っていると示すのが一番いいとマスクは考えていた。

「そうすれば、規制当局もさすがに重い腰を上げるだろう。許可してやれよと世論の後押しがあるはずだ」

あまり意味はないがマスクらしい策だ。実際にスターシップが飛べるようになるのは、もう21カ月後、2023年の春なのだから。それでも、気が狂いそうな切迫感を生み出せれば、規制当局や作業員、さらには自分自身とみんなの尻に火を付けることができるのではないか——そう考えたのだ。

そのあと数時間、マスクは、手を振り回し、首を少しかしげて組立ラインを歩き回った。ときおり立ち止まって、なにかをじっと観察する。だんだんと表情が暗くなり、立ち止まった姿からも物騒な雰囲気が漂うようになっていく。夜9時、海から満月が姿を現すと、マスクはますます憑かれたようになっていく。

これがなにを意味するのか、過去になんどか最後の審判モードに向かうマスクを見てきた私にはわかった。シュラバを命じたい、総員甲板昼夜兼行の突貫作業を命じたいというじりじりした想いが圧力を高めつつあるのだ。盛大にやらかすケースだけで年に2、3回とよくあることだ。ネバダのバッテリー工場でも、フリーモントの自動車組立工場でも、自律運転の開発チームでもやったし、さらには、ツイッターを買収したあとの1カ月でもやる。盛大に揺さぶりをかけ、マスクの言葉を借りれば「クソを出し尽くす」のが目的である。

そして、最高幹部数人を連れて訪れた発射台に作業員がいないのを見たとき、ついに、渦巻く嵐の黒雲が表に吹き出す。金曜の夜遅くならそのくらいのことはあるだろうと普通なら思うはずだが、マスクは烈火のごとく怒った。その矛先は、とりあえず、すぐ横にいたアンディ・クレブスに向かう。スターベースのインフラ構築を統括する、背が高くおとなしい性格の土木技術者だ。

「どうしてだれも働いていないんだ？」

タワーと発射台の作業はシフトを組んで夜通しおこなっているのに、たまたま、3週間ぶりの夜間作業がない日に当たってしまったのは、クレブスにとって不幸だとしか言いようがない。もともと物静かでつっかえ気味に話すタイプで、このときの回答もいまいち自信なさげに聞こえたのもよくなかった。

「いったいぜんたいなにがどうなってるんだ？　仕事しろよ」

そしてシュラバ発動だ。スターシップのブースターと2段目は、あと10日で製作を完了し、発射台に積み上げろ。ケープカナベラル、ロサンゼルス、シアトルのスペースX従業員500人もすぐにボカチカへ呼んで手伝わせろ。

「ウチはボランティア組織じゃないんだ。ガールスカウトのクッキー売ってるんじゃないんだぞ。すぐに全員集めろ」

ロサンゼルスのグウィン・ショットウェルにも連絡した。ショットウェルはもう寝ていたが、知ったことではない。作業員と現場監督をどれだけボカチカに集められるかと問う。ファルコン9打ち上げの準備があるのでケープカナベラルの技術者は行かせられないだと？　そんなものは延期しろ。シュラバ優先だ。

午前1時を回ったころ、マスクは、「スターシップのシュラバ」と題するメールをスペースXの全員に送った。

「明らかに重要なプロジェクトに従事している者以外は、全員、いましていることをやめ、スターシップ1号機の軌道打ち上げに向けた仕事に加わってくれ。飛行機でも車でも、方法は問わないから、とにかくここに来ること」

これを受け、ケープカナベラルのキコ・ドンチェフは、第39A発射台でだれも夜間作業をしていなかったのを見たマスクが同じような騒動を起こしたとき武勲を挙げた経験を生かし、有能な部下を起こしてはテキサスへ飛べと命じた。マスクのアシスタント、ジェーン・バラジャディアは、まず近くのブラウンズビルにあるホテルの部屋を押さえようとしたが出入国管理の会議でほとんど満室だったので、エアマットで寝る手配を急いだ。サム・パテルも徹夜で報告や監督の枠組みを検討するとともに、食料の調達にも知恵を絞った。

マスクが発射台からスターベース本部に戻ったときには、ビル入り口のビデオモニターがいつもと違う表示になっていた。「宇宙船＋ロケットの積み上げまで　196時間44分23秒」――秒単位のカウントダウンだ。バラジャディアによると、カウントダウンを時間単位やそれこそ日単位に丸めるのはマスクが許さないのだそうだ。1秒もおろそかにしてはならないというのだ。

「私が死ぬ前に火星まで行かなきゃいけないんです。そう強いる力は我々以外にありません。そして、結局のところ、私がその役割を引きうけたりするわけです」

シュラバ発動は効いた。わずか10日でスターシップのブースターと宇宙船を発射台で積み上げることに成功したのだ。あまり意味がないと言えばない。ロケットは飛べる状態にいたっていないし、積み上げたからといってFAAが急いで認可するということにもならないからだ。それでも、難局をあおることでチームを本気の状態に保てたし、マスクも求めてやまない波乱を得ることができた。

「人類の未来に対する信頼を改めて感じることができた」と、この日の夜、マスクは語っている。またひとつ、嵐を越えられたわけだ。

ラプターの製造費用

シュラバを越えたマスクは、スターシップのエンジン、ラプターに目を向けた。燃料は極低温の液体メタンと液体酸素で、推力はファルコン9のマーリンエンジンに比べて倍以上だ。つまり、スターシップは、史上最高の推力を誇るロケットということになる。

だが、そのくらいパワフルなら火星まで行けるという簡単な話ではない。何百基も手ごろなコストで生産できなければならない。スターシップ1基を飛ばすのに40基ほどもラプターが必要だし、スターシップの船団を送り出したいとマスクは考えているからだ。だがラプターは複雑で大量生産が難しい。中身がスパゲッティなみにこんがらがっているのだ。だから2021年8月、マスクは設計の責任者をクビにすると、みずからを推力担当バイスプレジデントとした。目標は、エンジン1基の製作費を現状の10分の1、20万ドル前後まで圧縮することだ。

目標の実現に向け、ラプターの製作費を担当する財務の人間との会議をグウィン・ショットウェルとスペースXの最高財務責任者ブレット・ジョンソンが手配した。入ってきたのは、学者っぽい雰囲気のアナリスト、ルーカス・ヒューズだ。髪をポニーテイルにしている以外は、お坊ちゃんにも見える。ヒューズはそれまでマスクと直接やりとりしたことがなく、名前を覚えてもらえているかもよくわからなかった。そんなわけで、かなりびくびくしていた。

冒頭、マスクが釘を刺す。

「最初にはっきりさせておく。きみは技術者の友だちではない。きみは絶対の審判者だ。技術者に歓迎されるようではいけない。彼らがいらつかないなら、きみはクビだ。わかったか？」

承知しましたの答えはつっかえ気味だった。

ロシアからの帰国便でロケットの製作費を試算したあの日以来、マスクは、「ばかやろう指数」なるものを使うようになった。ばかやろう指数とは、完成品の値段を原材料費で割った値で、これが高いということは——たとえば、１００ドルのアルミニウムから作った部品が１０００ドルもするような場合は——設計が複雑にすぎるとか製造工程の効率が悪すぎるなどの問題をはらんでいることが多い。マスクの言葉を借りれば、「この指数が高ければ、そいつはばかやろうだ」となる。

「ばかやろう指数が一番優れているのはどの部分だ？」

「わかりません。確認します」

のっけから心配な展開だ。マスクの表情が暗くなり、ショットウェルが私に目配せを送ってきた。

「こういうことはきちんと押さえておけ。どこがばかやろうなのかもわからず会議に出てくることがまたあったら、その場で辞職を受理するからな」

たんたんと感情の感じられない話し方だ。

「一番優れている部分と一番だめな部分さえわからないなんて、どうしてそんなことになるんだ？」

こう問われたヒューズは、穏やかに返答する。

「部品の価格は一番小さなものまで全部把握しています。ですが、原材料費のほうは知らないのです」

「じゃあ、一番悪い部品はどれだ？　五つ挙げろ」

ヒューズは手がかりを求めて手元のコンピューターを見た。

「やめい！　コンピューターなんぞ見るな。部品を挙げろ。問題を抱えた部品があればわかるはずだ」

「え〜……ハーフノズルジャケットでしょうか」――自信なさげだ。「価格は1万3000ドルだったと思います」

「鋼鉄の塊だな。材料費はいくらだ？」とマスクが問う。

「数千ドルといったところでしょうか」

答えはマスクが知っていた。

「違うな。単なる鋼鉄だ。200ドルくらいだよ。こんなこともわからんのでは話にならん。またこんなことをしたら、辞職を受理するからな。今日の会議はここまでとする。解散」

翌日、フォローアップの会議があったのだが、マスクは、前日にどやしつけたことなど覚えてもいない風だった。ヒューズがプレゼンを始める。

「『ばかやろう指数』の悪い部品、20個をリストアップしました。これらにははっきりとした共通点があります」

鉛筆をぎゅっと握りしめてしまっている以外、不安はよく抑えられているようだ。マスクは静かに聞いてうなずいている。

「大半は、ポンプやフェアリングなど、高精度の機械加工が必要な部品です。そういう機械加工をできるかぎり削減しなければなりません」

マスクが笑みを浮かべた。得意とするあたりに話が入ってきたからだ。銅の利用や、プレス加工や打ち抜き加工のやり方など、細かな点をいくつか確認する。今回は詰問もなければ断罪もない。あくまで答えの探求だ。

「このあたりのコスト削減については、参考になりそうな自動車メーカーのテクニックを調べています」

ヒューズは、マスクのアルゴリズムをどこにどう適用しているのかも表にまとめていた。どういう要件を再検討したのか、どの部品をなくしたのか、各部品の責任者の名前などが一覧になっている表だ。それを見たマスクが言う。

「担当部品のコストを80％削減できないかとそいつらに打診するんだろうな。無理だと言われ、ほかにできるところがあったら、どいてもらう必要があるだろう」

この会議で、エンジン1基の製作費を12カ月で200万ドルから20万ドルまで削減するロードマップが完成した。

会議後、私はショットウェルに声をかけ、ヒューズに対するマスクの言動をどう思うかと尋ねてみた。彼女はマスクが無視する人間的な側面に気を遣う人だからだ。答えは小さな声で返ってきた。

「ルーカスは7週間ほど前に子どもを亡くしたと聞いています。最初の子どもだったんですが、生まれつきなにか問題があってずっと入院だったようです」

そんなことがあったからヒューズは仕事に身が入らず、珍しく準備不足だったのだろうというのが彼女の見立てだった。マスクも最初の子どもを赤ん坊のときになくし、何カ月も悲嘆にくれた経験がある。であれば、いくらマスクでも理解を示せたはずではないのかという疑問には、イーロンには話していないのだと返ってきた。

この日、マスクと話をする機会があったのだが、この件は伝えなかった。内密にと言われたからだ。ただ、ヒューズに対して厳しすぎたのではないかとは尋ねてみた。なにを言われたのかわからない風で少しぽかんとしていたが、その後、抽象的な答えが返ってきた。

「私は、本気のフィードバックを返します。たいがいは的確なフィードバックです。またそのとき、人格攻撃にならないように気をつけています。人ではなく、行動を批判するようにしているのです。まちがいはだれにでもあります。大事なのは、まっとうなフィードバックループを持っているのか、批判を求め、改善していけるのか、そういう人間なのかです。痛みがあろうがなかろうが、物理学はとんちゃくしません。とんちゃくするのは、ロケットが正しくできているか否かです」

ルーカスの学び

この1年後、2021年夏にマスクに締め上げられた人がどうなっているのか、確認してみることにした。ルーカス・ヒューズとアンディ・クレブスのふたりだ。

ヒューズは、当時を詳細に記憶していた。

「ハーフノズルジャケットの製作費については、たしかにしつこくやられました。ですが、材料費については彼が正しかったし、私はといえば、あのとき、どうすればほかの費用をきちんと説明できるのかまるでわかっていませんでした」

マスクにつつきまくられたとき、ヒューズが頼ったのは、体操選手として積んだトレーニングだという。

ヒューズはコロラド州ゴールデン出身の元体操選手だ。体操は8歳で始め、週に30時間も練習した。体操のおかげで成績もよかった。

「細かいところまでおろそかにしませんし、積極的で向上心が強いいわゆるタイプAで、なんでも真剣に、きっちりやろうとするんです」

スタンフォード大学では、男子体操の6種目全部に出場するオールラウンダーとして通年でトレーニングをしつつ、工学と財政学を専攻した。「エンジニアリングマテリアルで未来を作る」という講義が特におもしろいと思ったそうだ。２０１０年に卒業してゴールドマン・サックスに入ったが、もっとモノ作りの現場に近い仕事がしたいと思ってしまった。

「実は子どものころ、宇宙マニアだったんですよね」

だから、スペースXのアナリスト求人に応募し、２０１３年12月に転職した。

「イーロンに締め上げられたときは、とにかく落ちつこうとしました。プレッシャーが強くかかっても冷静でいられたのは、体操のおかげです。取り乱さないように、頭が真っ白にならないようにしたのです」

「ばかやろう指数」データを用意して臨んだフォローアップ会議のあとは、マスクとの関係も特に問題はなかったそうだ。ラプターの会議で製作費の問題が浮上すると、マスクによく名指しで考えを聞かれたという。彼を締め上げたことについて、後日、マスクになにか言われたことはあるかと尋ねてみた。

「あ〜、いい質問ですね。どうだろう。わかりません。ああいう会議の意味を消化して自分のものにすることはないんじゃないでしょうか。覚えてもいない気がします。私にわかることは、あのあと、私の名前は覚えてくれたというその一点くらいですね」

生まれたばかりのむすめさんを亡くされたことで最初の会議は集中できなかったのかとも尋ねてみた。この件を私が知っていたことに驚いたのだろう、しばらく黙ったのち、本には書かないでくれと頼んできた。だが、その1週間後、妻と話しあった、本に取りあげてもらってかまわないとのメールが届いた。

フィードバックはあくまで客観的でなければならないとマスクは言うが、現実には、どうしても個人的になってしまうことがある。ショットウェルはそのあたりがよくわかっている。

「グウィンはみんなのことを本当によく考えてくれます。あの会社では貴重な役割を果たしてくれていると思うんです」とヒューズは言う。「イーロンも人類のことはよく考えるのですが、でも人類というのはすごくマクロな話ですから」

体操の練習に10年以上も打ち込んだ者として、オールインするマスクはすごいと思うという話もあった。

「自分の存在すべてをミッションに投じるんです。そして、自分がそうするんだからほかの人もそうすべきだと考えます。これにはいい面と悪い面があります。自分自身も、大きな目的を達成する道具なのだと認識することができて、それはすばらしいことだと思います。ですが、道具はだんだんと傷むもので、そのときは交換すればいいと思ってしまうことがあるんです」

ツイッターの買収劇を見ると明らかなのだが、実際のところ、マスクはそう感じている。快適な暮らしや遊びを優先したいやつは去れというわけだ。

そしてそれこそ、ヒューズが2022年5月にしたことである。

「イーロンの下で働くのは、すごく刺激的ですばらしいのですが、ほかのことをする時間がなくなってしまいます。それだけの価値があるケースもあります。たとえばラプターがすごく低コストなエンジンとなり、火星に到達できるようになれば、そういう犠牲も払った価値があるとなるでしょう。私も、8年間、そう考えていました。ですがいまは、特に赤ん坊をなくしたこともあり、もっとほかのことに時間を使いたいと思うのです」

アンディの学び

締め上げられたもうひとりはアンディ・クレブスだ。少なくとも、最初はたしかに締め上げられていた。クレブスは、ヒューズと同じようにもの柔らかでおとなしく、あふれんばかりの笑顔とえくぼが目を引く。マスクのターゲットゾーンに対する耐性は、マーク・ジュンコーサやキコ・ドンチェフに比べてあまりない。とある会議の前、メタンの漏出に関するうれしくないデータをだれが報告するのかという話になったときも、クレブスは、自分は遠慮すると逃げ、ジュンコーサに、ニワトリの鳴き真似をしながら両肘を上下させ、このチキン野郎と笑われている。それでも、シュラバ中、なにかというと発射台の出来事を引き合いに出されてもうまく対処していたとジュンコーサからいい評価をもらっている。

マスクは会議で同じことをなんども言いがちだ。強調の意図もあるのだろうが、ほとんど無意識にくり返す祈りの言葉みたいな面もまちがいなくある。そういうとき、その言葉をオウム返しにするとマスクも安心してくれがちだとクレブスは気づいた。

「ちゃんと聞いていると確認したいんですよ。だから、彼のフィードバックは復唱することにしました。壁は黄色に塗るべきだと言われたら、『そうですね、これはよくありません。壁は黄色に塗り替えます』と言うんです」

この方法は、発射台の出来事でも効果を発揮してくれたそうだ。マスクは相手がどう反応しているのかまるでとんちゃくしないこともあるが、厳しい状況に耐えられるやつかどうかは、たいがい上手に判断する。

「失敗したことをクレブスは自分でよくわかっていたと思いますよ」とマスクは言う。「彼のフィードバックループはまっとうです。批判に対するフィードバックループがまっとうなやつとなら仕事ができると思っています」

そう思ったから、マスクは、シュラバから何週間か過ぎた金曜の真夜中、クレブスに電話をかけ、推進剤をエンジンに充塡（じゅうてん）するなどの重要な仕事を任せたのだ。

「彼は私の直属だ。だから、できるかぎりの便宜をはかってやってくれ」――チーム全員にもそう通達した。

　さらに数カ月後の日曜日、発射台にまたスターシップを積み上げる作業をしていたところ、風が強くなってしまい、この風ではタワーに登れないという声が作業員から上がったことがあった。だが、コーティングを削り落としたり、あちこち接続したりとやらなければならない仕事がたくさんある。だから、クレブスはタワーに登り、自分で作業をすることにした。

「作業員にはやる気になってもらわないといけませんからね」

　そう言う彼に、前線に立つ将軍であろうとするマスクに感化されたからか、それとも恐怖に突き動かされたからか、どちらなのかと尋ねてみた。

「マキアベリですね。リーダーに対する畏怖と愛、両方がなければならないのです」

　こう考えた結果、クレブスは、もう2年がんばることができた。だが2023年春には、彼も、本気でオールインというマスクのやり方から逃げ出すことになる。結婚して子どももできたので、ワークライフバランスがもう少し取りやすいところに転職すべきだと考えたのだ。

第 60 章

ソーラーのシュラバ

（2021年夏）

ブライアン・ダウ（右端）とソーラールーフの設置をチェックするマスク

マスクのシュラバは続く。どこまでも続く。2021年夏にあったスターシップ積み上げのシュラバが終わったあと、マスクの射線が向かったのはソーラールーフだった。

マスクは、いとこのピーター・ライブとリンドン・ライブが2006年に立ち上げる際に手を貸したソーラーシティ社を、その10年後、テスラが26億ドルで買収するという形で救済した。そして、一部のテスラ株主に集団訴訟を起こされてしまう。買収を正当化するには、なにがなんでも儲かる事業にしなければならない。だからマスクは、いい製品を作るより戸別訪問の営業力に頼ろうとしたいとこふたりをクビにした。

「あのふたりはだめだ。あいつらとは、もう、口もききたくない」とマスクは、それから5年間で雇ってはクビにしたCEO、4人のひとり、クナル・ギロトラに愚痴っている。

くり返しトップをすげ替えたのは、ありえない期限を設定して設置実績の驚異的な伸びを要求し、それが実現されないとクビにしたからだ。

「みんな、マスクにびびりまくってました」とギロトラは言う。彼も、会議で激怒したマスクにテーブルをたたきながら「このクソ負け犬が!」などと言われたことがあるという。

ギロトラの後任、えらの張った元陸軍大尉RJジョンソンは、まじめな現場監督を投入した。だが2021年に年が改まっても設置実績があまり伸びなかったので、マスクはジョンソンを呼び、いつもの最後通告を突きつけた。

「2週間でなんとかしろ。いとこもクビにした。設置スピードを10倍に上げられなければお前もクビにする」

もちろん、そんなこと、できるはずがなかった。

次はブライアン・ダウ、やればできると困難にめげずがんばる男、２０１７年にはネバダのバッテリー工場でマスクに付き従ってシュラバをくぐり抜けた男だ。最初のうちは順調だった。ボカチカの居間に置いた小さなテーブルから、マスクは、カリフォルニアのダウに電話で、なにをして欲しいのかを連絡した。

「販売戦略は気にするな。あれはオレのいとこ連中がやらかしたまちがいだ。すばらしい製品を作れば口コミで人気が出る」

簡単に設置できるすごいソーラールーフを作れ、それが目標だ、ということである。

いつものアルゴリズムを持ち出し、それをどうソーラールーフに適用していくのかをダウに示す。第1戒は「要件はすべて疑え」だ。特に問題なのは、家から突きでている煙突や通気口を避けて設置すべしという要件である。乾燥機や換気扇のパイプは切り落とし、その上にソーラールーフタイルを置けばいい。その形でも空気はタイルの下を通って抜けるからだ。第2戒の「減らせ」も大事だ。いまはネジにクランプにレールと部品が２４０種類もある。半分以下に減らせと指示。第3戒の「シンプルに」では、ウェブサイトで見込み客に示すものを小中大の3種類だけにしろとした。そこまでやれば、あとは第4戒の「加速しろ」が目標になる。毎週、とにかく、できるだけたくさんの屋根に設置しろ、である。

施工作業員からも直接、スピードアップの工夫を聞くべきだ。マスクはそう考え、２０２１年8月、スターベースのすぐ隣、自分も住んでいる分譲地に立つ31軒の建売住宅にもソーラールーフを設置しろとダウに指示した。

設置できるか否かを作業員が確認する日、マスクは、午後いっぱいをスターベースの会議室でロケットとエンジンの設計レビューに費やした。マスクが新しいアイデアを出したり、まるで見当違いの方向に話をずらしたりするので、いつものことながら会議は長引いた。日暮れまでには見に来て欲しいというダウの願いもむなしく、マスクがテスラで家に帰り、Xを肩に1ブロック歩いて現場に着いたのは夜9時に近かった。

その時間になっても気温は34℃もあって蒸し暑く、汗だくの作業員が8人、スポットライトに照らされた建売住宅の屋根という不安定な場所で蚊をたたきながらマスクを待っていた。Xは地面に置かれたケーブルや機器のところで自由に遊ばせることにして、マスクは、はしごで屋根に上がる。なんとも危なっかしい。ともかく、ひと目見てマスクの顔が曇った。まず留め具が多すぎる。ひとつずつ釘で固定しなければならず、その分、設置に時間がかかる。半分に減らせ。

「台座ひとつに釘2本？　1本にしてみろ。ハリケーンに襲われたら、ほかの家もみんなやられるんだ。だったら同じことだろう。1本で十分だ」

作業員からは、雨漏りのおそれがあると指摘された。

「潜水艦並みの耐水性はいらん。昔、カリフォルニアに持っていた自宅は雨漏りしていた。ふるいから潜水艦までのどこか途中で十分だ」

そう言って一瞬笑ったが、すぐ、ダークモードに戻る。

マスクは細かなところもおろそかにしない。タイルやレールは厚紙の箱に入って現場に届く。それは無駄だ。箱に入れるのにも出すのにも時間がかかる。箱はなくせ。倉庫側もだ。箱をなくしたとわかる写真を工場、倉庫、現場で撮り、毎週送ってよこせ。

表情が厳しく、暗くなっていく。嵐がメキシコ湾から近づいてくるのを予告する空のように。

「設計した技術者を連れてきて、設置がどれほど難しいか見せてやらなきゃいかん」

声が怒りを含み、ついに爆発した。

「技術者連中をここに連れてきて、自分で設置させろ。5分くらいちょこっとやってみるなんていうのじゃだめだ。何日も屋根作業をさせろ。何日もだ！」

そして、今後、設置に関わる人間は技術者や管理職も含めて全員、設置作業員と肩を並べて穴を開け、釘を打ち、汗をながすことにしろと命じた。

このあたりでマスクはようやく屋根を降りた。ブライアン・ダウと副官のマーカス・ミューラーの指示で10人あまりの技術者と設置作業員も庭に集まり、マスクの考えを聞く。耳に心地よい話ではない。

設置時間がふつうのタイルの8倍もかかるのはなぜなんだ？　この問いにトニーという技術者が反応し、ソーラータイルにはこういう配線や電子部品があってと説明を始めた。マスクはそのあたり先刻ご承知だ。しかもトニーは自信たっぷりに教えて差し上げる感じにやらかしてしまった。

「これまで、何軒の屋根に設置した？」とマスクが問う。

「屋根の仕事を20年しています」

「そうじゃない。ソーラールーフを何軒に設置したかと聞いてるんだ」

自分は技術者なので屋根に上って設置はやらないんです――当然の答えだ。

「だからお前はなにもわかってないんだ。だからお前が作るソーラールーフはうんこで、設置にめちゃくちゃ時間がかかるんだ」

1時間あまり、マスクの怒りは少し引いたりあふれたりをくり返した（あふれてばかりに近かった）。設置スピードを上げられなければテスラエナジーは赤字が続き、清算しなければならなくなる。それはテスラにとっても敗北だが、同時に、地球にとっても敗北だ。我々が失敗したら、持続可能エネルギーという未来を実現できなくなるからだ。

ダウは、マスクがなにか言うたび、そうですね、そのとおりですねともみ手をせんばかりだ。この前の週には全米で74軒と過去最高の実績をあげたという話もでた。

「不十分だ。10倍に増やさなきゃいけない」

話を終えると、1ブロック歩いて自分の家に戻った。怒っているのがよくわかる。家のドアに手をかけたところでふり返ると、マスクは、「ソーラールーフの話をするたび、目に短剣が刺さってるような気分になります」と言った。

翌日の正午ごろ、気温は日陰でも36℃に達した。しかも、屋根の上に日陰などあるはずがない。ダウらは、隣の屋根にとりかかっていた。作業員のうちふたりが暑さにやられ、吐いてしまった（ダウが帰らせた）。安全ベストにバッテリー式の扇風機を付けている者もいる。マスクの指示に従い、タイルの台座ひとつを釘1本で留めてみるがどうにもうまくない。タイルが浮いたり回ったりするのだ。だから釘2本に戻した。マスクに怒られないかと尋ねると、物理的な理由を示せばマスクは考えを変えてくれるから大丈夫ということだった。

そのとおりだった。また夜の9時に現れたマスクは、なぜ2本必要なのかを見せられるとうなずいた。そもそも彼の「アルゴリズム」とはそういうもの、10%を元に戻さなければならなくならないのなら、それは減らし足りないと考えるものなのだ。この日は前日よりだいぶ機嫌がよかった。ひとつには設置工程が改善されたから、ひとつにはマスクの機嫌は大きく振れるものだからだ。嵐のあとには凪(なぎ)が訪れるのだ。

「うん、いいじゃないか。ステップごとに時間を測ってみるといい。ゲーム感覚で楽しく仕事ができるぞ」

前夜、激怒したことについて尋ねてみた。

「ああいうやり方はあまり好まないのだけれど、でも、効果はあったでしょう？　昨日から今日で大きく改善されました。なにせ今日は、技術者連中がキーボードの前に座るのではなく、屋根で設置作業をしてますからね」

ダウはすさまじくやる気だった。会社のためになるなら文字どおり床掃除だってしますよとマスクに言ったほどだ。それでも、不可能なものは不可能だ。ソーラールーフの設置は労働集約的で、スケールメリットが出ない。マスクは、生産量をどんどん増やして物理的な製品の製造費を引き下げられる工場を作るのがすごくうまいのだが、ソーラールーフは、月に10軒設置しようが100軒設置しようが1軒あたりの設置費用はたいして変わらない。そして、そういう事業ができる忍耐力をマスクは持っていない。

ソーラールーフ事業を任せてわずか3カ月のとき、マスクは、ダウをまたボカチカに呼び寄せた。ダウは誕生日で家族と過ごす予定があったが、呼ばれたら行かないわけにいかない。ヒューストンで飛行機の乗り継ぎに失敗すると、車を借りてテキサスの海岸を6時間も走り、夜11時ごろ、ようやく到着した。現場は、8月の施工を新しい部品と新しいやり方でやり直しているところだった。屋根の上にはマスクの姿もある。なにも問題はなさそうだ。

「新しいやり方でどんどん作業が進んでいました。わずか1日で仕上げに入っていましたからね」

だが屋根に上がると、費用の件で責め立てられてしまう。マスクも巨体だがダウはもっと大きいし、屋根は潮風で滑りやすく足元が怪しい。だから、ふたりとも腰を下ろすことにした。ダウがiPhoneで財務データを確認する。設置1軒あたりの赤字を確認すると、マスクがギリッと歯をかみしめた。

「コストを減らせ。コストを半分にする計画を来週持ってこい」

今回も、ダウは前のめりだった。

「わかりました。やりましょう。めいっぱいコストをカットしましょう」

週末を使ってコストカットの計画を完成させると、月曜日、マスクのところへ持参した。ところが、会うなりマスクは、先週は何軒に設置したのか、人員の配置転換はどうなっているのかとぜんぜん違う話で責めてくる。答えがわからない質問もあったので、ダウは、誕生日からずっとコストカット計画の策定に忙しく、いま、尋ねられている細かな点まで手が回っていないと抗議した。

「それはわかった。だが、これはコストカットとは違う話なんだ」

そうか、クビにしようとしているんだ。そう気づくにはかなりの時間が必要だった。

「まさか、あんなやり方でクビを切られるとは思いませんよ」とダウはのちに語っている。「イーロンとは長年一緒にやってきましたし、私ができるやつだというのは、彼もわかっているはずなんです。ネバダのバッテリー工場で一緒にシュラバをくぐったわけで、私が結果を出す人間だというのはわかっているはずなんです。たぶん、ひたむきな心を失ったと思われたのでしょう。あの日、あの屋根にマスクと立つため、誕生日を家族とすごすのもあきらめたんですけどね」

ダウをクビにしたあとも、帳尻は合わないままだった。1年後も、設置実績は週30軒でマスクが求める1000軒にはほど遠い。結局、この問題をなんとかしようというマスクの情熱の方が先に尽きることになる。2022年4月、テスラのソーラーシティ買収についてデラウェアの裁判所がマスク寄りの判断を示したのだ。裁判の心配がなくなれば、買収が財務的に正しかったと必死になって証明する必要もないわけだ。

第 61 章

夜遊び

（2021年夏）

左：サタデー・ナイト・ライブにメイと出演したマスク
右：グライムスとパーティにて

サタデー・ナイト・ライブ

「感情を逆なでしてしまった方々に、一言、申し上げたい。私は電気自動車を一新した。宇宙船で人を火星に送ろうとしている。そんなことをする人間がごくふつうでもあるなどと、本気で思われているのですか、と」――マスクは、ちょっとばつの悪そうな笑顔でサタデー・ナイト・ライブ冒頭のモノローグを語った。じっとしていられないのか、足元も右に左に踏み換えている。でもそのおかげで、ぎこちなさがまずまずの魅力に見えるのもたしかだ。

実はこれが、この日のテーマだった。感情面でいたらない点があることを自覚していると示すのだ。ゲストを引き立てる名プロデューサー、ローン・マイケルズの助けも借り、マスクは、2021年5月のこの番組で自分のイメージをやわらげようとした。

「今晩の私は、歴史に残ることでしょう。なにせ、アスペルガー持ちとして初めてサタデー・ナイト・ライブのホストを務めるわけで。あ〜、少なくとも、そうだと認める最初のひとりなわけで。キャストのみなさんとアイコンタクトはあまり取らないかもしれませんが、大丈夫です。『人間』のまねをするのは得意ですから」

放映が母の日だったこともあり、メイも登場することになった。だが直前金曜日のリハーサルでキューカードを読んだメイは、おもしろくないとばっさり。セリフの一部は自分で工夫する許可を取り付けた。おかげでだいぶリアルになったしおもしろくもなったとメイは言う。グライムスも、『スーパーマリオブラザーズ』をもじった寸劇に登場した。リハーサルでは、マスクのアンチ・ウォークなツイートをネタに、ウォークなジェームズ・ボンドをマスクが演じるというアイデアも検討されたが、いまいちしっくり来るものにならず、番組では使われなかった。

番組放映後の打ち上げは、イアン・シュレーガーの人気スポット、パブリックホテルでおこなわれた。コロナ禍で休業中なのを打ち上げ用に開けてもらったのだ。グライムス、キンバル、トスカ、メイはもちろん、クリス・ロック、アレクサンダー・スカルスガルド、コリン・ジョストの姿もあった。イーロンは朝6時ごろに抜け、キンバルら数人とインターネットライター、ティム・アーバンの家に押しかけると、そこでもう何時間かおしゃべりに興じた。

「あの子はほんとにオタッキーで、パーティの楽しみ方なんて知らなかったんですよ」とメイは言う。「でもそのあたりは、最近、しっかり埋めあわせているようですね」

50歳の誕生日

マスクは、タルラ・ライリーがしてくれたときのように、念入りな演出のファンタジーパーティで誕生日を祝うことが多い。だが節目の50歳を迎える2021年6月28日は、42歳の誕生会で力士を投げようとして痛めた首の手術（3回目）をしたばかりだった。だから、ごく親しい友だちだけを集め、ボカチカの家でこぢんまりと祝うことにした。

ブラウンズビル空港からマスクの家まで車を走らせるあいだに、キンバルは、道路脇のお店で花火を買いあさってきて、それなりの年になっているイーロンの息子、グリフィン、カイ、ダミアン、サクソンとばんばん打ち上げた。よそで売ってるしょぼいロケット花火じゃない、本格的な花火だ、テキサス州というのはなんでもできるところだからとキンバルは言う。

マスク本人は、首も痛ければ仕事で疲れ切ってもいるという状態だった。昼間はずっとボカチカの製造テントを歩き回り、スターシップのブースターと2段目宇宙船の接続部分が複雑すぎると怒り続けていたのだ。

「穴がいっぱい開いていて、まるでスイスチーズじゃないか」とマーク・ジュンコーサにメールで毒づいた。「アンテナの穴はもっと小さくしなければいけない。配線が通るぎりぎりでなければ。作業も設計要件も、個人名を付せ。委員会形式の設計は認めない」

集まった友だちは、結局、ずっとマスクをひとりにしていた。寝られるようにという配慮だ。マスクは誕生日の週末が終わるころようやく起き出してきた。晩飯は、発射台近くにあるスペースXの社員食堂フラップスだ。小さな彼の家に戻ると、グライムスが仕事に使っているさらに小さな裏庭のスタジオに集まる。そして、家具と言えるものは大きなフロアクッションくらいしかないこのスタジオで、首の後ろを枕で支えて寝転んだマスクを中心に、明け方まで話し込んだ。

２０２１年のバーニングマン

夏の終わりにネバダ砂漠で開かれる芸術と自己表現の祭典、バーニングマンは、イーロンとキンバルにとって、１９９0年代末から毎年参加しているいわば神聖なる儀式であり、また、アントニオ・グラシアスやマーク・ジュンコーサらの友だちとキャンプをしながら踊ったり飲んだりして友情を深めあう大事なイベントでもある。だが２０２０年はコロナ禍で中止になってしまった。だからキンバルは、2021年には必ず開催されるようにと資金を集めることにした。イーロンも賛同し、キンバルを実行委員にすることを条件に、500万ドルを出した。

だが2021年4月に開かれた第1回の実行委員会で、キンバルは、ショックを受ける。自分以外の全員が今年も中止だと言ったからだ。「まさか……マジですか?」と何回尋ねたことか。

結局、キンバルをはじめとするバーニングマン信者で非公式な「レネゲード・バーン」なるイベントを同じ場所で開くことにした。参加者は約2万人と例年の8万人に比べればずいぶん少なかったが、そのおかげで、参加者の気持ちがよくまとまり、最初のころのバーニングマンにも似た反逆者魂にあふれるイベントになった。ただ、必要な許可を受けていないので、バーニングマンという名前の由来である巨大な木製の人型を燃やすことができない。それならばとキンバルは、友だちに頼み、ドローンで空中にバーニングマンを描くことにした。

「これは、熱狂的な人が集まる神聖な体験ですから」とキンバルは言う。「だから、漢（おとこ）を燃やさなきゃいけないんです。そして実際、燃やすことができました」

イーロンも土曜夜だけだが来てキンバルのテントに泊まった。ロータス型のテントで、40人くらいが寝泊まりしたりダンスをしたりできそうなほど大きい。よくあることなのだが、このときも危機みたいなもの――今回はテスラのサプライチェーン問題――について相談がおこなわれた。ほとんど、休むのをよしとしないイーロンの免罪符という感じだ。

グライムスも一緒に来たが、ふたりの関係はぎくしゃくしていた。イーロンの恋愛は、いじわるを互いにしすぎるきらいがある。グライムスとの関係も例外ではなく、太ってオレに恥をかかせてみろと言うなど、緊張関係を糧（かて）にしているようなところもあった。バーニングマンに来たときは、ふたりでトレーラーに入り、何時間も出てこなかった。「きみを愛しているけど、愛してないんだ」とイーロンが言い、グライムスも、同じように感じていると答えたりしていたらしい。年内には子どもがもうひとり、代理母から生まれてくることになっていたが、恋愛関係なしでいわゆる共同養育にしたほうがいいとこのとき意見が一致し、ふたりは別れることになった。

グライムスはこのときの心情を『ゲームのプレイヤー』という曲にまとめている。究極の戦略ゲーマーにあらゆる意味でお似合いの題名と言えるだろう。

これほど愛していなければ
彼を引き留めるのだけれど
でも彼は一番になりたがる
ゲームのプレイヤーとして
私は最高のゲーマーを愛している
でも彼のゲームに対する愛は
私に対する愛より大きい
好きに飛び去って
冷たく広がる宇宙のかなたへ
愛でさえ
あなたをとどめることはできないから

2021年9月のメットガラ

グライムスとの別れは長続きしなかった。少なくとも完全な別れは。この後も親しくつきあう、共同養育に励む、孤独をなぐさめあう、境界線を引く、仲たがいする、拒絶する、影のようにつきまとう、仲直りをするとジェットコースターのような関係が続くのだ。

バーニングマンのすぐ後にも、一緒にテキサス南部からニューヨークへ飛び、衣装の祭典メットガラに参加している。グライムスが大好きなのだ。泊まりはメイが住むグリニッチビレッジのアパートだ。

マスクは、この直前に柴犬の子犬フロキを飼いはじめている。柴犬が暗号通貨ドージコインのモチーフだからだ。もう1頭、マービンという犬も飼っていて、こちらもニューヨークに連れてきていた。フロキもマービンもトイレトレーニングができていないし仲が悪いしで、2ベッドルームと小さなメイのアパートはしっちゃかめっちゃかになってしまった。

今回、メットガラにグライムスが用意したコスチュームは、小説と映画で知られるSF『デューン　砂の惑星』をイメージしたもので、薄地のガウン、グレーとブラックのケープ、シルバーのフェイスマスクといういでたちだ。手には剣も持っている。いまいち気乗りがしていなかったマスクは好都合にも仕事が入り、メットガラのオープニングは欠席した。この日の夜にファルコン9の打ち上げが予定されていたのだが、インド上空で宇宙船が大気圏へ再突入するのに必要な許可が手続き上の問題で遅れていたのだ。珍しくもないトラブルでマスクが気にする必要もなかったはずだが、仕事の波乱とあっては、それが大きかろうが小さかろうが放っておけないのがマスクなのである。

メットガラのあと、マスクとグライムスは、マンハッタンのノーホー地区にある人気のクラブ、ゼロ・ボンドでパーティを主催した。レオナルド・ディカプリオやクリス・ロックなど、セレブの姿もある。だがマスクは、時間の大半を奥の部屋で手品を見て過ごした。

「出てきてみなさんにご挨拶なさいと呼びにいったのですが、手品を見たいと聞かなくて」とメイは言う。

2021年夏、セレブ世界の頂点を極めたマスクは、おもしろいと思いつつ気後れもしていた。翌日は、ブルックリンへ行った。トレンディーなオーディオビジュアル展示がおこなわれていて、その中にグライムスの作品――グライムスが戦いのニンフとなり、ディストピアな未来をさまようアニメーション――があったからだ。そこからはマスクのジェットでケープカナベラルに飛ぶ。スペースXが民間企業として初めて民間人を宇宙に飛ばすときが来た、マスクの現実がファンタジーを追い越すときが来たのだ。

第 62 章

インスピレーション4

スペースX（2021年9月）

上：ジャレッド・アイザックマン
下：マスクとハンス・ケーニヒスマン

２０２１年7月にブランソンとベゾスが相次いで宇宙に行ったことから、マスクも後を追うのか、自身を宇宙に送り出す3人目のビリオネアになるのかとずいぶん取り沙汰された。マスクは注目の的になりたがるし、リスキーな冒険が大好きだが、自身が宇宙に行くことはまったく考えていない。自分のミッションは人類のためであって自身のためではないというのだ。ええかっこしいにも聞こえるが、事実だ。ロケットがビリオネアのおもちゃだと思われてしまうと、ふつうの人の宇宙旅行に変な色が付きかねない。

マスクは、スペースX初の民間人乗客に、地味な人物を選んだ。テックアントレプレナーでジェットパイロット、ジャレッド・アイザックマンだ。角張った顔の冒険家で、いくつもの分野でこけおどしなど不要な実績を挙げてきたからか、物静かで控えめだ。16歳で高校を中退すると、決済サービスの会社でしばらく働き、その後、チェーンのレストランやホテルを中心に年間２０００億ドルも決済を処理するシフト4ペイメンツを立ち上げた。パイロットとしても一流で、エアショーに出たり、軽量ジェット機を駆って世界を62時間で一周し、世界記録を打ち立てたりしている。ジェットを１５０機も持ち、軍や国防関連のコントラクターにトレーニングを提供している会社の共同創業者でもある。

そのアイザックマンがスペースXから買ったのが、軌道まで行く民間ミッションの第1号となる3日間のフライト、インスピレーション4である。メンフィスにあるセントジュード小児研究病院の募金集めが目的で、アイザックマンは、骨がんのサバイバーであるヘイリー・アルセノー（29歳）をフライトに招待した。ちなみに、乗り組む民間人は全部で4人である。

打ち上げの1週間前、マスクは、スペースXの関係者と2時間の準備会議をした。有人ミッション恒例の安全に関する一言も添えた。

「なんであれ懸念を抱いている者や提案のある者がいたら、私に直接メモを送ってほしい」

だが、大いなる冒険にはリスクが付きものであり、冒険者ならそういうリスクを取るものだとマスクも、さらにはアイザックマンもわかっていた。

この準備会議では、公表されなかったリスクも検討されている。

「ひとつ、お伝えしておきたいリスクがあります」とフライトマネージャーが進言する。「今回は、いつもの国際宇宙ステーションミッションよりも高いところ、いままで有人飛行があまりおこなわれていない高度まで上がる予定です」

ドラゴンカプセルの予定周回高度は575キロメートルだった。有人の周回高度をここまで上げるのは、ハッブル宇宙望遠鏡を修理した1999年のスペースシャトルミッション以来である。

「スペースデブリのせいでリスクはかなり大きなものとなります」

スペースデブリとは、古い宇宙船や衛星、そこから漂い出た人工物など、早い話が宇宙ゴミである。インスピレーション4打ち上げのころ、小さすぎて場所を特定できないものだけで1億2900万個あると言われていた。実際、宇宙船に損害が出る事故も起きている。特に今回のミッションは高く飛ぶので、その分、条件が厳しくなる。高度が上がると空気の抵抗が小さくなり、燃え尽きたり地球に落ちたりしにくくなるので、ゴミがなかなか減らないのだ。

「デブリがキャビンに貫通するおそれもありますし、熱シールドがやられて宇宙船が再突入に耐えられなくなるおそれもあります」

続けて、ハンス・ケーニヒスマンが辞任に追いこまれたあと、フライト信頼性のバイスプレジデントに就任した無愛想な元ＮＡＳＡ職員、ビル・ゲルステンマイヤー（通称ゲルスト）が、リスク削減の対策を提案した。周回するドラゴンカプセルの向きを調整すれば、デブリと衝突する可能性を減らせるという。しかるに、向きを変えすぎるとラジエーターが冷えすぎてしまうので、そのリスクも勘案しなければならない。当初計画の向きだと約７００分の１というデブリとの衝突リスクを、新たな向きにすれば約２０００分の１まで引き下げられる。ただし「不確定要素が多くリスクの予想精度は低い」と警告のスライドが続いた。承認するがマスクの結論だった。

もっと安全と思われるアプローチもあるとゲルステンマイヤーは続けた。周回高度を下げるのだ。

「高度を下げて周回できる軌道もあります。１９０キロメートルまで下げることも可能です」

低高度で周回し、予定したところに着陸できる軌道も算出してあるという。

「どうしてそうしないんだ？」――マスクが問う。

「国際宇宙ステーションより高く飛びたいと顧客が望んでいるからです。アイザックマン氏としては、できるかぎり高いところまで行きたい、と。スペースデブリの説明はしました。アイザックマン氏も同行の方々も、リスクは理解した上で受け入れると言われました」

「そうか。だったらいいじゃないか」

リスクを取る人には敬意を払うのがマスク流だ。

「きちんと話してあるなら、なにも問題はないと思う」

なぜ低高度を選ばなかったのかと後に尋ねると、アイザックマンはこう答えた。

「また月に行こうとするのなら、火星までも行こうとするのなら、快適なところから少し踏み出さなければならないと思うのです」

軌道をめざすロケットに民間人が乗るのは、高校教師のクリスタ・マコーリフが乗り組み、打ち上げから1分で爆発した１９８６年のスペースシャトルチャレンジャー以来である。この事故で米国の精神は大きな傷を負った、インスピレーション4が成功すれば、その傷を癒やすことができるとグライムスは考え、「チーフスペルマスター」として、打ち上げ前のロケットに幸運の支援魔法をかけることにした。

管制室に座るマスクは、緊張が高まるといつもするように、未来について考えることで気を紛らわせていた。隣で秒読みに集中しようとしているキコ・ドンチェフに、ボカチカで製作中のスターシップについて尋ねたり、フロリダにいる技術者をどう説得したらボカチカに行ってもらえるだろうかと相談をもちかけたりする。

ハンス・ケーニヒスマンにとっては、これが最後の打ち上げだ。ファルコン1を打ち上げるクワジュの艱難辛苦（かんなんしんく）に始まって20年、スペースXで働いてきたわけだが、米連邦航空局の天候判断を無視した例の報告書でマスクの不興を買い、退職することになっていた。インスピレーション4が飛び去ると、マスクのところへ行き、ちょっと決まり悪そうにハグすると別れを告げた。

「もしかすると腹が立ったり悲しくなったりするかなと心配してしまいました」とケーニヒスマンは言う。「管制室のメンバーで私が最古参でしたからね」

民間人を乗せたこのミッションで宇宙開発の歴史は変わるだろうなどと話も少しした。

ケーニヒスマンが立ち去りかけると、マスクはスマホを取りだし、ツイッターを確認しようとした。グライムスがつつく。

「彼にとって最後のミッションなのよ？」

「わかってる」

マスクはそう答え、ケーニヒスマンを見上げて軽く会釈をした。

「気分を害したということはありません」とケーニヒスマンは言う。「マスクもずいぶんと心を配ってくれるのですが、感情面のお守りはしない人ですから」

「昨晩、インスピレーション4の打ち上げに成功した@elonmuskと@SpaceXにお祝いを申し上げます。我々だれしもが行ける場所に宇宙がなる未来に向け、また、1歩前進したことになります」

ベゾスのツイートに、マスクは、礼儀正しくはあるがあまりに簡潔な一言で応えた。

「ありがとうございます」

すごくよかったと感動したアイザックマンは、もう3回飛ばせてくれ、5億ドル出すと提案した。次回はもっと高く飛び、スペースXの宇宙服を着て宇宙遊泳もしたい。スターシップが完成した暁には、民間顧客の第1号となる権利も買わせてほしい。

フライトを予約したいという話はほかにもあちこちから出てきた。総合格闘技のプロモーターからは、宇宙の無重力で試合をしたいという申し出もあった。この提案をマスクはボカチカの飲み会でにこにこしながら検討した。

「それはやめたほうがいいでしょうね」――ビル・ライリーが反対の声をあげた。

「なぜだい？　グウィンによると、5億ドル出すって言ってるらしいんだが」

「評判を落としかねません」と、スターベース製作の責任者を務める技術者サム・パテルが言う。

「それもそうか。あわててやることじゃないかもな。軌道まで行くのが当たり前になったら考えてもいいかもしれないが」


民間企業が民間人のために打ち上げたインスピレーション4ミッションは、さまざまな事業や商用衛星、大いなる冒険に彩られた軌道経済の誕生を象徴する出来事だ。

「スペースXとイーロンの成功は本当に驚きですよ」

NASAのビル・ネルソン長官は、インスピレーション4の翌朝、こう語ってくれた。「産官の相乗効果がうまく出ています。人類にとってすばらしい話ですよ」

インスピレーション4の重要性についてあれこれ考え、人の努力に想いをめぐらせたマスクは、『銀河ヒッチハイク・ガイド』流の悟りとでもいうべきものに到達する。

「大衆市場向けの電気自動車はいずれ登場するはずのものでした。私がいなくてもいつかは生まれたはずなのです。ですが、宇宙を旅する文明になるのは、話が違います」

50年も前に米国は人を月まで送り届けた。だがそのあと、進歩はなかった。退歩だけだ。スペースシャトルも低地球軌道までしか飛べなかったし、シャトルが退役したらそれさえもできなくなってしまった。

「技術というのは、放っておいても自動的に進歩するものではありません。今回のフライトは、進歩の裏に人間の力があることをはっきりと示してくれました」

第 63 章

ラプターの大改造

スペースX（2021年）

上：ハイベイの上に立つジェイコブ・マッケンジー
下：ボカチカの組立用巨大テントとハイベイ

エンジニアリングモード

「私の神経回路は独立記念日の花火みたいにバチバチと発火しまくってます」――マスクは大喜びだ。「これよこれ。これがやりたいのよね。やる気全開の技術者とやりあうのがね」

場所はボカチカのスターベース会議室、時は2021年9月初旬。マスクの頭は、北朝鮮リーダーをこんな風にしたら即処刑だろうと思う髪型だ。でもマスクは、「自分で切ったからね」と涼しい顔だ。

ここまで何週間か、マスクは、スターシップのラプターエンジンで絶望と激怒を行ったり来たりしていた。どうにも複雑になってしまい、金はかかるわ作るのは難しいわになっているのだ。

「1本2万ドルのチューブを見せられたら、フォークを目にぶっ刺したくなるよ」

今後、ラプターチームは、週末も含めて毎晩8時、スペースXの会議室に集まること――マスクはそう宣言した。

特に気にしたのが、部材の質量だ。エンジンシリンダーとドームは加わる圧力が異なるのに、なぜ、板厚が同じなのか。

「なんでこんなことになってるんだ？　意味のわからない金属がくっそ大量に使われているじゃないか」

必要もないところが1グラム重くなれば、その分、打ち上げられるペイロードが減ってしまう。インスピレーション4の着陸があったので時間を真夜中にずらしておこなわれた会議で、大きな決断が下された。材料は、なるべくマスクお気に入りのもの、つまりステンレススチールを使う、だ。高価な合金の使用量をどうすれば減らせるのか、スライドが次から次へと出てきたところで、マスクが割って入ったのだ。

「もういい。いわゆる分析麻痺に陥ってるぞ。部品は、できる限り、安価な鋼鉄にしよう」

それでも最初は、酸素リッチなガスの燃焼で高温にさらされる部分は例外扱いだった。フェースプレートは熱の伝導率が高い銅でなければならないと、一部技術者が強く推したからだ。だがマスクは、銅は比較的低い温度で溶けてしまうことが気になった。

「フェースプレートも鋼鉄でできるはずだと思う。頼むから試してくれ。『鋼鉄で作る』が基本方針だというのは前々からはっきりさせているはずだ」

このあたりは、うまくいかない可能性も十分にあったと本人も認めている。だが、何カ月も分析に費やすより、試して失敗するほうがずっといいというのだ。

「さっと作れば、さっと結果がわかります。そしたら、さっと修正できるわけです」

最終的には、部品の大半をステンレススチール製とすることに成功する。

ジェイコブ・マッケンジー

毎晩、スキップレベルの会議をしながら、マスクは、ラプターの設計を任せられそうな人材も探していた。それを知るショットウェルが尋ねた。

「リーダー候補はみつかりました？」

「エンジニアリングスキルの目利きは得意なんだけど、みんなマスクをしているとどうにもやりにくくてね」

というわけで、ミドルレベルの技術者をひとりずつ、一対一で質問攻めにしてみた。

その結果浮上したのがジェイコブ・マッケンジーという若手技術者だ。天使のような笑顔に髪型は肩までのドレッドロックスという組み合わせで、むちゃくちゃクールだ。

ちなみにマスクが好む副官は大きく2種類に分かれる。片方はマーク・ジュンコーサのようなレッドブルタイプだ。カフェインをしこたまキメたかのように多弁で、さまざまなアイデアを次から次へとこなしていく。もうひとつは、『スタートレック』に登場するスポックのようなタイプだ。抑揚の少ない控えめな話し方で、バルカン人のような知力が感じられる。マッケンジーは後者だった。

マッケンジーはジャマイカで育ち、カリフォルニア州北部に移ってきた。そして、車やロケットなど「重工業系」に興味を引かれていく。貧しかったので、高校時代は倉庫でアルバイトをした。そうやって貯めたお金でサンタローザ・ジュニアカレッジに進学し、工学を学ぶ。成績がよかったので、そこからバークレーに移り、さらにＭＩＴの大学院に進学して機械工学博士となった。

スペースXには２０１５年に入り、ラプターエンジンにバルブを提供するチームを率いてきた。責任重大だ。秒読みが止まるのは、バルブの漏れによることが多いからだ。マスクとは話をしたこともあまりなかったので、ラプタープログラム全体の管理という話が出てきたときには驚いたという。名前も知らなかったのではないでしょうかと本人も言っていて、実際そのとおりだった可能性もある。それでもマスクは、マッケンジーがいい仕事をしているとわかっていた。マッケンジーらのチームは、マスク自身が手を出したプロジェクトのひとつ、フラップアクチュエーターの改良に成功していたからだ。

2021年9月のある日、真夜中過ぎに、マスクはマッケンジーにメッセージを送った。

「まだ起きてるかい？」

驚くようなことではないのだが、マッケンジーから返事が返ってきた。

「ええ、まだ起きてます。もう1、2時間は仕事をしています」

マスクは電話に切り替え、お前を抜擢すると告げる。そして朝4時半、関係者に電子メールを配信した。

「今後、ジェイコブ・マッケンジーは私の直属とする」

「継ぎ手やインコネル製の部品は基本的になくし、溶接可能な鉄系合金とする。また、もしかするとというレベルでも不要な部品はすべてなくす。そうやってなくした部品の一部をあとでまた取り付けるはめにならなければ、それは、減らし足りないということだ」との言葉もあった。

マッケンジーは、似たような部品が90％も安く手に入ったりする自動車業界のやり方を取り入れることにした。スペースXの生産ラインを自動車業界のテクニックでスリム化できないか、テスラの幹部、ラース・モラビーに確認してもらったところ、あまりのややこしさに彼が目を覆う場面があちこちであったという。

「手のひらに顔を埋めるの、やめていただけませんか。すごく傷つくんです」

なんといっても大きかったのは、テスラでもしばらくそうしたように、設計技術者を生産のトップに据えたことだろう。

「昔は設計と生産を分けていたのだが、あれは最低最悪のまちがいだった」

マッケンジーが議長を務めるようになったころの会議で、マスクはこう語った。

「きみたちが生産プロセスまで責任を持て。だれかに渡しておしまいなんてもってのほかだ。設計のせいで作るのに金がかかるのなら、設計から変えろ」

マッケンジーをトップとするエンジニアリングチーム、総勢75名は、机を組立ラインの横に移動した。

1337エンジン

問題に直面して切迫すると、マスクは、未来の製品を思い描きがちだ。ラプターについても、マッケンジーに任せた数週間後にそうしている。まったく新しいエンジンを作るぞと宣言したのだ。そして、まるで別物だ、だからマーリンやケストレルのようにファルコン系の名前を付けるのはよくないと、コーディング世界のミームから1337と名付けた。読み方は「リート（LEET）」、「1337」と「LEET」は形が似ているからだ。目標は推力1トンあたりのコストを1000ドル以下にすること。「複数惑星に命を広げるために必要となる根本的なブレークスルー」なのだそうだ。

新エンジンに話を飛躍させれば、大胆な発想を引き出せる。

「我々の目標は、大いなる冒険のエンジンを作ることだ」――マスクは檄（げき）を飛ばす。「ほんのわずかでも成功の可能性がありそうならやってみようじゃないか。新しくやってみたことが大胆に過ぎたなと思ったら、元に戻せばいい」

基本方針は、ぜい肉を徹底的にそぎ落とす、だ。

「ネコの皮をはぐ方法はいろいろと考えられる。だが、大事なのは、皮をはいだ後のネコがどんな具合かだ。筋肉質でかっこよくなければならない」

自分は真剣だとするメッセージも、その日の夜、何本も発した。

「我々が射ろうとしているのは月じゃない。火星だ。気が狂いそうな切迫感をもって仕事をしろ」

マッケンジー宛てのメッセージには、こうも記されていた。

「１３３７エンジンは人類が火星へ行くのに必要な最後の大ブレークスルーだ!!!　文明の未来にとって、言葉では言い表せないほど重要だ」

みずからも、高温燃料ガスマニホールドをなくす、燃料ターボポンプをメインチャンバーインジェクターと一体化するなど、大胆なアイデアをいくつか出している。

「燃料ガスの分散が悪くなるおそれもあるけど、そうならないかもしれない。試してみよう」

聖戦の支援爆撃メールも毎晩のように降らせた。

「徹底的に削除するぞ～。決起せよ！　聖域はなしだ。少しでも怪しげなものは、チューブだろうがセンサーだろうがマニホールドだろうが、今晩中になくせ。削除・簡素化を超本気で進めるぞ」

２０２１年10月には会議がだんだん遅くなり、夜11時くらいに始まることが増えた。それでもリアルで10人余りとバーチャルで50人以上が参加した。毎回、簡素化や削除のアイデアをなにか検討する。ブースターのスカートをぜんぶなくすアイデアを検討したこともある。ロケット底部の圧力がかからない部分だ。

「スカートがあってもなくても推進剤の広がり方はたいして変わらないだろう。プールでしょんべんするみたいなものだ。プール全体としてはほとんどなにも変わらない」

そんな感じで、1カ月ほど未来の1337エンジンについて検討したと思ったら、マスクは、また突然、ラプターエンジンのぜい肉をそぎ落として高性能なラプター2にするという現在の課題に話を引き戻した。

「推進部門の検討はラプターに戻す」――午前2時に流したメッセージにこう記されていた。「打ち上げ頻度を満足できるレベルとするには、エンジンの生産速度を1日1基としなければならない。現状は3日で1基だ」

それでは1337の開発が遅くなると思うがと問うてみた。

「おっしゃるとおり。費用がかさむラプターで複数惑星に命を広げることはできませんが、でも、1337が完成するまでのつなぎにはラプターが必要ですから」

1337に突進し、すぐ退却したのは、大胆な発想を促すマスク一流の戦略だったのか、それとも、衝動的に突っ走ってしまって軌道修正したのか、どちらなのだろうか。マスクはたいがいそうなのだが、両方、なのだろう。シュラウドやスカートをなくしてしまうなど、だいたんなアイデアを無理やりにでも考えてみれば、ラプター改良という目標にも役立つはずだ。

「理想的なエンジンはどういうものなのかをイメージするのにいい訓練だったと思います」とマッケンジーも言う。「ですが、それで、スターシップを前に進めるためすぐやらなければならないことができるわけではありません」

翌年、マッケンジーらは、まるで車のようにラプターを次々作れるようになる。２０２２年の感謝祭のころには、生産速度が１日１基を超え、スターシップの打ち上げに向けてエンジンの在庫を積み上げられるようになっていた。

第 64 章

オプティマス誕生

テスラ（2021年8月）

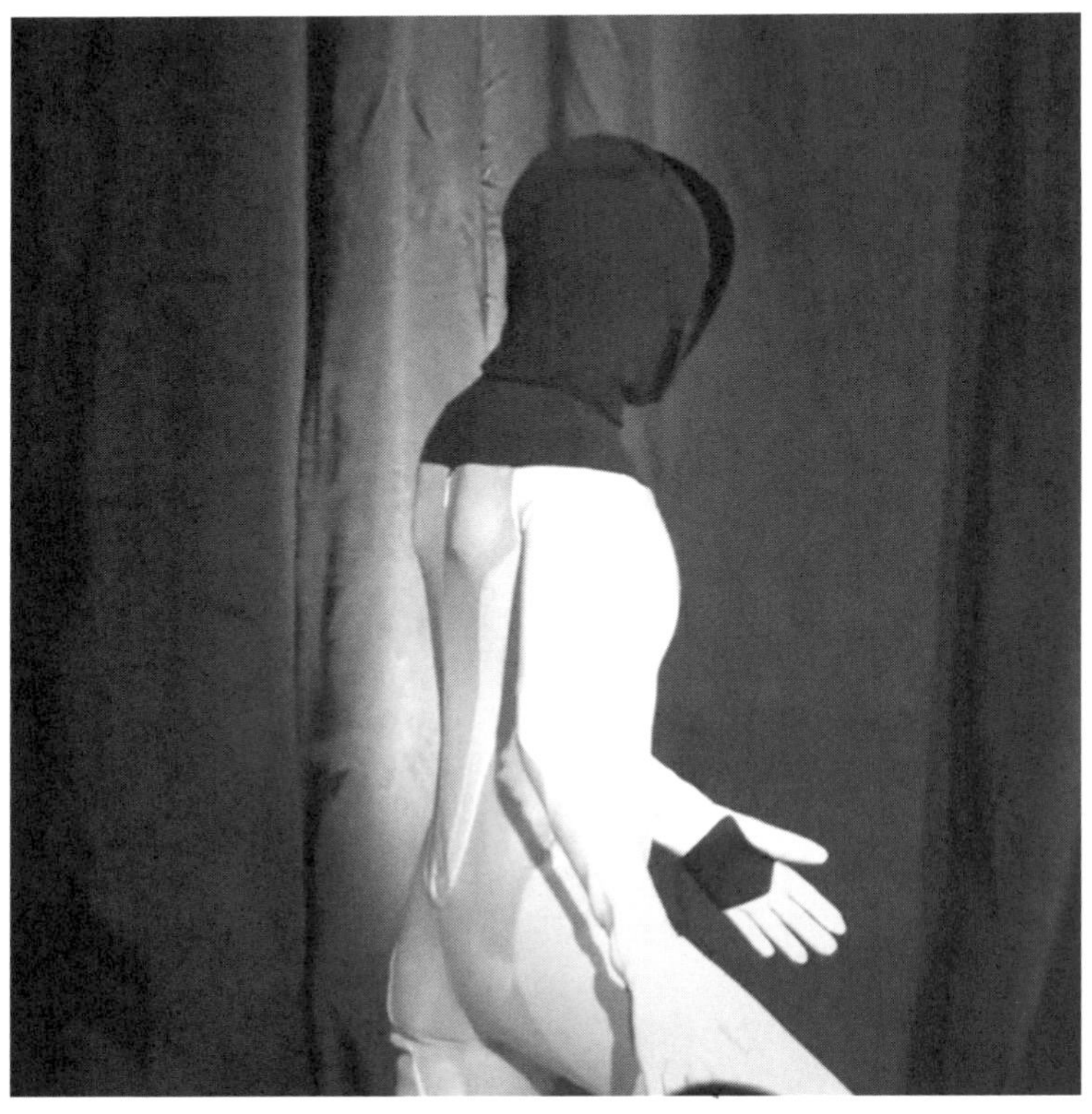

オプティマスロボットの格好をした俳優

人に優しいロボット

マスクが人型ロボットを作ろうと思ったのは、人工知能に強く惹かれ、また、恐れを感じたときだ。わざとにせよたまたまにせよ、人を傷つけかねないＡＩをだれかが作るかもしれないと考えたから、マスクは、２０１５年にＯｐｅｎＡＩを立ち上げた。同時に、自律運転の車や、ニューラルネットワークを訓練するスーパーコンピューターのドージョー、さらには、脳に直接埋め込んで人とマシンの共生関係を創り出すニューラリンクチップなどの開発にも乗りだした。

安全なＡＩを表現したければ、人型ロボットを創るのが一番だ。人類や人を傷つけてはならないというアシモフの原則にそむくことなく、さまざまなタスクをどう処理すればいいのかビジュアルな情報をもとに学んでいけるロボットだ。子どものころＳＦにはまった者ならそう考えるのが自然だろう。ＯｐｅｎＡＩとグーグルはテキストベースのチャットボットに注力していたが、マスクは、ロボットや車など物理的な世界で使える人工知能をめざした。

「自律運転ができる車とは要するにホイールを履いたロボットであり、それが作れるなら、足を持つロボットだって作れるはずでしょう」とマスクは言う。

２０２１年に入ると、マスクは、ロボットの開発を本気で考えるべきだとテスラの幹部会議で訴えるようになる。ボストン・ダイナミクスが開発しているロボットの動画を見せたこともある。「好むと好まざるとにかかわらず、人型ロボットは生まれる。であれば、それがいい方向に進むよう、導くべきだ」

訴えるたびに熱がこもっていく。

「これはいままで以上に大きなことかもしれない。自律運転の車より大きなことかもしれないんだ」とチーフデザイナーのフランツ・フォン・ホルツハウゼンにも訴えた。

「イーロンが同じことをくり返し言い始めたら、我々は実現に向けて動きます」とフォン・ホルツハウゼンは言う。

マスクとフォン・ホルツハウゼンは、サイバートラックやロボタクシーのモデルが置かれたロサンゼルスのテスラデザインスタジオで会ってはロボットの検討を進めた。大まかなところはマスクが決めた。身長は170センチメートルほど。「傷つけられるのではないかと感じないように」容姿はエルフっぽく、男か女かよくわからないものとする。これが、テスラの自律運転車開発チームが作ることになる人型ロボット、オプティマスである。

オプティマスのお披露目は、2021年8月19日にテスラのパロアルト本社で開催する「AIデイ」にしよう――マスクはそう考えた。

AIデイ

AIデイの二日前、マスクはボカチカからリモートでテスラチームと準備会合を持った。この日はほかに、スターシップ打ち上げの補助金をテキサス魚類野生生物保全事務所から取り付ける会議や、テスラの財務に関する会議、ソーラールーフの財務を検討する会議、少し先に予定している民間人を乗せるフライトに関する会議もあったし、スターシップを組み立てているテントを歩きながら議論もしたし、ネットフリックスのドキュメンタリーに向けた取材も受けた。ブライアン・ダウらがソーラールーフを設置している現場の視察の二晩目もこの日だった。飛行機でパロアルトに向かったのは真夜中過ぎだ。

「さまざまな課題に頭を切り替えなければならないのは、ほんと、疲れます」――飛行機に乗ってようやくリラックスしたマスクはこう言った。「でもあっちにもこっちにも問題がありますし、私はその問題を解決していかなければなりません」

そんな状態から、さらにＡＩとロボットの世界にも入ろうとするのはなぜなのかと尋ねてみた。

「ラリー・ペイジが心配なんです。ＡＩの危険性について彼とずいぶん話をしたのですが、わかってもらえなくて。最近はほとんど口もきかなくなってしまいました」

朝４時に着陸すると、マスクは、友だちの家で少し寝てからテスラのパロアルト本社に行き、ロボットお披露目の準備をしているチームとの打ち合わせに入った。俳優にロボットの扮装で舞台に上がってもらう予定だという。マスクは大喜びした。

「彼女には曲芸をしてもらおう！」――モンティ・パイソンの寸劇が頭に浮かんでいたのではないだろうか。「山高帽にステッキでタップダンスを踊るとか、ロボットには絶対無理だと思うクールなことをしてもらえないかなぁ」

まじめな話だ。ロボットは怖くない、楽しいものだと思ってもらわなければならない。マスクのこの言葉がきっかけになったのか、一緒に来ていたＸが机の上で踊りはじめた。

「この子のパワーパックはほんとすごいんだよね。ソフトウェアも、歩き回っていろいろ見たり聞いたりするだけでアップデートされるんだ」

それこそが目標だ。人の動きを見てまねすることでタスクを学んでいくロボットを作るのだ。

山高帽にステッキのダンスでもういくつかジョークを飛ばすと、マスクは、仕様の詰めに入った。

「歩く速度は時速6〜7キロじゃなくて8キロにしよう。持ち上げられる重量ももう少し増やそう。少しおとなしくしすぎていると思う」

バッテリーは交換式にすることを技術陣は考えていたが、これはマスクが却下する。

「たしかにバッテリーを交換式にしたバカは大勢いる。バッテリーそのものがぼろいからだ。テスラも最初はそうだった。だめだ。交換式はなしだ。16時間稼働できる大きさのバッテリーパックにしろ」

打ち合わせが終わると、マスクはひとり会議室に残った。力士とやりあって傷つけた首が痛むと、アイスパックを当てて床に寝転ぶ。

「人間を観察してタスクのやり方を学べる汎用ロボットが作れれば、経済がめちゃくちゃ発展するはずなんだ。そうなれば、ユニバーサルベーシックインカムだって導入できるかもしれない。そのとき仕事は、したければするものになるんだ」

そういう日が来ても、きっと、狂ったように働くやつはいるのだろう。それはまちがいないと思える。

翌日はＡＩデイの練習セッションだった。オプティマスのお披露目のほかに、自動運転がどこまで進んだのかもテーマだ。

「つまらん」

マスクは不機嫌な声でそうくり返す。オートパイロットとオプティマスのソフトウェア開発チームを率いるベルギー人技術者、ミラン・コバックのスライドが専門的すぎるのだ。

「クールじゃないものが多すぎる。これは採用のためのイベントだぞ？　こんなん見せられてウチに来たいと思うヤツなんぞいるはずがないだろう」

コバックは神経質なところもあれば、マスクの砲撃をいなす技もまだ身につけていなかった。だから奥に引っ込むと、こんな会社辞めてやると言いだした。このままでは、夜に迫ったプレゼンがにっちもさっちもいかなくなってしまう。彼が建物を出ようとしたところで、百戦錬磨の手練れ、ラース・モラビーとピート・バノンが止めに入った。

「まあまあまあ。我々も手伝うからさ。スライドをどう直せばいいか、考えてみようよ」

酒でも飲まんとやっとられんとコバックが言うので、バノンがウイスキーをみつけてきた。オートパイロット部門に持っている人がいたらしい。ショットを2杯ずつ飲むと、コバックもようやく落ちついたようだ。

「とにかくこのイベントはなんとかします。チームのみんなに迷惑はかけませんよ」

モラビーとバノンの手も借りつつ、コバックはスライドを半分に減らし、もう一度リハーサルに臨んだ。

「怒りをなんとか抑え、新しいスライドをイーロンに見せました」

マスクは気乗りしない感じでプレゼンを聞くと「うん、まあ、いいんじゃない？」と承認した。自分を締め上げたことなど、マスクは覚えてないんでしょうねとはコバックの弁だ。

この騒ぎがあったことから、夜のプレゼンテーションは予定から1時間遅れた。イベントの仕上がりもいまいちだった。登壇したのは16人全員が男で、女性は、ロボットに扮した俳優だけだったし、彼女が山高帽にステッキのダンスを踊って楽しませてくれることもなかった。余興なしである。

それでも、いつもどおりつっかえ気味のたんたんとしたマスクの語りで、自動運転やスーパーコンピューター、ドージョーに絡めてオプティマスをお披露目することはできた。オプティマスは1行1行、命令を記述してもらう必要がなく、自分で学んでタスクをこなせるようになっていく、人と同じように、観察を通じてみずから学んでいく——そういうロボットだ、と。そして、オプティマスが完成すれば、我々の経済はもちろん、我々の暮らしも大きく変わることになる、と。

第 65 章

ニューラリンク
（2017～2020年）

脳波でビデオゲーム『ポン』をプレイするサル

ヒューマン・コンピューター・インターフェース

デジタル時代の大きな技術的進歩に、人とマシンがどうやりとりするのか、いわゆる「ヒューマン・コンピューター・インターフェース」の進化がある。

この分野では「人間とコンピューターの共生」という独創的な論文が1960年に書かれている。心理学と工学を学び、モニターで航空機を追跡する防空システムの設計などをしたJ・C・R・リックライダーが書いたもので、ビデオディスプレイを通じると「コンピューターと人が一緒に考えられる」、「それほど遠くない将来、人の脳とコンピューターを緊密に結べるようになると期待される」などと論じたものだ。

MITに集ったハッカーは、このビデオディスプレイを利用して『スペースウォー』なるゲームを生み出し、ここからゲーム産業が興っていった。そのインターフェースは、酔っぱらった大学生でも遊べるようにと、説明などしなくても見ればわかるようになっていて、たとえばアタリ社が出した『スタートレック』ゲームには「1．硬貨をいれる。2．クリンゴンから逃げる。」としか説明がなかった。このディスプレイにマウスを組み合わせ、ポインターで指してクリックすることでコンピューターとやりとりすることをダグラス・エンゲルバートが思いつき、これをゼロックスPARCのアラン・ケイらが、机を模した使いやすいグラフィカルインターフェースにして、さらにそれをスティーブ・ジョブズがアップルのマッキントッシュという形で世に広めたわけだ。そのジョブズは、2011年に亡くなる直前、ヒューマン・コンピューター・インターフェースの大きな一歩となる新技術を人生最後の取締役会にかけていた。人とコンピューターが音声でやりとりするアプリケーション、Ｓｉｒｉだ。

このようにずいぶんと進化発展してきたのだが、いまもなお、人とマシンのやりとりは悲しいほどに遅い。２０１６年、外出先でｉＰｈｏｎｅを使い、親指でタイピングをしていたマスクも、時間がかかりすぎると文句たらたらだった。タイピングで我々の脳からマシンへと流せる情報は、せいぜい１秒に１００ビットというところだ。

「考えたことをそのままマシンに流し込めたらいいだろうな。頭とマシンを高速接続で結ぶみたいな感じで」

車に同乗していたサム・テラーのほうに身を乗りだす。

「ブレイン・マシン・インターフェースについていろいろ教えてくれる神経科学者をみつけてくれないか？」

究極のヒューマン・マシン・インターフェースは、我々の脳とコンピューターを直接つないでしまうことだとマスクは考えた。頭にチップを埋め込んで脳の信号をコンピューターに送ったり、逆に信号を受け取ったりできれば、スピードをいまの１００万倍にできる。

「そうすれば、本当の意味で人間とコンピューターの共生ができるようになります」

人とマシンがパートナーとして一緒に働けるようになると表現してもいいだろう。そういう世界を実現するため、マスクは２０１６年の半ば、ニューラリンクという会社を新たに立ち上げた。小さなチップを脳に埋め込み、コンピューターと精神融合しようというのだ。

オプティマスもそうだったが、ニューラリンクもＳＦにヒントを得ている。今回は、イアン・

バンクスが書いた宇宙旅行の小説、『ザ・カルチャー』シリーズだ。このお話には、人に埋め込み、その思考をコンピューターに伝える「ニューラル・レース」なるヒューマン・マシン・インターフェースが登場する。

「バンクスの本を読んだとき、これがあれば人工知能との戦いで人間を守れるかもしれないと思いました」

現実的なビジネスモデルで高遠な目標を支えるのがマスク流だ。たとえばスターリンク衛星はスペースXの火星行きミッションを資金面で支えるために展開している。ニューラリンクの脳埋込みチップは、難病の筋萎縮性側索硬化症（ALS）など神経系に問題を抱えている人でもコンピューターを使えるようにということで開発が進められている。

「商業利用でニューラリンクの開発資金をまかなえれば、10年か20年くらいで、人間の世界とデジタルマシンを緊密につなぎ、悪のAIから身を守るという究極の目標を達成できるでしょう」

ニューラリンクの共同創業者には、ブレイン・マシン・インターフェースの研究で知られるマックス・ホダックなどの神経科学者や技術者6人も名前を連ねているが、マスクと仕事をするプレッシャーと波乱に耐えて生き残ったのはDJセオひとりだった。

セオは4歳のときに韓国からルイジアナ州に移り住んだのだが、小さいころは英語が下手で、自分の考えを表現できずに悔しい思いをずいぶんした。だから、頭の中にあるものをなるべく効率的に出せる方法がなにかないだろうか、なにか小さなものを頭に埋め込めばいいんじゃないかと考えるようになったという。そしてカリフォルニア工科大学、バークレーと進学し、「ニューラルダスト」を開発する。脳に埋め込んで信号を取り出すことができる超小型のインプラント型センサーだ。

マスクは、技術系企業への投資をてがける女性、シボン・ジリスにも声をかけた。頭の回転が速く明るい目をした彼女はトロント近郊の出身で、若いころはアイスホッケー選手としてならしたが、レイ・カーツワイルが1999年に書いた本『スピリチュアル・マシーン―コンピュータに魂が宿るとき』を読んでテックギークの道に進むことにした。そしてイェール大学卒業後、スタートアップインキュベーターをいくつか渡り歩いてAIベンチャーを支援したあと、パートタイムのコンサルタントとしてOpenAIの仕事についたのだ。

マスクはそのジリスをコーヒーに誘い、立ち上げたばかりのニューラリンクに誘った。

「ニューラリンクは研究だけするところではない。最終的なデバイスの開発までする」

ベンチャーに投資をしているより、そちらのほうがずっとおもしろそうだし、世の中のためにもなりそうだと彼女は考えた。

「イーロンほど1分当たりに学べることが多い人には会ったことがありません。そういう人に人生をつぎ込まないのは愚かだと思います」

ジリスは、最初、ニューラリンク、テスラ、スペースXの3社すべてで人工知能プロジェクトに関わったが、最終的にはニューラリンクの幹部に落ちつく。また、マスクと個人的に親しくもなっていく(詳細は後述)。

チップ

ニューラリンクチップの元となった技術は、1992年にユタ大学が発明したユタアレイだ。マイクロチップから針が100本生えていて、それを脳に押し込むと、この針1本1本がニューロン1個の信号をとらえ、頭に取り付けた箱にデータを送る。脳にはニューロンが約860億個もあるので、ヒューマン・コンピューター・インターフェースに向けたごくごく小さな一歩である。

2019年7月、マスクは、ニューラリンクなら「何千チャンネルもあるブレイン・マシン・インターフェースの統合プラットフォーム」が作れるとする小論を書いた。この時点でニューラリンクのチップには96スレッド、3000本以上の電極があった。マスクらしく、製品そのものだけでなく、その作り方や使い方にも工夫がある。高速稼働のロボットで頭蓋骨に小さな穴を開け、そこからチップを入れて、スレッドを脳に埋め込むなどだ。

お披露目は2020年の8月。ニューラリンクでおこなった公開プレゼンテーションで、チップを脳に埋め込んだブタ、ガートルードを紹介したのだ。トレッドミルを歩くガートルードからチップが信号を取りだし、コンピューターに送る様子が動画で示された。マスクがチップを掲げる。大きさはちょっと大きめの硬貨、クォーターくらいだ。チップは頭蓋骨の下に埋め込まれるし、データは無線で伝えられるので、ホラー映画のサイボーグみたいな姿にはならない。

「いま、私にニューラリンクが埋め込んであっても、みなさんにはそうとわかりません。実際、埋め込んであるのかもしれませんよ？」

2、3カ月後、フリーモントのテスラ工場にほど近いニューラリンクのラボを訪れたマスクは、技術陣に最新バージョンのチップを見せられた。約1000スレッドのチップ4個を脳のあちこちに埋め込み、そこから耳の後ろに埋め込んだルーターまで有線でつなぐ形式だ。ジリスらが固唾をのんで見守る中、マスクは2分ほどもだまってなにかを考えていた。結論は、却下。複雑すぎるし配線や接続が多すぎる。

マスクは、ちょうどそのころ、スペースXのラプターエンジンで接続を減らそうと苦心惨憺しているところだった。接続は、一つひとつが故障の原因になりうるからだ。

「一体型のデバイスでなければならない」――意気消沈したニューラリンクの技術陣にマスクはこう宣言した。「配線なし、接続なし、ルーターなし。ひとまとまりのエレガントなパッケージにしろ」

全機能をひとつのデバイスにまとめるのは不可能だとする物理法則――基本原則――はないのだ。ルーターは必要なんですと技術陣が説明しようとすると、マスクの表情がかたくなった。

「なくせ。なくせ、なくせ、なくせ」

打ち合わせ後、技術陣は、典型的なマスク後ストレス障害の症状を示した。落胆、怒り、そして不安と気持ちが変化していくのだ。だが1週間もたたず、やる気満々のステージに入った。新しいやり方でうまくできそうだとわかってきたのだ。

そして何週間かのち、再訪したマスクに示したチップは、全スレッドのデータを処理しブルートゥースでコンピューターに送れるものとなっていた。接続なし、ルーターなし、配線なしだ。

「最初は不可能だと思ったのですが、いまはすんごいやる気になっています」——技術者の言葉だ。

大きな問題は、チップが小さくなければならないことだ。その要件を満たしつつ、バッテリー寿命を延ばし、スレッド数を増やすのは難しい。

「どうしてそんなに小さくしなければならないんだ?」

こう問うマスクに、そうしろと言われましたのでと答える愚をだれかが犯してしまった。マスクにスイッチが入る。まずは「要件はすべて疑え」に始まるアルゴリズムの話だ。続けてチップサイズの基本的な考え方を検討する。頭蓋骨は丸い形をしているのだから、チップは少し膨らんだ形にしてもいいのではないか? 直径ももう少し大きくしても大丈夫なのではないか? この検討で、もう少し大きなチップにしても人間の頭蓋骨に問題なく収められそうだという結論に達した。

完成した新デバイスは、ラボで飼っているアカゲザル、ページャーに埋め込んだ。ページャーはビデオゲームの『ポン』で遊ぶことができる。いい成績を出したらフルーツスムージーを与えるという方法で訓練したのだ。だから、ジョイスティックを動かすときどのニューロンが働くのかをニューラリンクで記録し、ジョイスティックの接続を切って脳の信号で直接ゲームをコントロールするようにした。成功だった。脳とマシンを直接つなぐという目標に向けた大きな一歩である。この動画をユーチューブにアップロードすると、閲覧数は1年もたたずに600万回を超えた。

第 66 章

ビジョンのみ
テスラ（2021年1月）

Merge near South Congress and Riverside

Problem:

- Vector Lanes NN incorrectly predicts that the captive rightmost lane can go straight, and we incorrectly lane change into it
- Bollard detection is late (1.2 sec before the intervention, but ego is moving fast).

Solution:

- Feed in **higher resolution map features** into the vector lanes net (in-progress)
- Train on improved **occupancy** (we're improve the panoptic network for thin / small road debris)

自動運転車の開発状況を説明するスライド

レーダーはなくせ

カメラからのビジュアルデータのみで自律運転車のオートパイロットシステムを構築すべきか、それともレーダーを併用すべきかという問題は、テスラで議論が続く大きな課題だ。この議論には、マスクの意思決定スタイルがよくわかるという側面もある。物理学の第一原理に基づいて、向こう見ずなほど大胆でビジョナリーな方針にこだわるかと思えば、驚くほど柔軟になったりするのだ。

当初は、わりと鷹揚(おうよう)に構えていた。2016年にモデルSをアップグレードしたときも、しぶしぶながら、8方向のカメラに加えて前方レーダーの採用を許している。フェニックスというレーダーシステムの開発も許可している。

だが2021年に入ると、このレーダーが問題を起こしはじめる。コロナ禍でマイクロチップが不足し、部品が足らなくなったのだ。自社開発のフェニックスもはかばかしくなかった。1月の頭、運命の会議が開かれた。

「道を選ぶ必要がある。車の生産を止めるか、いますぐフェニックスをなんとかするか、レーダーなしにしてしまうか、だ」――こう宣言したマスクが好む選択は明らかだ。「ビジョンのみのソリューションでなんとかできるはずだ。レーダーを併用せずに物体を特定できれば、話が根本的に変わる」

自動車部門プレジデントのジェローム・ギレンなど幹部から、レーダーなしは不安全だと反対の声が上がった。カメラや人の目で確認しづらい物体もレーダーなら検出できるというのだ。関係者全員を集めて検討会を開くことになった。議論が出尽くすと、マスクは、じっと黙ってなにごとか考えはじめた。40秒ほどで口を開く。

「決めた。なくそう」

ギレンが翻意を求めると、マスクは冷たい怒気をはらんだ。

「レーダーはなくさないというなら、なくしてくれるヤツを連れてくるぞ」

そして2021年1月22日、マスクは電子メールで通達を出した。

「今後、レーダーは切ること。松葉づえなんぞはなくす。伊達や酔狂で言ってるわけじゃない。カメラのみでちゃんと運転できるのはまちがいない」

ギレンは、ほどなく会社を去った。

物議

レーダー廃止というマスクの決断は世の中に物議を醸した。

ニューヨークタイムズ紙は、テスラ技術者の多くがこの決断に疑念を抱いているとするケイド・メッツとニール・ボーデットの記事を掲載した。

「自律運転車を開発している会社、ほとんどすべての技術者は異なる見解を抱いているにもかかわらず、マスク氏は、カメラのみで自律運転が可能だと主張している。また、テスラ社内の技術者からも、種類の異なるセンサーを利用せず、カメラのみで十分に安全性が担保できるのか、マスク氏はオートパイロットの能力について過大な約束をドライバーに提供しているのではないかという疑問の声が上がっている」

テスラに対して批判的な書籍『変社（Ludicrous）』の著者、エドワード・ニデルメイエールも、ツイートを連投した。

「一般的なドライバー支援システムの改善は、業界的に、レーダーの増強へ、さらには、LiDARやサーマルイメージングなどの新技術も採用する方向に向かっている。その中でテスラだけが後退している」

ソフトウェアセキュリティのアントレプレナー、ダン・オダウドはニューヨークタイムズ紙に全面広告を出し、テスラの自律運転システムは「フォーチュン500企業が販売してきたなかで最悪のソフトウェアである」と訴えた。

米国運輸省道路交通安全局はそれまでもたびたびテスラを調査してきたが、2021年にレーダーが廃止されると、調査頻度を上げた。その調査によると、テスラはドライバー支援システム使用中の事故が273件あり、うち5件は死亡事故だったという。緊急車両とテスラ車の事故、11件についての調査もおこなわれることになった。

このような事故の主因はソフトウェアではなく運転者にあるとマスクは考えていた。ドライバーに焦点の当たっている車内撮影カメラの映像により、ドライバーのミスであることを証明したらどうかと打ち合わせで提案したこともある。これは出席していた女性に却下された。

「その件については、プライバシーチームと検討しました。事故があった場合でさえも、セルフィの動画がどの車両で撮影されたものなのかを特定することはできません。少なくとも弁護士からはそう指導されています」

マスクはご機嫌斜めだった。「プライバシーチーム」うんぬんもマスクにとって心温まるものではない。

「この会社の意思を決めるのは私だ。プライバシーチームではない。そもそも、プライバシーチームなんて、だれがメンバーなのかも知らない。プライバシーをしっかり隠していて、だれなのかなんてだれにもわからないんだろう」

引きつり気味の笑い声が上がる。

「そしたら、完全自動運転の使用中に事故が起きたらウチがデータを収集するとポップアップを用意したらどうだろうか。それならいいんじゃないか？」

さきほどマスクの意見を却下した女性はちょっと考えてうなずいた。

「顧客にきちんと伝えた上でなら大丈夫だと思います」

よみがえるフェニックス

マスクは頑固だが、証拠を示せば説得できる。２０２１年の時点では、有益な情報をビジョンシステムにもたらせるほどの解像度がない、だからレーダーは廃止するのだとマスクは引かなかった。だが、レーダー技術の改善が可能かどうか確かめるためフェニックスの開発は継続することを許した。

フェニックスの開発リーダーには、車両エンジニアリングのトップ、ラース・モラビーがデンマーク生まれの技術者、ピート・ショウツォウを任命した。

「イーロンはレーダーに反対しているわけではありません。彼は、だめなレーダーに反対しているだけです」とモラビーは言う。

ショウツォウらは、人間では見ることができないかもしれないケースに集中してレーダーの開発を進めた。

「それならいいかもな」――マスクはこう言うと、高級グレードのモデルSとモデルYにそのシステムを使ってみることを秘密裏に承認した。

「一般的な自動車用レーダーよりずっと精巧なんです。武器システムなどに使われるものなんですよ。ピーンと反応が返ってくるだけではなく、そこでどういうことが起きているのか、その絵を描いてくれるんです」

高級グレードに本気で搭載するつもりなのか尋ねてみた。

「実験してみる価値はありますよ。物理実験の証拠があれば、考えてみるにやぶさかではありません」

第67章

お金

（2021～2022年）

世界一の金持ち

テスラの株価は、コロナ禍が広がった2020年頭に25ドルまで下がったが、年末にはその10倍まで戻し、2021年1月7日には260ドルに達した。そして、この日マスクは、ジェフ・ベゾスを飛び越え、1900億ドルの資産を持つ世界一の金持ちになった。

テスラが生産問題にあえいでいた2018年2月、常軌を逸した報酬契約を取締役会と交わすという賭けに出たことから、マスクには確定した報酬というものがない。売上、利益、時価総額について、ありえない目標を達成しなければ報酬が得られないのだ。たとえば時価総額は、10倍の6500億ドルに達することが目標だ。この報酬パッケージが報じられたとき、どの目標も実現はまず不可能というのがおおかたの見方だった。だが2021年10月、テスラは、時価総額1兆ドルを超えた米国史上6社目の企業となった。ライバル会社の上から5社――トヨタ、フォルクスワーゲン、ダイムラー、フォード、GM――の合計さえも超えたのだ。さらに、2022年4月に発表された四半期決算は、売上が前年同期比81%増の190億ドルで利益が50億ドルとなった。この結果、マスクは約560億ドルの報酬を得ることになり、2022年スタート時点で資産は3040億ドルまで増えている。

このころマスクは、ビリオネアであることをそしられ、怒っていた。女性として生きていくと決め、娘となったジェナがごりごりの反資本主義で口をきいてくれなくなったのも暗い影を落としている。だから家をぜんぶ売った。手に入れた富を自分に使わず、会社側で活用すれば非難されないだろうと思ったからだ。だが陰口は続いた。報酬をもらわずお金を会社に残した結果、資本利得を手に入れることがなく、よって、税金もほとんど払わない格好になったからだ。

だからマスクは、2021年11月、テスラ株式を一部売り、資本利得を得て税金を支払うべきか否かをツイッターで尋ねることにした。回答350万件のうち58%が「すべき」だった。これを受ける形で、マスクは、2012年に付与され期限が近づいていたストックオプションを行使（実はもともと行使するつもりだった）。そして、史上最高額となる110億ドルを納税した。敵（かたき）である証券取引委員会の予算5年分が十分にまかなえる額だ。

「税制を改正し、『今年の人』が税金を支払わなければならなくしよう、ほかの人々にたたかれなくしよう」――2021年末、エリザベス・ウォーレン上院議員のこのツイートに、マスクは反撃した。

「2秒でいいから目を開いていただければ、今年、私は、米国史上最大額の税金を払うことになっているとおわかりいただけるはずだ。一気に散財しないでいただきたい……いや、そうか、もう使ってしまわれているのか」

お金で買えないモノ

お金で幸せは買えないとよく言うが、お金を一番たくさん持つようになったときのマスクを見ると、たしかにそうなのかもしれないと思える。2021年秋、マスクは不幸せだった。10月にはキンバルが妻クリスティアーナの誕生会をメキシコのカボ・サン・ルーカスで企画し、グライムスがDJを務めることになっていたのでマスクも現地には飛んだが、滞在中はほとんど自室にこもって『ポリトピア』をプレイしていた。

「我々の周りでは、クレール（グライムス）のすばらしい音楽に合わせて光が踊る芸術が展開されていました」とクリスティアーナは言う。「こんなことができるのもイーロンのおかげだというのに、本人にそれを楽しむ気分はまったくなかったようです」

よくあることなのだが、気分が乱高下していたし、気分の落ち込みがお腹に来ていた。吐き気と胸やけに悩まされていたのだ。

「いい医者、知りませんか？」――カボの滞在を切り上げて戻ってきたマスクは、私にこうメッセージで尋ねてきた。「有名でなくても、診療所が立派でなくてもいいんですが」

大丈夫かと問い返した。

「ぶっちゃけ、あんまりよくありません。長いこと無理に無理を無理くり重ねてきましたから。

さすがに限界です。この週末は、ほんと、苦しくて」
2週間ほどでそれなりには回復したらしく、私と2時間あまりも話をしてくれた。内容は、彼が抱え続けている心と体の傷が中心だった。

「2007年からこっち、たぶん去年まで、ずっと痛みを引きずっていました。頭に銃を突きつけられ、テスラをなんとかしろ、魔法のように帽子からうさぎを出せ、1羽出したら、また出せという具合で。うさぎが列をなして飛んでいくんです。うさぎが出せなければ、それでとどめです。そりゃあ、いろいろと差し障りもでますよ。命をかけた戦いを続けたら、ずっとアドレナリンモードでいたら、無事ですむはずがありません。

でも今年は、もうひとつ、気づいたことがあります。命がけの戦いこそ、前に進み続ける原動力なんです。生か死かという状況でないと、毎日、モチベーションを保つのがけっこう難しくなってしまいます。

本人が気づいたこれはマスクの本質だ。状況がひどくなるほど元気になる。南アフリカの子ども時代からずっとそうなのだ。逆に生か死かモードでなくなると落ち着かない。ふつうの人なら満喫したいと思ういい時間は、彼にとって不安をかき立てられる時なのだ。だからシュラバを始める、波乱を巻き起こす、避けられる戦いに身を投じる、新しい試みに突っ込んでいくなどするのだ。

感謝祭には、母親と妹がオースティンまで来てくれた。息子4人にXとグライムス、さらには、いとこふたり、父親の再婚でできた妹ふたりも集まってくれた。

「一緒にいてあげないと。寂しがり屋ですからね」とメイは言う。「イーロンは家族に囲まれているのが好きなわけで、我々はそうしてあげなきゃいけないんです。だって、彼にはものすごいストレスがかかっていますから」

翌日はダミアンがパスタを作ったり、ピアノでクラシックを演奏したりしてくれた。だがマスクは、スターシップのラプターエンジンに集中していた。ダイニングルームに厳しい顔を少し出した以外は、ほぼ終日、電話会議だ。そして、ラプターの危機をどうにかしなければならないかもらロサンゼルスに戻ると言いだした。もちろん、危機はマスクの頭の中にしかない。感謝祭の週末なのだし、そもそも、ラプターを使うのは1年後がいいところなのだから。

「先週はいい週でした」とマスクからメッセージをもらった。「ラプター問題があったので金曜と土曜はロケット工場で徹夜しましたが、それでもいい週でした。すごく大変でしたけど、でも、ラプターを全力で仕上げなければなりませんからね。まあ、一から設計し直す必要もあるんですが」

第 68 章

今年の父

（2021年）

上：シボン、ストライダー、アジュールとともに
下：Xとテスラにて

シボンの双子

２０２１年の感謝祭からマスクの気がそれていた理由のひとつに――ラプターエンジンのノズルやバルブに気をそらすことにした理由のひとつに――その1週間前に子どもがもうふたり、男の子と女の子の双子が生まれたことがあったかもしれない。母親は明るい目をしたＡＩ投資家のシボン・ジリス、２０１５年にマスクがＯｐｅｎＡＩに誘い、最終的にニューラリンクの業務トップに就いた女性である。マスクの親しい友人であり、知的な議論の相手であり、たまにはゲームも一緒にする――そんな関係だ。

「私の人生にとって最高に意義深い友人です。そうですね、ダントツに」と彼女は言う。「彼に会ってすぐに言ったんですよ、『生涯の友になれたらいいなと思います』って」

ジリスはシリコンバレーに住んでフリーモントのニューラリンクまで通勤していたが、マスクがオースティンに移ると彼女もそうして、以来、マスクのごく親しい仲間のひとりとなっている。グライムスは彼女をマスクの友だちだととらえていて、おりおりデートのお相手を世話したりしていた。２０２０年のハロウィーンパーティにも、ジリスはスペースＸの元気な副官、マーク・ジュンコーサと参加している。

グライムスとジリスはそれぞれマスクの異なる側面とつながっている。グライムスはわいわいと一緒に楽しくすごせるが、激しやすくもあってけんかが多いし、騒ぎに引かれるあたりも似ている。対してジリスは「知り合って6年間、イーロンとはまったく、一度も、けんかをしたことがありません。言い争ったことがありません」と言う。こう言える人はほとんどいないだろう。ふたりはいつも、静かに、知的な会話を交わすのだ。

ジリスは、結婚はしないと決めているが、母親にはぜひともなりたいと考えていた。マスクも、なるべくたくさんの子どもを持つべきだというのが持論だ。このまま出生率が下がっていくと、人類の意識が絶えてしまうおそれがあるというのだ。

「子どもを持つのは社会的義務だという考え方を復活させなければならなくなるでしょう」と、２０１４年、とある取材で語っている。「そうしなければ文明が死んでしまいます」

マスクを兄として敬愛する妹のトスカは、恋愛映画のプロデューサーとして成功し、アトランタに住んでいる。彼女は結婚したことがない。だが子どもは持つべきだとイーロンが説得。彼女が同意すると、クリニックをみつけ、匿名の精子提供者を選び、さらに、医療費も負担している。「頭のいい人は子どもを持つべきだと考えていて、私も勧められたんです」とジリスは言う。

そして、子どもを持つ決断をすると、精子は自分が提供しよう、そうすれば遺伝子的には自分の子どもになるからとマスクに提案されたという。それはいいと彼女も思った。

「精子提供者を匿名のだれかにするか、世界で一番尊敬する人にするかという選択ですからね。ほかに選びようなんてありませんよ。自分の子どもになる遺伝子として、彼の以上に好ましいものは思いつきません」

ほかにも好ましいことがあった。

「彼がとても喜んでくれそうだったんです」

妊娠は体外受精でおこなった。ニューラリンクは株式非公開なので、どんどん進化する内規でどういう扱いをすべき事態だったのかよくわからない。ともかく、生物学的な父親がだれなのか、ジリスは当時明かさなかったので、特に取り沙汰されることもなかった。

10月に、マスクらニューラリンク幹部をジリスが案内し、オースティンに建設中の新設備を視察したことがある。テスラのギガテキサス工場の近くにあったモールの跡地に建設した事務所と実験室のほか、チップ埋込みの実験に使うブタとヒツジの家畜小屋などを見て歩いた。ジリスは妊娠していることがはっきりわかる体形になっていたが、双子がマスクの子どもであることはだれも知らなかった。気まずくなかったかと尋ねてみた。

「いいえ。とにかく、母親になれるのがうれしくてしかたありませんでした」

妊娠の最後に合併症で入院し、双子は7週の早産となったが健康だった。出生証明書の父親はマスクになっているが、ふたりの子どものラストネームはジリスになっている。ちなみに名前は、男の子がストライダー・セカール・シリウス、女の子がアジュール・アストラ・アリスだ。このふたりの養育は、基本的に自分がひとりでやるのだろうとジリスは考えていた。

「イーロンは名付け親のような関わり方になるのだと思っていました。なにせ忙しい人ですから」

だが実際には、かなりの時間を双子とともにすごして絆を育んだ――さすがはマスクで、どことなくよそよそしいところはあったが。週に一度はジリスの家に泊まり、子どもたちにご飯を食べさせたり、床に一緒に座ってラプターやスターシップ、テスラオートパイロットのウェブ会議に出たりする。性格が性格なので、ふつうの父親に比べると抱きしめたりは少ないという。

「感情的な配線がちょっと変わっていますから、できないこともあります」とジリスは言う。「ですが、彼が入ってくると子どもたちの顔が輝き、目は彼だけを追うんです。そして、その様子を見ると彼も顔が輝くんです」

赤ん坊Y

関係は波乱含みだが、グライムスとマスクはXの共同養育がすごくいいと、もうひとり、子どもを持つことにした。グライムスとしては、なんとかしてマスクに娘を持たせてあげたいという想いも強くあったという。ただXの妊娠・出産が厳しかったこと、グライムスは細身で合併症のおそれが大きいことから、代理出産を選ぶことにした。

その結果、ありえないほど不可解でちょっと気詰まりかもしれない状況が生まれた。ニューエイジのフランス喜劇ならあるかもしれないというくらいのものだ。ジリスが妊娠末期の合併症で入院していたとき、マスクとグライムスが体外受精でひそかにもうけた子どもを妊娠した代理母も同じオースティン病院に入院していたのだ。グライムスは代理母に付き添った。もちろん、ジリスが別の病室にいることも、彼女がマスクの子を身ごもっていることも知らずに、だ。感謝祭の週末、マスクが西に飛び、ロケット工学という比較的シンプルな問題に集中しようとしたのも無理はなかったのかもしれない。

ジリスが双子を産んだ2、3週後、グライムスとマスクの娘も生まれると、ふたりは名前をどうするか、相談を始めた。これが終わらない。最初はセーラーマーズと呼んでいた。マンガ『美少女戦士セーラームーン』に登場するセーラー戦士のひとりだ。ちょっと変わってはいるが、火星に行くかもしれない子どもなのだから、らしいとも言えるだろう。だが4月になると、すごく活発でおもしろい子（グライムス談）なので、そこまで「きまじめ」な名前でないほうがいいのではないかとなる。というわけで、エクサ・ダーク・サイディリールに落ちついた——そのはずが、2023年に入ると、やはりアンドロメダ・シンセシス・ストーリー・マスクがいいのではないかとなる。ただ実際には、シンプルにYと呼ぶことが多い。ホワイ？と疑問符付きの発音をすることもある。

「宇宙について回答を得るには、まず、なにが問いなのかを明らかにしなければならないとイーロンがよく言っているからです」とグライムスは言う。『銀河ヒッチハイク・ガイド』が元ネタなわけだ。

マスクとグライムスがYを連れて病院から戻ってXに紹介したとき、家には、クリスティアーナなども集まっていて、みんなが床に座っている様子は、まるでふつうの家族にしか見えなかった。このときマスクは、シボンに双子を産ませた話をしていない。ともかく、1時間ほどそうして遊び、簡単な夕食を取ると、マスクはジェットを駆ってニューヨークへ飛び、タイム誌の「今年の人」認定式に出席した。連れていったXを膝に載せて。

このころ、マスクの人気はピークを迎えていた。2021年は、マスクが世界一の金持ちになった年であり、スペースXが民間企業として世界で初めて民間人を軌道に送り届けた年であり、テスラが世界の自動車業界を電気自動車時代へと導く偉業を達成し、その時価総額が1兆ドルに達した年である。

「マスク氏以上に大きな影響を、地球における我々の暮らしに与えた人はまずもっていないし、地球外における暮らしについても、おそらくは同じことが言えるだろう」とタイム誌の編集者、エドワード・フェルゼンタールは書いている。フィナンシャル・タイムズ紙も「今年の人」にマスクを選び「マスク氏は、同世代のアントレプレナーのなかでもっとも革新的であると示した」と称賛した。同紙の取材にマスクは、会社経営の原動力となっているミッションを熱く語っている。

「私としては、ただ、火星まで人が行けるようにしたいし、スターリンクで情報が自由に流れるようにしたいし、テスラで持続可能な技術の普及を促したいし、運転という単純作業からみんなを解放したい――そう思っているのです。よい意図も地獄への道の舗装に使われる可能性がありますが、でも地獄への道の大半は悪い意図で舗装されているものですからね」

第69章

政治

（2020〜2022年）

「赤いほうの薬を飲め」

「コロナウイルスのパニックはアホだ」――マスクはこうツイートした。時は2020年3月6日、上海の新工場が閉鎖になった少しあと、米国にも新型コロナが広がりはじめていた時期だ。そのせいでテスラの株価が大変なことになっていたが、マスクが腹を立てていたのはゼニカネだけが理由ではない。中国で、さらにはカリフォルニア州でも、当局からさまざまな規制がかけられたため、権力ぎらいの心に火が付いてしまったのだ。

フリーモント工場でモデルYの生産が始まった直後の3月末、カリフォルニア州から外出禁止が発令されたが、マスクは我が道を行くことにした。工場は止めない。全社に一斉メールを送る。

「まずはっきり申し上げておきたい。ほんの少しでも調子が悪いと感じたら出社にはおよばない。それこそ不安を覚えただけでもだ。ただ、私自身は仕事を続ける。正直なところ、コロナウイルスそのものよりコロナウイルスによるパニックのほうが被害は大きいといまも思っている」

郡当局から工場の閉鎖を命じるぞと脅されると、マスクは裁判所に異議を申し立てた。

「家から出たくないと思う人がいるのはかまわない。だが、家を出てはならない、出たら逮捕するというのはファシズムだ。民主的じゃない。自由じゃない。市民に自由を返せ」

工場は開いたままにする、郡保安官事務所による逮捕には抗議する──だからこうツイートした。

「私もみんなと同列だ。逮捕するなら私だけにしてくれ」

この戦いはマスクが勝った。マスク着用などの感染防止策を講じれば工場の操業を認めるとの合意がテスラと当局で交わされたのだ。マスクはしている人のほうが少なかったがとやかく言われることはなくなり、車の生産は続いたし、工場でクラスターが発生することもなかった。

コロナ禍をきっかけにマスクの政治姿勢は変化していく。最初はバラク・オバマのファンで資金集めにも協力していたが、だんだんと、民主党進歩派を批判するようになっていくのだ。

工場を閉鎖するのしないのと大騒ぎをしていた5月のとある日曜午後、マスクは、「赤いほうの薬を飲め」という謎めいたツイートを放った。元ネタは1999年の映画『マトリックス』だ。冒頭、実はいままでコンピューターシミュレーションの世界を生きてきた(マスクが大好きな話だ)のだと気づいたハッカーが青か赤の薬を選べと言われる。青いほうの薬を飲めば、すべて忘れて以前の生活に戻れる。赤いほうの薬を飲むと、マトリックス世界の真実を知ることができる。そこから「赤いほうの薬を飲め」は、問わず語らずのエリート層の真実を直視しようと呼びかける言葉として、男性権利運動の活動家や陰謀論者をはじめ多くの人に使われるようになっている。

「飲んだ！」

イバンカ・トランプがこの一言を添えてリツイートした。言いたいことはわかっているよということだろう。

ウォークマインド・ウイルス

"traceroute woke_mind_virus"

２０２１年12月にマスクが放ったこのツイートはよくわからない人が多いと思われるが、これは、マスクの政治姿勢が変わったことを示している。「traceroute」とは、ある情報がどのサーバーからどういうネットワーク経路で流れてきたのかを調べるコマンドである。進歩的な社会正義活動家のウォーク文化やポリティカルコレクトネスはいきすぎだ、だから戦うぞとマスクは宣言したのだ。どういうことなのか、本人に確認してみた。

「ウォークマインド・ウイルスは基本的に反科学、反メリットで一般に反人類であり、この横行を止めないと、複数惑星にまたがる文明になれないからです」

ここまで反発しているのは、娘ジェナが性別移行したことや急進的な社会主義に傾倒したこと、自分と縁を切ったことの影響もあるのだろう。

「このウォークマインド・ウイルスのせいで息子がファーストネームもラストネームも変え、自分と口をきいてくれなくなったと感じているのです」と、マスクの私生活面をサポートするマネージャー、ジャレッド・バーチャルは言う。「このウォークマインド信仰に毒されるとどうなるか、身をもって経験しているわけです」

もう少し俗な話で、ウォークはユーモアを殺すとも考えていた。自身の冗談が、基本的に、69などのセックスがらみや体液、うんこにおなら、麻薬など、酔っ払った新入生でいっぱいの寮の部屋がどっと沸くようなものが多いからだろう。そんなこんなで、愛読のサイトも風刺の効いたニュースサイト、ジ・オニオンからキリスト教系の保守的なサイト、バビロン・ビーに乗り換え、2021年末にはバビロン・ビーの取材にも応じている。

「ウォークはコメディの違法化を考えていますが、それはクールじゃないと思います。デイビッド・シャペルの番組を打ち切らせようとか、ほんと、勘弁してほしいですね。ユーモアのない社会、非難と憎悪に満ち、許しのない社会になんてしたくないですよ。ウォークは、排他的で憎しみやわだかまりを生みます。高潔であるかのようなうわべで武装し、卑劣な人が卑劣で残酷であれる盾なんです」

2022年5月、マスクのところにビジネスインサイダーから連絡がはいった。私有ジェットで客室乗務員に下半身をさらし、彼女が大好きなポニーを飼ってあげるからと手による奉仕を求めたというのは本当かという確認だった。そんなことはなかった、そもそも、私有ジェットに客室乗務員などいないとマスクは否定。ただ、テスラには、その女性に2018年に退職金として25万ドルが支払われたという記録があった。結局この記事は発表され、株価は10%下落したし、マスクの政治的憤りも深化した。この女性には「活動家でウォークを信奉する極左の民主党員」の友だちがいて、そいつが仕組んだに違いないというのだ。

マスクは、これは政治的なものだとツイートで訴えた。

「昔は民主党に投票していた。（基本的に）思いやりの政党だったからだ。それがいまは不和と憎しみの政党になってしまった。もう民主党は支持できないので共和党に投票する。というわけで、これから、私を狙い撃ちにする薄汚い政治活動が始まるのでお楽しみに」

このころマスクは、右寄りポピュリストのジャイール・ボルソナーロ大統領に会うためブラジルに行くことになっていた（ここからもマスクの政治姿勢が変わったことがわかる）。そして、離陸の直前、もうひとつツイートを放つ。

「私に対する攻撃は政治的なものだと思って見る必要がある。それが彼らの標準的な（かつ卑劣な）台本だからだ。だが、なにをされようと、私は、よりよい未来のために戦い続けるし、言論の自由のために戦い続ける」

だが翌日、記事が発表されても思ったほどひどいことにならなかったので、マスクは、いつもの陽気な調子に戻った。

「スキャンダルはイーロンゲートと呼ぶようになったらしい。まあ、言い得て妙だな」

ユーチューブの共同創業者チャド・ハーリーから、絶倫の馬みたいなばか騒ぎだなとからかわれたのに対しても、「やあ、チャド……そうだな。オレのウインナーにしてくれたら、馬を買ってやるよ」と冗談で返している。

バイデン

ウォークに対して懸念を抱いた結果、マスクは、支持政党を替えた。

「ウォークマインド・ウイルスは、基本的に民主党に広がってるんです。大半はそうと認めませんけどね」

民主党の政治家から攻撃されたことにも反発していた。

「エリザベス・ウォーレンなんて、税金を払わないただ乗りのいかさま師呼ばわりしてくれましたからね。文字どおり個人として最高の税金を払おうとしていた時期に」

革新系のカリフォルニア州議員、ロレーナ・ゴンザレスから「イーロン・マスクなんぞ〇ソくらえ」とツイッターで罵倒されるなど攻撃されていることは、特に腹立たしいらしい。そうでなくても、カリフォルニア州には不満が高じていたからだ。

「チャンスの地だから来たのに、それがいまは、訴訟と規制と税金の地ですからね」

ドナルド・トランプはペテン師だと軽蔑していたが、ジョー・バイデンもたいがいだとマスクは思っていた。

「副大統領時代にサンフランシスコの昼食会で会ったのですが、死にそうにつまらん話をもごもご1時間もしてくれたんですよ。ヒモを引くと、しょうもないセリフをただただくり返す人形があるじゃないですか。あんな感じです」

それでも2020年の大統領選挙ではバイデンに投票するつもりだったが、自分の投票場所であるカリフォルニアはもともと結果の決まっている州で投票に行っても時間の無駄だと思い直したという。

２０２１年8月、バイデン大統領に対する軽蔑がひどくなる事件が起きた。ホワイトハウスで電気自動車の式典が開かれ、ゼネラルモーターズ（GM）、フォード、クライスラーの上層部や全米自動車労働組合の幹部は招かれたのにマスクは招かれなかったのだ。電気自動車なら、他社全部を合わせたよりテスラの販売台数のほうが多いというのに。その理由をジェン・サキ大統領報道官は率直に語った。

「あの3社は全米自動車労働組合の組合員をたくさん雇っていますからね。それがなにを意味するのかはご想像にお任せします」

全米自動車労働組合はテスラのフリーモント工場を傘下に収められずにいた。理由はいくつかある。ひとつは、違法な反労組活動だと全米労働関係委員会がみなすことをテスラがしているから、もうひとつは、労働協約にふつうは含まれないストックオプションが工員に与えられているからだ（テスラと同じ新興の電気自動車会社、ルーシッドとリビアンも同じことをしている）。

バイデン大統領は11月に追い打ちもかけている。GMのメアリー・バーラCEOら上層部および全米自動車労組幹部とともにGMのデトロイト工場を訪問し、次のように語ったのだ。

「電気自動車の世界を牽引しているのはデトロイトですね。メアリーCEO、あなたとは、1月に、米国が電気自動車をリードしなければならないというお話をしたことを覚えています。あなたのおかげで状況は一変しました。自動車産業全体が電化したのです。いや、本当に。あなたのリードで。これはすばらしいことですよ」

たしかに、1990年代にはGMが電気自動車への転換をリードしようとしていたが、その後あきらめている。バイデン大統領が前述のように述べたとき、GMの電気自動車はシェビーボルト1車種しかなく、しかもリコールされていて、生産もおこなわれていない状態だった。2021年最後の四半期にGMが米国で販売した電気自動車は総計26台。対してテスラは同期に30万台を販売している。

「バイデンは人型の濡れそぼった靴下人形にすぎない」とマスクはこき下ろした。

マスクに批判的なことの多いブルームバーグの記者、デイナ・ハルでさえ（マスクはツイッターで彼女をブロックしている）、「バイデン大統領は事実に基づき、電気自動車革命のリーダーはテスラであると、市場と同じように認めるべきだ」と書いたほどだ。

バイデン政権のスタッフにはテスラを持つ者も多く、このまま亀裂が大きくなっていくのは避けたいと考えた。そして、2022年2月の頭、大統領首席補佐官のロン・クレインと経済顧問のトップ、ブライアン・ディーズがマスクに連絡する。このふたりは道理のわかる人間で好感が持てる――マスクはそう感じた。マスクの怒りを少しでもやわらげようと、ふたりは、公の場で大統領にテスラ称賛の言葉を発してもらう、また、そのなかに、翌日、マスクが語る予定の一節、「電気自動車の生産能力を構築しようとしているGMやフォードなどの象徴的企業から、米国最大の電気自動車メーカー、テスラにいたる企業各社は、国内生産に総計2000億ドル以上を投資すると発表しました」も入れてもらうと約束した。ごく軽く触れる程度にすぎないが、それでも、マスクの気はだいぶ落ちついた――しばらくのあいだは。

だがバイデン政権との緊張緩和は長続きしなかった。経済の先行きが「超心配」だから不景気に備える計画を立てろとテスラ幹部に送ったメールが社外に漏れ、コメントを求められたバイデン大統領が痛烈にあてこすったのだ。

「あ〜、そうですね、月へ向かう彼の旅路にたくさんの幸運があらんことを祈りましょう」

月まで飛ぼうとする奇人だとでも言いたげな言葉だ。だが実際のところ、スペースXの月着陸船はNASAとの契約に基づいて開発しているものだ。バイデン大統領の言葉からわずか数分で、マスクの反撃がツイッターにあがった。

「ありがとうございます、大統領どの！」の一言に、米国の宇宙飛行士を月に届ける契約をスペースXが獲得したというNASAプレスリリースへのリンクが添えられている。なにもわかっていない大統領だとからかっているわけだ。

4月、もうすぐ成立するはずのインフレ抑制法に電気自動車関連でどのようなインセンティブがあるのか、マスクは政権顧問から電話で説明を受けた。よく考えられている。これはうれしい驚きだ。それでも、電気自動車充電設備の設置に3年間で50億ドルを支出する計画はやめるべきだと反対した。実現すればテスラにとっても後押しとなるのだが、充電設備を政府が作るのはガソリンスタンドを政府が作るようなもので、話がおかしいからだ。充電設備は、大会社や家族経営の零細事業者など、民間が作るべきものだ。民間なら、レストランに充電設備を併設する、観光スポットに設置する、コンビニに併設するなど、顧客を呼び込む工夫をいろいろとするはずだ。だが政府が作ってしまえば、そういう工夫ができなくなる。だから、こう約束した。

「車側も充電設備側も、他社の設備と互換性をもたせるようにしますから」

言うは易く行うは難しだ。テスラの急速充電器を他社の電気自動車につなぐには接続部分のアダプターを用意しなければならないし、充電した電気代をどう分配するのかなども交渉しなければならない。ホワイトハウスでインフラストラクチャー関連を統括するミッチ・ランドリューがネバダのバッテリー工場を訪れ、技術課題を確認する。その上で、クリーンエネルギー・イノベーションの大統領顧問、ジョン・ポデスタとふたり、ワシントンでマスクと会って詳細を詰める。この結果、珍しく協力的なツイートが飛び交うことになった。

「イーロン・マスクは、テスラ充電ネットワークの大半を全ドライバーに開放してくれることになった」——顧問が草稿を用意し、バイデン大統領が投稿したツイートだ。「これは大きな出来事だ。これで状況は一変する」

マスクは次のように返信した。

「ありがとうございます。急速充電器ネットワークで他社のEVをサポートするのはテスラにとって大きな喜びです」

リバタリアン仲間

2022年の早い時期、マスクは、完成間近のギガテキサス工場で簡単なパーティをしようと思い立った。副官のオミード・アフシャーがサイバートラックのプロトタイプを持ってくると、工場2階の空きスペースまで持ち上げる。未完成車にかぶせるシートで仕切ってラウンジを作り、バーも用意した。遊び心で組立ラインロボットも何台か参加させることにした。

マスクは、ペイパルの共同創業者でスペースXにも投資家として関わってくれているルーク・ノゼックに声をかけた。ノゼックが呼んだらと言ってきたジョー・ローガンも、だ。苦しかった2018年にマスクがマリファナたばこを吹かしてしまった番組のホスト、反ポリコレを標榜するポッドキャスターである。ノゼックを訪れていたジョーダン・ピーターソンも来てくれた。反ウォークで世間を騒がすことのあるカナダの心理学者だ。ピーターソンはグレーベルベットの立て襟ジャケットに同じくグレーベルベットのトリムベストといういでたちだった。パーティ後は、マスク、ローガン、ピーターソン、グライムスがノゼック宅に移動し、朝の3時までおしゃべりに興じた。

ポーランド生まれのノゼックは、マックス・レブチンと長時間の議論をよくしたイリノイ大学時代から、自由主義を標榜するリバタリアンである。卒業後、マスクらとともにペイパルを立ち上げたわけだが、共同創業者のひとり、ピーター・ティールはさらに気合の入ったリバタリアンである。ティールは、2016年、大統領選挙におけるトランプの勝利をごく少人数で祝ったほどだ（ノゼックもそこにいた）。

マスクがオースティンでつきあっていた友だちにも、ペイパル共同創業者でトランプ政権の大使としてスウェーデンに行ったケン・ハウリーや、ティールの支援を受けているテック系若手アントレプレナーのジョー・ロンズデールなどがいる。サンフランシスコ在住のアントレプレナーでベンチャーキャピタリスト、デイビッド・サックスもペイパル時代からの友だちだ。サックスは必ずしも政党にこだわっておらず、過去には、共和党のミット・ロムニーと民主党のヒラリー・クリントン、両方を支持している。また、いわゆるポリティカルコレクトネスには学生時代から懸念を抱いていて、1995年にはティールと共著で『多様性神話：大学における多文化主義と政治的不寛容（The Diversity Myth: Multiculturalism and Political Intolerance on Campus)』なる本を上梓している。母校のスタンフォード大学を例に「ポリコレの『多文化主義』が高等教育や学問の自由を弱体化させている」と訴える本だ。

ここに挙げた友人のだれかがマスクの政治姿勢に決定的影響を与えたということはないし、マスクに裏から影響を与えるインフルエンサーだと彼らをとらえるのもまちがいだ。マスクは、みずからの性格と直感に従って自分なりの考え方をしている。ただ、反ウォーク感情を強化しがちな顔ぶれであるとは言えるだろう。

2022年、マスクがぽんぽんと右傾化したのは、最初の妻ジャスティンやこのころの恋人グライムスを含め、革新系の友だちには驚きの事態だった。

「いわゆる反ウォークの戦いほど愚かなことはない」とジャスティンはツイートしている。右翼系のミームや陰謀論がマスクから届くようになったグライムスは、「なにそれ？　4ちゃんででも拾ってきたの？　極右にそっくりな物言いになってるよ？」と返したそうだ。

たしかに、反ウォークに対する熱の入れようやオルタナ右翼の陰謀論にときどき走る様子には違和感を覚えざるをえない。波があるのだ。悪魔モードの発動と同じ感じで、基本モードではないと思われる。規制や規則に昔から抵抗があり、そのせいでリバタリアンな色彩を多少は帯びているが、基本的には、中道穏健だと本人も語っている。大統領選でオバマ候補を支持し、彼と握手するため政治集会で6時間も列に並んだことさえある。

2022年にも、「政党を問わず中道候補を支持する『超穏健の超政治活動委員会』を作って政治資金を集めようと思う」とツイートしたことがあるし、そのあと夏に共和党院内総務、ケビン・マッカーシーの政治資金を集める政治活動委員会に参加した際には、トランプ支持の急先鋒なのではないかと心配する人々を安心させようと、「はっきりさせておく。私が支持するのは共和党の左半分と民主党の右半分だ！」とツイートしている。

だがさすがはマスクで、政治姿勢も気分と同じく揺れ動く。実際、穏健派を楽しく持ち上げたかと思うと、ウォーク運動とメディアエリート層の検閲で人類は存亡の危機に立たされていると怒りをほとばしらせるという具合で、2022年中、行ったり来たりをくり返している。

『ポリトピア』

激しさ、集中力、競争心、しぶとさ、戦略愛などさまざまな側面を持つマスクという人物を理解するには、彼が情熱を燃やすビデオゲームについて考えてみる必要がある。何時間もビデオゲームをプレイすることで、マスクは、ガス抜きをしたり（ガス圧が高まることもある）、ビジネスの戦略的思考や戦術スキルを磨いたりするのだ。

南アフリカにいた子ども時代、13歳のときに、コーディングを自習したマスクは、『ブラスター』というビデオゲームを自作している。街中のゲーム機をただで遊ぶ方法を編み出したり、ゲームセンターを立ち上げようとしたり、ゲーム制作会社でインターンをしたりもしている。そして、学生時代からは、いわゆる戦略ゲームを中心にプレイするようになった。最初は『シヴィライゼーション』と『ウォークラフト：オークと人間』だ。戦略ゲームとは、プレイヤーが順番にプレイするターン制で、戦略や資源管理、決定木による戦術的思考で軍事的な戦いや経済的な戦いを展開するものだ。

2021年にマスクがはまっていたのは、マルチプレイヤーの戦略ゲーム、『ポリトピア』である。なにかというと、iPhoneでプレイしているのだ。このゲームでは、まず、16種類の「部族」からひとつを選ぶ。そして、技術を開発する、資源を確保する、戦いをしかけるなどして帝国を築いていく。マスクは達人級で、ゲームを開発したスイス人、フェリックス・エケンスタムにさえ勝ったことがある。こういうゲームに対する情熱からなにが言えるのだろうか。

「私の頭は戦い向きにできてるんですよ。基本的に」と本人は言う。

シボン・ジリスも、一緒にプレイできるようにと自分のiPhoneにダウンロードしたという。

「私はすぐにわけがわからなくなるのですが、ともかく、人生の教訓がいやというほど学べます し自分や対戦相手についてもいやというほどあれこれわかるんです」

スターシップブースターを動かすときに使う安全鎖の必要性について技術者と緊迫した議論をボカチカでしたあとも、マスクは、駐車場の端に置いてあったなにかに座り、オースティンにいるジリスを相手に『ポリトピア』を2ゲーム、真剣にプレイしていた。

「2回ともこてんぱんにやられました」とジリスは言う。

グライムスも、マスクに言われて『ポリトピア』をダウンロードしたという。

「ビデオゲーム以外に趣味とか気持ちを緩める方法がないんですよ。ただ、真剣になりすぎるのが困りものです」

協力して他部族と戦う約束をしていたのに、フレイムボールで彼に奇襲をかけたことがあるそうだ。

「かつてないほどの大げんかになりました。信じられないほどの裏切りだって言うんです」ビデオゲームにすぎないんだから怒るほどのものではないと言っても「マジ怒るほどのものだ」と取りつく島もなく、その日はずっと口もきいてもらえなかったという。

テスラのベルリン工場を視察に行ったのに、『ポリトピア』に熱中するあまり、現地幹部との会議を遅らせたこともある。同行していた母親に怒られると「たしかに、あれはよくなかった」と認めるが、「でも、あのゲームはマジ最高なんだよ」と悪びれた様子はない。実際、帰国の機中は、徹夜で『ポリトピア』をプレイしていた。

何カ月かあと、カボ・サン・ルーカスで開かれたクリスティアーナ・マスクの誕生パーティでも、自室にこもったり部屋の隅に引っ込んだりしてゲームばかりしていた。「お願いだから、みんなでお話ししましょうよ」とクリスティアーナが誘っても、知らんふりだ。

キンバルは、兄との絆を深めるため『ポリトピア』をプレイするようになった。

「あれをプレイすると、どうすれば兄のようなCEOになれるのかがわかるって言うんですよ。『ポリトピア』処世術って呼んでます」

処世術の一部を紹介しよう。

共感は資源ではない。「彼と違って私には共感力の遺伝子があって、だから、ビジネスで心が痛んだりするわけです」とキンバルは言う。「『ポリトピア』をプレイすると、共感を排除するとどう考えるのか、兄がいつもどう考えているのかがわかります。ビデオゲームには共感が入る余地がありませんからね」

ゲームのように人生を送れ。「なんていうか、子どものとき、こういう戦略ゲームで遊んでいたらお母さんに電源を引っこ抜かれ、でもそのまま気づかずにプレイし続けている——人生ってそういうものなのかもしれないね」とジリスはマスクに言ったことがあるそうだ。

敗北を恐れるな。「負けるんですよ。つらいですね。最初の50回くらいは。でも負けるのに慣れてしまえば、感情に左右されることが減ります」とマスクは言う。つまり、豪胆にリスクが取れるようになる。

先を見越して動け。「私はカナダ人らしく、ちょっと平和主義的で、状況の変化に対応するタイプなんです。ゲームのプレイスタイルも、どういう戦略が自分にとって一番いいのかを考えるのではなく、ほかの人たちがすることに反応してばかりです」とジリスは言う。女性にありがちなパターンなのだが、仕事でもまったく同じことをしていると気づいたそうだ。そして、みずから戦略を組み立てなければ成功はおぼつかないと、マスクからもマーク・ジュンコーサからもよく言われているという。

ターンごとに最適な手を打て。『ポリトピア』は30ターンで終わる。だから、毎回、最善手を打たなければならない。「『ポリトピア』と同じく人生もターンの数が決まってるんですよ」とマスクは言う。「うかつなターンがあったら、火星に行き着けなくなってしまいます」

倍賭けする。「どこまで可能なのか、その限界を試し続けるのがイーロンのプレイスタイルです」とジリスは言う。「倍賭け、倍賭けをくり返し、得たモノすべてをまたゲームに投じてどこまでもどこまでも成長していくんです。まるで彼の人生そのものですよね」

選んで戦え。『ポリトピア』では六つとか下手すればそれ以上の部族に囲まれ、戦いをしかけられることがある。全部に反撃したらまちがいなく負ける。マスクはこの教訓を我が物にできておらず、ジリスが教えてあげることになったという。「ほら、いま、あっちからもこっちからも攻撃をしかけられているけど、全部に反撃したら資源が尽きちゃう」という具合に。彼女はこれを「戦線最小化」と呼んでいる。ツイッターでのやりとりも同じだと教えているのだが、こちらも、なかなかわかってもらえないらしい。

休むのも大事。「妻との関係がおかしくなりかけて、プレイするのをやめました」とキンバルは言う。ジリスも『ポリトピア』を削除したという。グライムスも。実はマスクも、削除したことがある。「あまりに多くのブレインサイクルを持っていかれてしまい、『ポリトピア』を削除しなければならなくなったんです。夢にまで見るようになりましたからね」とマスクは言う。この「休むのも大事」も、マスクは身につけるのに苦労しているようだ。数カ月で再インストールし、またプレイするようになったのだ。

第70章

ウクライナ

（2022年）

スターリンク、救援に走る

ロシアは、2022年2月24日の木曜日、ウクライナに侵攻する直前に大規模なマルウェア攻撃をしかけ、通信やインターネットのサービスをウクライナに提供している米国の衛星通信会社、ビアサットのルーターを無力化した。これでは指揮命令系統がマヒし、防御らしい防御ができない。ウクライナはマスクに助けを求めた。副首相のミハイロ・フェドロフもツイッターで支援を要請した。

「スターリンクのステーションをウクライナに提供していただきたい」

マスクはこれに応え、二日後、端末500台がウクライナに到着した。

「輸送は米軍が手伝ってくれます。国も人道支援のフライトと若干の補償を用意してくれました。もちろん、支援の人も集まりつつあります」――グウィン・ショットウェルはメールでこう報告した。

「いいね」とマスク。「その調子だ」

マスクは、もっとたくさんの端末を届けるにはどうすればいいかをウォロディミル・ゼレンスキー大統領とズームで相談し、戦争が終わったらウクライナを訪問すると約束するなどした。

1日に2回、スターリンクの業務ディレクター、ローレン・ドライヤーから状況の報告が入るようになった。

「本日、ウクライナ通信インフラストラクチャーの大半がロシアの攻撃でオフラインとなりましたが、スターリンクキットでウクライナ軍は戦域司令室の運用ができています」――3月1日の報告だ。「通信インフラが集中的に狙われていることから、キットの有無は死活問題です。端末がもっとたくさん必要だと言ってきています」

翌日、もう2000台をポーランド経由で発送した。ところが、停電で端末が使えないところが多いとの報告がドライヤーから上がってくる。

「じゃあ、携帯型のソーラーとバッテリーのキットも送ろう。パワーウォールやメガパックもあったほうがいいだろう」

バッテリーとソーラーパネルも発送の準備に入った。

この1週間、マスクは、スターリンクの技術者とこまめに打ち合わせをおこなった。ロシアの通信妨害の回避にも成功している。ほかの会社にはできなかったし、米軍でもできないことがあったというのに、だ。日曜日には、ウクライナの特殊作戦旅団に音声通信を提供。ウクライナ軍と米国統合特殊作戦コマンドとの連絡やウクライナのテレビ放送もスターリンクキットで実現した。それからまた数日で6000台の端末とアンテナを追加で発送するなどした結果、7月には、ウクライナ国内で稼働するスターリンク端末が1万5000台に達した。

この動きはメディアで大々的に報じられた。

政治系メディアのポリティコは、スターリンクを活用して前線で戦うウクライナ人兵士を紹介したあと、次のように記している。

「ウクライナ情勢は、マスクのスペースXが展開中の衛星ネットワークにとっては真価を示すチャンスとなり、西側軍部の渇望をも刺激することとなった。ほんの何日かでバックパックサイズの衛星ステーションを何千台も、戦いで荒れはてた国に届け、ロシア側ハッカーがどんどん高度な攻撃をしかけてくる中、ネットワークを維持することができるスペースXの能力には、現地指揮官も舌を巻いている」

ウォール・ストリート・ジャーナル紙も特集を組んで報じた。

「スターリンクがなければ、この戦争は負けていたでしょう」――ウクライナの小隊長の言葉である。提供したアンテナやサービスにかかる費用の半分はスターリンク持ちだ。

「ここまででどのくらい寄付したのかな」とマスクは、3月12日、ドライヤーに確認した。返事は「スターリンク2000台とその利用料金ですね。あと、リヴィウIT向けに大幅ディスカウントが300台。利用料金は免除が5500件ほどあります」

このあと端末をもう1600台、追加で寄付しているので、総額8000万ドルくらいというのがマスクの見立てだ。

資金は、米国、英国、ポーランド、チェコなどの国が提供した。個人の寄付もある。歴史家ニーアル・ファーガソンは友だちにメールを送り、スターリンクキット5000セットを購入・輸送する費用500万ドルを集めたいと訴えた。

「寄付をしたいとお考えの方は、私まで、なるべく早くお知らせください。ウクライナ政府の通信がロシアに遮断されていないのはスターリンクのおかげです。その重要性は、いくら強調してもしすぎということはありません」

3時間後、セールスフォースの共同創業者でビリオネアのマーク・ベニオフから返信が届いた。

「100万ドルを寄付します。イーロン、すごいよね」と記されていた。

善行もすべからく……

「これは大災厄になるかもしれません」というメッセージがマスクから届いた。2022年9月のとある金曜夕方のことだ。マスクは例によって危機波乱モードだが、このときはそうなるのも当然な理由があった。スターリンクも原因の一端となり核戦争が始まる「ささいではない可能性」がある、それほどややこしく危険な状況だった。クリミアのセバストポリに駐留するロシア海軍を奇襲しようと、爆薬を満載した無人潜水艦6隻をスターリンク経由で誘導して送ることをウクライナ軍が考えているというのだ。

ウクライナは支持するが、マスクの外交感覚は、欧州軍事史を踏まえた現実的なものだ。2014年にロシアが併合したクリミアをたたくのはあまりに向こう見ずだ。実際、クリミア攻撃は越えてはならない一線であり、核による反撃もありうると、数週間前、マスクはロシア大使に言われているのだ。マスクは私にも、ロシアの法律や考え方ならそういう反撃も十分にありうるのだと詳しく説明してくれた。

夕方から夜にかけ、マスクはみずから打開の指揮を執った。この攻撃にスターリンクの使用を許せば、世界の惨事になりかねない。だから、クリミア海岸から100キロメートルはサービスを切れと技術者に指示した。そのため、ウクライナの無人潜水艦はセバストポリのロシア艦隊に近づくとインターネット接続が切れ、岸に打ち上げられる結果となった。

クリミア地域のスターリンクが切られていると作戦途中で気づいたウクライナ軍は、サービスを回復してくれと電話やメッセージでやいのやいのとマスクに訴えた。最初に助けを求めてきたミハイロ・フェドロフ副首相も、無人潜水艦は自分たちが進めている自由の戦いを左右しかねない存在なのだと、暗号通信のアプリを使って説明してきた。

「あの無人潜水艦は我々が開発したもので、巡洋艦や潜水艦なら破壊できます。この情報はほかのだれにも提供していません。あなただけなんです。世界を技術で変えようとしているあなたにだけは、これを知っていてほしいと思ったんです」

マスクは、無人潜水艦の設計はすばらしいと思うが、接続の回復はできない、ウクライナは「やりすぎて、戦略的敗北への道を進んでいる」と返答した。さらに、こういう状況であることをバイデン大統領の国家安全保障担当補佐官ジェイク・サリバン、統合参謀本部議長のマーク・ミリー将軍にも報告し、スペースXとしては、スターリンクを攻撃目的に使って欲しくないことも説明した。ロシア大使にも連絡し、スターリンクは防御目的のみだ、だから安心してくれと伝えた。

「ウクライナの攻撃が成功してロシアの船が沈められていたら、ミニ真珠湾みたいなことになって戦争がぐっと激化したかもしれません。そんな話に一枚かむのはさすがにご勘弁ですよ」

マスクは強迫観念から不吉な見方をしがちだ。ビジネスでも政治でも、悲惨なことになりそうな脅威の到来を予感し、それをなんとかしようと自分の尻をたたく。２０２２年は、世界的な大惨事となる危険があちこちにあると考えていた。１年以内に台湾をめぐり中国との対立が激化し、世界経済が大打撃を受ける可能性があるし、ウクライナの戦いが長引けば、軍事的にも経済的にも悲惨なことになりかねない。

ウクライナ情勢については、戦いを終わらせる一助になればと、ドンバスなどロシアの支配域で国民投票をおこなう、クリミアはロシアの一部として認める、ウクライナはＮＡＴＯに加盟せず「中立」国であり続けるなどの和平案を提案した。

すさまじい反発が返ってきた。駐ドイツのウクライナ大使は「すっこんでろ、が、私からお返しするめいっぱい外交的な返答です」とツイート。ゼレンスキー大統領はもう少し慎重に、「ウクライナを支援するマスクとロシアを支援するマスク、どちらのイーロン・マスクがいいですか」とアンケート形式でツイートした。これを受けてマスクも少しだけトーンダウンし、大統領のツイートに次のように返信している。

「ウクライナにスターリンクを提供し、維持するためスペースＸが負担した費用はいまのところ８０００万ドルというところです。ロシアに対する支援額は０ドル。我々がウクライナ側なのは明らかでしょう」

ただし、次のような一言も忘れなかった。

「クリミアを取り返そうとすればたくさんの人が死にますし、おそらくは失敗します。核戦争に発展するおそれもあります。そんなことになったら、ウクライナにとっても地球にとっても悲惨です」

10月に入ると、マスクは、攻撃利用の制限を強化するため、ロシアが占拠しているウクライナの南部と東部についてもスターリンクが使えないようにした。このときもなんとかしてくれとの連絡が山のように入り、スターリンクがどれほど頼られているのかが改めて浮き彫りになった。ウクライナも米国も、スターリンク以外に、これほどの通信システムが提供できたりロシア側ハッカーの攻撃を退けたりできる衛星インターネットプロバイダをみつけられていないのだ。一方マスクは苦労のわりに評価されていないと感じていて、金銭的な負担はそろそろ切り詰めたいと考えていた。

ショットウェルもウクライナの軍事作戦を支援するのはぜひともやめるべきだと考えていた。人道支援ならいいが、民間企業が外国の戦争をお金の面から支援するのは筋が違う。それは政府の仕事だし、だからこそ、米国は、対外有償軍事援助プログラムを用意し、民間企業と外国のあいだにワンクッション置いているのだ。また、ウクライナへの武器支援では、利益を上げている大手を含む軍需コントラクター各社に何十億ドルものお金が流れている。利益さえ上げられていないスターリンクが無料でサービスを提供するのは、そういう意味でもおかしいだろう。

「当初は、病院や銀行が業務を続けられるようにと人道支援や防衛目的でウクライナに無償でサービスを提供しました。ところが、ウクライナは、それで無人潜水艦を遠隔操作してロシアの艦船を吹き飛ばそうとかしてくれたわけです。救急車や病院や母親を助けるためなら喜んでサービスを寄付しますよ。会社も人も、そういうことをすべきだからです。ですが、無人機による軍事攻撃にかかる費用を負担するのはまちがいです」

ショットウェルは、ペンタゴンと契約交渉を始めた。人道目的に使われている端末にはもう6カ月、無償でサービスを提供するが、軍が使っている端末のサービスは有償とする、その分はペンタゴンが払ってくれと申し入れたのだ。この交渉は、インターネットサービスの費用として1億4500万ドルをペンタゴンが支払うことで決着する。

ところがこの合意がリークされ、メディアとツイッターでマスクたたきが始まってしまう。マスクは、料金の徴収をあきらめることにした。ウクライナの端末にはずっと無償でサービスを提供することにしたのだ。

「もうどうでもいいわ。スターリンクは赤字でほかの会社は何十億ドルも税金をせしめているわけだが、それでもウチはウクライナ政府を無償で支援すりゃいいんだろ？」

ショットウェルはあきれかえっていた。

「ペンタゴンは1億4500万ドルの小切手を私に手渡すところだったんですよ。文字どおりに。なのにツイッターのたわごとや、ウチを嫌っていてこの件をリークしたペンタゴンの連中に屈するなんて」

「善行もすべからく罰されるんだよね」――友だちのデイビッド・サックスがツイートする。

「それでも善行はなすべきなんだよ」――マスクの返信である。

フェドロフ副首相はマスクをなだめようと、感謝の言葉を暗号メッセージで送った。

「ウクライナに対する貴君の貢献は、すべての人に理解されているわけではありません。ですが私は、スターリンクがなければ我々はなにもできずに終わったと考えています。本当にありがとうございます」

さらに、マスクの立場であればクリミア攻撃にスターリンクを使わせられなかったのも当然だと理解を示した。だが、南部と東部のロシアが占拠している地域で戦うために使うのは許してほしいと食い下がった。この件について、ふたりのあいだでは驚くほど率直な意見が暗号で交換されている。

フェドロフ：この地域を除外するのはまったくもって理不尽です。私はザポリージャ地域のバシリウカ村出身で、両親も友だちもまだそこに住んでいます。この村は、いま、ロシア軍に占拠されていて、無法と暴力が横行しています――住民は、みな、解放の日をいまかいまかと待っているのです……9月末、村をいくつか解放できたのですが、そこではスターリンクが使えなくなっていました。これでは、生活を支えるインフラの復興ができません。我々にとっては死活問題なんです。

マスク：ロシア軍が本気で動員されれば、ウクライナ中のインフラをすべて破壊し、版図を大きく広げることでしょう。そのとき、ウクライナ全土がロシアの手に落ちるのを防ぐため、NATOが介入せざるをえなくなります。つまり、第三次世界大戦が勃発しかねないのです。

フェドロフ：兵の動員は技術ほど戦争の道筋に影響を与えません――これは技術戦争なのです……軍を動員すればプーチン政権が倒れる可能性もあります。これはロシア人の戦争ではなく、みな、ウクライナになど来たくないからです。

マスク：ロシアはなにがあっても、本当になにがあっても、クリミアを手放しません。だから、世界的大惨事になりかねないわけです……強く出られるあいだに和平交渉をすべきです……よろしければご相談に乗りますよ（マスクの携帯電話番号）。人類全体にとって益となる現実的な平和への道筋であれば、全力でサポートします。

フェドロフ：了解しました。我々はウクライナの視点で見ていますが、貴君は人類を救いたいと願う人間の視点なのですね。いや、願うだけでなく、ほかのだれよりもそこに向けて動いている人間の、ですね。

このあと、マスクはいらだっていた。

「どうして私がこの戦争に関わらなきゃいけないんでしょう」――夜遅く、私との電話でマスクはこう愚痴った。「スターリンクは戦争用じゃありません。みんながネットフリックスを観てくつろいだり、学校の課題をオンラインでこなしたり、平和ないいことをなにかするためのもので、無人機で攻撃するためのものじゃないんです」

ショットウェルの尽力もあり、最終的に、ウクライナにおけるスターリンクサービスは各種政府機関を通じて支払いを受ける、利用の条件などは軍が定めるということに落ちついた。そして、2023年の頭には、追加で10万枚のアンテナがウクライナに送られた。また、軍用サービスのスターシールドも立ち上げることになった。スターシールドの衛星やサービスは販売またはライセンス供与という形でスペースXから米軍や米政府関連機関に提供するので、ウクライナなりほかのどこかでなり、それを使うのか、使うのであればどう使うのかは米国政府が決められるわけだ。

第 71 章

ビル・ゲイツ

（2022年）

2015年に中国の瓊海市で開かれたボアオ・アジア・フォーラムでゲイツと握手をするマスク

来訪

「一度ゆっくり、慈善活動と気候について話がしたいのですが」――ビル・ゲイツがマスクにこうもちかけた。2022年の初め、たまたま同じ会議に出ていてばったり会ったのだ。マスクは、慈善基金を創設し、株を売って得た57億ドルを税金対策でそこに投じたところだった。一方ゲイツは慈善活動に時間のほとんどをつぎ込んでいて、いろいろと提案したいことがあった。

これ以前にもふたりはなんどか話をしている。ゲイツが息子のロリーを連れてスペースXの見学にきたこともある。マスクはマイクロソフトのオペレーティングシステムが好きというテッキーには珍しいタイプだし、真剣に打ち込んで会社を育てた男になら当然に親しみを抱くタイプでもある。

さて、「いいですね。会いましょう」となったので、ゲイツは、マスクのスケジュール担当に事務所から連絡を入れさせようとした。ゲイツのあれこれは、スケジュール担当やアシスタントが何人もチームを組んでお世話していて、マスクのほうも当然にそうなっていると思ったのだ。

「スケジュール担当はいません」

マスクは個人秘書もスケジュール担当もなくしてしまっていた。自分の予定は自分で管理したいと思ったからだ。

「私に直接連絡しろと秘書にお伝えください」

マスクほどになってスケジュール担当がいないなど面妖だとゲイツは思ったし、自分のアシスタントからマスクに連絡させるのもなにか違うと思ってしまった。だから自分で連絡し、オースティンで会う日時を取り決めた。

「着陸した」――ゲイツからメッセージが届く。2022年3月9日の午後だ。

「了解」――マスクはこう返信すると、ギガファクトリーの入口までオミード・アフシャーを迎えにやった。


世界一の金持ちという肩書を持ったことのある人物同士がよしみを結ぶという珍しい事態になったわけだが、そもそも、マスクとゲイツは似たところがわりとある。ふたりとも分析力に優れている。レーザーのように鋭くなにかに集中する。一歩まちがえれば尊大とも取られかねないほどみずからの知性を信じている。ばか者はがまんならない。こんなふたりならぶつからないほうがおかしい。実際、工場見学に入ると、ふたりはぎんぎんにぶつかりあった。

まず、バッテリーで巨大なトレーラートラックを動かせる日は来ない、気候問題を解決するには太陽エネルギーは大きく力不足だとゲイツが言い出した。

「数字を挙げて説明したんですよ」とゲイツは言う。「あのあたりは、彼が知らなくて私がはっきり知ってることがある部分ですからね」

火星についてもゲイツはからんだ。

「私としては、火星なんてどうでもいいんです」とゲイツはのちに語ってくれた。「マスクは火星に熱中しすぎですよ。まあ、火星についてなにを考えているのかは語ってもらいました。さすがにちょっと面妖な考えだと思いますね。地球で核戦争が起きるかもしれなくて、そのとき火星に人がいれば、その人たちが戻ってきて、我々が殺し合ってみんないなくなったあと、彼らが生きてくれるとかくれないとか、なんとも突拍子のない話ですから」

いずれにせよ、工場はすごいし、マシンやプロセスの細かなところまで詳しく知っているマスクもすごいと感心したそうだ。スターリンク衛星をたくさん打ち上げ、宇宙からインターネット接続を提供するスペースXもすごい。

「20年前にテレデシックでやろうとしたことが実現されたわけですから」

見学が終わるころ、話は慈善活動に転じた。慈善活動などほとんどは「たわごと」だとマスクは考えていた。有効に使われるのは1ドルに対して20セントがいいところだというのだ。気候変動に対処したいのなら、同じお金をテスラに投じたほうがずっといい、と。

「まあ、そう言わずに。いま、1億ドルのプロジェクトを5件進めているんですよ」

難民、米国の学校教育、エイズ治療のほか、特定種類の蚊を遺伝子ドライブで根絶する、気候変動の影響に抵抗力を持つ種を遺伝子組み換えで作るといったことにお金を出しているのだという。

慈善活動に打ち込むゲイツは、「アイデアを超たくさん書き連ねて」送るとマスクに約束した。

ふたりの間には放っておけない問題がひとつあった。ゲイツは、テスラの株価が下がることに大きく賭け、空売りをしかけていたのだ。その予想は外れ、ゲイツはオースティン来訪時で15億ドルの含み損を抱えていた。その話を聞いたマスクははらわたが煮えくり返った。大嫌いなものの中でも一番大嫌いなのが空売り筋だからだ。ゲイツが謝罪しても、マスクの気は収まらなかった。

「マスクに謝ったんですけどね。空売りしていると知って、それはもう、角が立ちまくりでした。ただ、彼は多くの人に角を立てまくるので、そういうものだと思うしかないのでしょう」

この背景には、考え方の違いがある。なぜテスラに空売りをしかけたのかと尋ねたところ、電気自動車は供給が需要を上回り、価格が下落すると判断したからだと返ってきた。うなずきつつ、さきほどの問いをくり返す。で、なぜテスラに空売りをしかけたのか、と。いま説明したじゃないかという表情が一瞬よぎったあと、どうしてこんな当たり前のことを言わなきゃいけないんだという感じで答えてくれた――空売りすれば儲かると思ったから、と。

マスクにはない考え方だ。マスクは電気自動車に向けて世界を動かすというミッションを信奉し、有り金すべてをつぎ込んできた。安全な投資とは思えなくても、だ。

「どうして、気候変動と真剣に戦っていると言いつつ、一番奮闘している会社の足を引っぱるようなことができるんでしょうね」――ゲイツ来訪の数日後、マスクは私にこう尋ねた。「そんなの偽善にすぎません。ほんと、どうして、持続可能エネルギーの車を作る会社をこかして金を儲けようとするんでしょう」

グライムスの見方が秀逸だ――「ナニの大きさを競っているようなものなのではないでしょうか」

4月半ば、ゲイツから、慈善活動のアイデアがいくつも記された文書が届いた。本人が書いたものだ。マスクは「いまもまだ、5億ドル、テスラ株を空売りしたままなのでしょうか」とメッセージでただした。

ゲイツはワシントンDCのフォーシーズンズホテルに滞在中で、もうすぐ大学院生になる息子のロリーとダイニングルームにいた。マスクのメッセージを見ると、笑って、どう返事をしようかとロリーに相談する。

「イエスとだけ答え、話題を変えるのがいいんじゃないかな」

この提案に従ってみた。

「まだ手仕舞いできていません。申し訳ない。それより、慈善活動について話をしたいのですが」

すぐに返信が来た。

「悪いのですが、気候変動の解決に一番尽力している会社、テスラに大規模な空売りをしかけている人が進めている気候問題の慈善活動など、真剣に考えることはできません」

マスクは怒ると容赦がなかったりする。特にツイッターではガツンといく。このときも、妊娠中かと暗に言うようなゴルフシャツ姿のゲイツの写真に「さっと萎えたい人向けに」の一言を添えてツイートしている。

ゲイツには、空売りにマスクが怒る理由がわからない。逆にマスクは、それをゲイツがわからないのがなぜなのかがわからない。

「彼はどうしようもなくおかしいと(かつ、本質的にくそ野郎だと)判断せざるを得ませんね。いい人だと思っていたんですが(ため息)」――ゲイツとやりとりした直後、私に送ってきたメッセージだ。

ゲイツはもう少し鷹揚(おうよう)だった。この少しあと、ワシントンDCの晩餐会でマスクの批判があちこちから出たときも、「イーロンの言動についてあれこれ思うのは勝手ですが、科学とイノベーションの限界を彼ほど広げている人物は、この時代、ほかにいませんよ」と指摘している。

慈善活動

マスクは昔から慈善活動にほとんど興味がない。自分が人類に貢献するには、お金を会社につぎ込み、エネルギーの持続可能性や宇宙開発、人工知能の安全性などを押し進めるのが一番だと考えているからだ。

ビル・ゲイツの来訪を受けた数日後、マスクは、ギガテキサス工場の組立ラインを見下ろす中2階で、バーチャルら資産計画の顧問5人とテーブルを囲んでいた。ゲイツと話をしても慈善活動をがんばろうという気にはならなかったが、せっかくのお金なのだから、ふつうの基金より実効力のあるなにかに投じたいと相談していたのだ。

バーチャルから、非営利の持ち株会社というアイデアが出てきた。さまざまな非営利企業に資金を出し、導き、守る会社だ。ハワード・ヒューズ医学研究所のような構造になるだろうとバーチャルは言う。

「前進はごくゆっくりとしたものになりますが、最終的にはとても大きなモノ、たとえば本格的な高等教育機関にもなれるはずです」

悪くない考えだが、まだそちらに進む時期ではないがマスクの結論だった。

「いまはほかに考えなければならないことが多すぎる」――そう言ってテーブルを立った。

それはそうだろう。この日、2022年の4月6日は、ギガテキサス開所式の準備で忙しく、午前中はずっとモデルYの組立ラインをチェックして歩いたし、ギガロデオというパーティの企画について詳細な報告を受け、承認したりしていたのだから。ホワイトハウスのスタッフと貿易、中国、バッテリー補助金について話し合う電話会議も予定されていた。さらにもうひとつ、マスクの頭の大半を占めている件があった。1月からひそかに株を買い集めてきた会社から来た取締役の就任要請だ。一応、承諾すると回答したが、本当のところどうしようかと心を決めかねていたのだ。

第 72 章

積極的な投資家

ツイッター（2022年1〜4月）

左：パラグ・アグラワル
右：ジャック・ドーシー

嵐の前

２０２２年4月、すべてができすぎなほど順調だった。テスラの売上は過去12カ月で71％増。広告費ゼロで、だ。株価は過去5年で15倍となり、その時価総額は2位から10位の自動車会社を合わせたより大きい。マスクがマイクロチップサプライヤーを脅し上げた結果、自動車業界を大混乱に陥れた新型コロナのパンデミックによるサプライチェーンの混乱をうまくかいくぐり、２０２２年第１四半期には過去最高の納車実績をあげることさえできた。

スペースXも、２０２２年第１四半期に、ほかの会社と国、全部の合計に倍する質量を軌道に打ち上げている。4月には、ＮＡＳＡ（いまだ自前の打ち上げ能力を持たない）の宇宙飛行士３人と欧州宇宙機関の宇宙飛行士ひとりを乗せ、４回目となる国際宇宙ステーションへの有人ミッションも成功させた。また同月、通信衛星の打ち上げもおこない、スターリンクの衛星数を２１００基とした。ネット接続の提供も、ウクライナを含む世界40カ国に広がり、契約数は50万件を数える。軌道ロケットを安全に着陸させ、再利用するというのは、スペースX以外、どこの会社も国も成功していない。

「いまになっても、まだ、着陸・再利用できる軌道ブースターがファルコン9しかないのは超不思議だ」――マスクはこうツイートしている。

そして、もともとマスクが資金を提供して立ち上げた4社の時価総額は次のようになっていた。

テスラ：1兆ドル
スペースX：1000億ドル
ザ・ボーリング・カンパニー：56億ドル
ニューラリンク：10億ドル

まちがいなく輝かしい1年になるはずだ——マスクが下手に手を出さなければ。だが手を出さずにいるなど、マスクにできるはずがない。

勝ったのにやめられないビデオゲームマニア症をマスクが発症していることに、4月頭、シボン・ジリスが気づいた。

「ずっと戦争をしている必要はないのだけれど？　それとも、戦争をしているときのほうが心が安らぐのかしら」

「私は基本設定がそっちだからね」

まるでシミュレーションのゲームで勝ちそうになり、かえってどうしたらいいかわからなくなってしまった——そんな感じだったとジリスは言う。

「平穏な日が続くといらだつんです」

同じく4月、各社がどこまで来たのかという話を彼としたのだが、その際、マスクは、テスラが世界で一番価値のある会社になるとなぜ思ったのか、毎年1兆ドルの利益を上げられる会社になるとなぜ思ったのかを説明してくれた。だが、その声には喜びも満足もこもっていない。

「チップを持ってテーブルに戻りたいと思ってしまうんですよね。次のレベルのゲームがしたい、と。くつろぐのは不得意なんですよ」

成功で不安になると、マスクは、波乱を創り出すことが多い。シュラバを宣言する、ジェットで飛び回る、必要もないのに非現実的な期日を切るなどだ。オートノミー・デイしかり、スターシップの積み上げしかり、ソーラールーフの設置しかり、車の生産地獄しかり。警報器のヒモを引っぱり、消火訓練を始める。

「ふつうなら、持っている会社のどれかで危機にできるなにかをみつけるんです」とキンバルも言う。

だが今回、マスクはそうしなかった。そのかわり、あまり後先を考えることなく、ツイッターを買うことにした。

火の玉小僧

2022年頭の心がざわついた時期が、山ほどのキャッシュでポケットが突然膨らんだ時期と重なったのは、運命のいたずらだろうか。株の売却で100億ドルほどが手元に残っていた。

「そのまま銀行に放置するのもなんですしね。だから、自分が好きな製品はどれだろうと考えてみたんです。いや、もう、答えはひとつしかありません。ツイッターです」

というわけで、1月、ひそかにツイッターの株を買えと、個人資産の管理を任せているジャレッド・バーチャルに指示した。

マスクにとってツイッターは理想的な遊び場だ。理想的すぎるかもしれない。前後の見境なくつけあがり好き勝手を言い放つタイプ、いわば火の玉小僧が勝つ場所なのだ。いろいろな意味で校庭みたいな場所であり、いじめや中傷もある。ただし頭の回転が速ければフォロワーがたくさんつく。コンクリートの階段に押さえつけられるのではなく、だ。それが世界で一番の金持ちで頭の回転も一番速いとなれば、子ども時代と異なり、その校庭の王となることもできるだろう。

ツイッターは２００６年に立ち上げられた直後に使いはじめたが、「スターバックスでこんなラテ飲んでます〜みたいなツイートばかりで飽きた」とアカウントを削除してしまう。その後、もう一度始めろ、ツイッターなら世間の人々と直接やりとりができるからと友だちのビル・リーに説得され、２０１１年12月に再開。そのころは、クリスマスパーティで逆毛のかつらをかぶりアート・ガーファンクルのまねをしている写真などを投稿している。

「今日はカニエ・ウェストからなぜか電話をもらい、靴からモーゼまでなんやかんやについてなにを考えているかを聞かされた。愛想はいいけど、よくわからんやつだ」

と、波乱に満ちた友情の始まりを示すツイートもある。

それから10年で、マスクは１万９０００回ツイートしている。

「私のツイートはときとしてナイアガラの滝みたいになりますし、電光石火すぎたりしますからね。ま、くそ野郎がいなさそうなところをちょちょっとすくえばいいんですよ」

２０１８年の「ペド野郎」ツイートや「資金は確保ずみ」ツイートを見れば明らかなように、マスクの指にツイッターは危ない場所だ。レッドブルとアンビエンに頼って夜遅くまで突っ走っているときには特に危ない。なのにどうして自制しないのかと問うと、たしかに、自分の足を撃ったり墓穴を掘ったりしすぎですよねとマスクは笑った。それでも、どうせならおもしろく、刺激的な人生を送りたいのだと、2000年の映画『グラディエーター』にも「楽しくないのか？　楽しむために来たんじゃないのか？」ってセリフがあるじゃないですか、あれ、大好きなんですよと教えてくれた。

2022年の頭には、そうでなくても火が付きやすい大釜に新たな材料がひとつ追加された。ウォークマインド・ウイルスが米国に広がりつつあるという懸念だ。ドナルド・トランプはきらいだが、元大統領を永久追放するのはさすがに違うのではないかと感じたし、ツイッターで抑圧されている右派の不平・不満にいらだちを募らせていく。

「立ち位置をまちがえると検閲される、そういう方向にツイッターは進んでいると彼は見たんです」とバーチャルは言う。

テック系のリバタリアンな友だちから後押しもあった。どういう投稿はめだたせ、どういう投稿はめだたなくするのか、そのアルゴリズムを公開すべきだと3月に訴えた際には、ジョー・ロンズデールが支持を表明している。

「公共の広場に恣意的で適当な検閲制度などいらない」

「明日、共和党の政策研修会で100人以上の連邦議会議員を前に話をする予定なんだけど、この件はきちんと伝えたい」

「まったくだ」とマスクは返している。「見えないところが腐っているのが現状だ」

オースティンの友だち、ジョー・ローガンも話に入り、マスクに尋ねた。

「検閲大好きなやからからツイッターを解放するのかい？」

「アドバイスを提供することになるね。彼らが従うか従わないかはわからない」

言論の自由は多ければ多いほど民主主義にとっていいとマスクは考えている。だから同じく3月、マスクは、ツイッターでみんなの意見を尋ねた。「民主主義が機能するには言論の自由が不可欠だ。いま、ツイッターは、この原理に従っていると思うか?」と。回答の70%がノーだった。続けてマスクが問う。「新しいプラットフォームが必要だと思うか?」と。

ツイッターの共同創業者でそのころもまだ取締役を務めていたジャック・ドーシーは、ダイレクトメッセージでマスクに回答を送った——「イエス」と。これにマスクは、「私にできることであればお手伝いしますよ」と返した。

取締役の椅子

このときは、新しいプラットフォームを立ち上げることも選択肢だったわけだ。だが3月末、一部取締役と内々で話し合ったところ、ツイッターにもっと深く関わって欲しいと求められてしまった。それをうけ、ある夜、テスラのオートパイロットチームとの打ち合わせを終えた9時すぎに、ドーシーの後任としてツイッターCEOになったソフトウェア技術者、パラグ・アグラワルに連絡を入れる。3月31日に取締役会長のブレット・テイラーと3人、人知れず集まり、夕食を囲んで相談することになった。

会場は、ツイッターのスタッフがエアビーアンドビーで用意した。サンノゼ空港近くの農家だ。最初に到着したテイラーがマスクにメッセージを送る。

「打ち合わせの場所としては、ちょっと経験したことがないほどおかしなところです。トラクターやロバがいっぱいで」

マスクは特に気にしない。

「トラクターやロバが好きな人なんだとエアビーアンドビーのアルゴリズムが判断したのかもね(みんな好きだろ?)」

アグラワルはすごくいい人だとマスクは感じた。言い換えれば、任せられない、と。CEOに求められる特質を尋ねられ、マスクが「すごくいい人」と言うなどありえない。「経営者は人に好まれることをめざすべからず」とマスク語録にあるくらいなのだから。だから、打ち合わせ後にこう宣言した。

「いまツイッターに必要なのは火を吹くドラゴンだ。パラグは違う」

火を吹くドラゴン――まるでマスクを指しているかのような一言だ。だがこの時点では、まだ、自身がツイッターを経営しようと考えていなかった。アグラワルからも、取締役になって欲しいという話しか出ていない。それがいいとしばらく前にドーシーからも言われたらしい。

二日後、ドイツ出張中のマスクに、ツイッターの取締役会から正式な就任要請が届いた。ところが、これが友好的と言いがたい。実は2年前に敵対的な物言う投資家ふたりを取締役会に迎え入れるにあたって用いられた合意をベースとしたものだったのだ。7ページもの長大なもので、社外で会社を批判しない(明記はされていないが、ツイートするのもだめだろう)といった条項もあった。そういう条件をつけたいとツイッター側が考えるのはわかる。火炎放射器をホルスターから出せないようにしておかなければマスクがいろいろとやらかすのは過去の実績から明らかだし、実際、その後も変わらないのだから。SECとの戦いを見れば、そういう制限を課すのさえ難しいこともよくわかる。

断れとバーチャルに指示する。「公共の広場」であるはずの会社がマスクに対し言論の自由を制限しようとするとは「究極の皮肉」だという言葉もあった。それからほんの2、3時間で、ツイッター側が白旗を揚げる。新しい書類はわずかに3段落の友好的なもの。制限らしい制限は、持ち株を14・9％以下にすることだけだった。

「ま、レッドカーペットを敷いてくれるってんなら、やってやってもいいよな」と、こんどは承諾の返事をバーチャルに指示した。

ツイッター株式の約9％を所有していると、遅ればせながらSECに報告。そして、アグラワルとお祝いのツイートを交わす。

「我が社取締役に@elonmuskをお迎えすると発表できることは大いなる喜びです」——4月5日の早朝、アグラワルはこうツイートした。「彼は当社サービスの熱心な信者であり、同時に、猛烈なる批判者でもあります。いま、我々がまさしく必要としているタイプの人物なのです」

マスクは7分後に、じっくり練りあげたツイートで応じる。

「パラグおよびツイッター取締役会と協力し、ツイッターをどんどんよくしていくことを楽しみにしております！」

このあと数日は、これで谷（バレー）に平和が訪れるという雰囲気だった。アグラワルがもともと技術者で、CEO、CEOしていないのもマスクにとってはポイントが高かった。

「プログラムマネージャー／MBAタイプより、本格的なプログラミングができる技術者のほうが、はるかに相性がいいんですよ。先日のお話もすごくおもしろかった」とマスクが言えば、アグラワルも「次の機会には、ぜひ、ＣＥＯではなく技術者だと思って接してください。どういうお話ができるか楽しみです」と返している。

ブレインストーミング

４月６日の午後、マスクがバーチャルと慈善活動について相談し、さらに、バイデン政権の担当者と中国貿易の関税について電話で話をしているあいだ、一緒にペイパルを立ち上げたルーク・ノゼックとケン・ハウリーは、ギガテキサスの中二階をうろうろしながら待っていた。このころマスクはハウリーの家を借りていたし、ノゼックのところに泊めてもらうこともあった。なので、ようやく手が空き、ふたりのところへ来たマスクの第一声は、「大家さん、どうも〜」だった。

ふたりは、前日発表されたマスクのツイッター取締役就任に疑問を抱いていた。

「うん、まあ、いろいろとトラブルにはなると思うよ」

テスラの組立ラインを見下ろせる会議テーブルに腰を下ろしつつ、マスクがにこやかに言う。

「ただ、現金が余りまくっていてね！」

ハウリーとノゼックはふっと笑って話の続きを待つ。

「信用されてる公共広場があるって大事だと思うんだ。少なくとも、不信感が強すぎない公共広場があるっていうのは」

いまの取締役会は、株主としてもユーザーとしても、ツイッターサービスを十分に我が事としてとらえていない。それが問題だとマスクは言う。

「パラグは技術者なんで、なにが起きているのかある程度はわかっているみたいだけど、収監者が施設を動かす状態になってしまっているのはまちがいない」

そして、書いていいことを制限しようとしないほうが民主主義にとっていいというシンプルな持論をくり返す。

「ツイッターは、言論の自由に向けて進まなきゃいけない。少なくとも法律に定められているくらいまで行かなきゃいけない。いまは、法律よりずっと厳しく制限しているからね」

言論の自由の解釈はマスクと同じく自由主義的なのだが、それでもハウリーは、深い考えを疑問というクッションにくるんで優しく押し戻した。

「電話のように、一方の端から入った言葉がそのまま反対端から出てくるようなものであるべきなのかな。それとも、世界の談話を統べるシステムに近くて、優先順位を上げ下げする知性をアルゴリズムに組み込むべきだったりするのかな」

「鋭い質問だねぇ。なにを言えるのかも問題だけど、それとは別に、言われたことをどのくらいもり立てるか、逆に抑えるか、拡大するかっていう問題もあるからね」

拡散助長の方程式を公開すべきなのかもしれない。

「たとえばアルゴリズムをオープンソースとしてギットハブに公開し、自由にチェックできるようにするとか、ありうるんじゃないかな」

アルゴリズムが革新寄りになっていると感じる保守系の人々が歓迎しそうなアイデアだが、危険なコンテンツやデマ、人を傷つける投稿の拡散を抑えるべきか否かの判断とは本当のところ関係がない。

マスクは、ほかにもいくつかアイデアを抱いていた。

「月2ドルなど若干の支払いで認証が受けられるとかどうだろうね」

このあと、ツイッターについてマスクが押し進めることになるアイデアのひとつだ。クレジットカードと携帯電話番号にひも付けするサブスクなら、投稿者の身元を確認し、本人であると認証することができる。認証ユーザーは詐欺的なことや誹謗中傷（ひぼうちゅうしょう）、ウソとわかっている投稿の拡散などをするおそれが少ないはずで、そういうユーザーを優遇するアルゴリズムにすればいい。なにかというとすぐ、ナチだなんだと非難の応酬になるのも、多少は防げるかもしれない。

ユーザーのクレジットカードを把握することには、ほかにも利点があるとマスクは言う。ツイッターを決済プラットフォームにして、物語や音楽、動画などに料金を支払う、チップをあげる、投げ銭をするなどにも使ってもらえるようにできる。ハウリーもノゼックもペイパル卒業生なわけで、それはよさそうだと賛同した。

「昔、Xドットコムとペイパルで夢見たビジョンが実現するかもしれない」と、マスクはご機嫌だ。

マスクは最初から、金銭が取り扱えるソーシャルネットワークというXドットコムの夢を実現できる可能性をツイッターに見ていたのだ。

相談は、遅めの夕食でも続いた。どこがどうというわけではないのにエレガントなクラブ、パーシングの2階個室をノゼックが予約していたのだ。グリフィンとサクソンも参加した。次のTEDに向けて録画取材に来ていたクリス・アンダーソンも、ヴォーグ誌の仕事でプラハに行っていたメイもだ。グライムスも遅れて到着した。

ツイッターを使うかと問われ、若者のグリフィンとサクソンはめったに使わないと答えたが、メイはとてもよく使うという。このあたりはユーザーの人口構成を暗示するものだと言えるのではないだろうか。

「私は、おそらく、ツイッターに時間を使いすぎなんでしょうね」とマスクは言う。「墓穴を掘るにはいい場所なんです。肩を突っ込んで、そのまま掘り進むんです」

ギガロデオ

翌日4月7日の夜は、ギガテキサス工場のグランドオープニングだ。オミード・アフシャーは、1万5000人を集めるギガロデオなるものを企画していた。こういうときマスクはいつも準備とリハーサルを監督するのだが、今回はコロラド・スプリングスに飛び、空軍士官学校に3時間滞在した。講義をすることになっていたのだ。いいタイミングの休憩だとも言える。あれこれしながらツイッターについての考えを整理できるからだ。

士官候補生への講義では、政府プログラムがうまくいかないのは官僚が大事を取り過ぎるからだ、そういう思考にとらわれないことが大事だと訴えた。

「エンジンが爆発しないということは、努力が足りないということだ」

身の回りはごたついているが、本人はのんびりしている感じだった。講義のあと、一部候補生と人工知能の研究や自律ドローンの開発などについて話し合ったりもしている。

夕方に戻ると、ギガテキサスは様子が一変していた。駐車場には、バーニングマンさながらの芸術作品や大型ゲーム機、奏楽台がずらりと並んでいる。機械仕掛けの牛や巨大なゴム製あひるの姿もある。大きなテスラコイルも2基、展示されている。工場の中も、一部、ナイトクラブのような雰囲気になっていた。キンバルが企画したドローンショーでは、ニコラ・テスラやドージコインのマスコット犬、サイバートラックが夜の空に描かれた。ハリソン・フォードやスパイク・リーといったセレブや、芸術作品のひとつを作ったビープルの姿もあった。

マスクは、ドクター・ドレーの歌を背景に黒いテスラロードスターに乗って登場した。生産1台目の記念すべき車だ。90万平方メートルのこの工場がいかに大きいのか、さまざまな数字を挙げて説明する。ハムスターなら1940億匹も中に入れるらしい。テスラの成果もいろいろと紹介したあと、究極の成果は「完全自動運転」で、これが完成すれば「世界が一変する」とぶち上げた。

ギガテキサスの開所は勝利の瞬間だったはずだ。電気自動車の時代を切り拓き、続けて、米国内で製造業が栄えられると示す瞬間だったのだから。だが、開所式のあいだもそのあとのパーティでも、ささやかれていたのは製造業の奇跡ではない。特にマスクに近い友だちや家族のあいだではそうだった。キンバル、アントニオ、ルーク、さらには母親のメイまで、ツイッターのことばかりが気になっていた。なぜにヘビだらけの湿地にわざわざ踏み込むのか。南北戦争における荒野の戦いみたいに、消耗戦が始まるのではないか。考え直せと説得を試みるべきなのではないか。

第73章

「申し入れをした」
ツイッター（2022年4月）

棚上げ

ギガロデオから明けた2022年4月8日の金曜日、マスクは、キンバルとブランチを食べていた。ツイッターの取締役と話をしたんだがと愚痴をこぼす。

「みんないい人なんだけど、ツイッターを使っている人がいないんだ。あれじゃ変化なんて起きるはずないじゃん」

キンバルもいまいち気に入らないようだ。

「あのさぁ、兄貴は取締役の経験がないからよくわからないかもしれないけど、あれはいやになるよ？　意見言うじゃん？　そしたらみんな、にっこり笑ってうなずいて、それでおしまいなんだよ」

それよりブロックチェーンをベースに新しいソーシャルメディアプラットフォームを立ち上げるほうがいい――それがキンバルの意見だった。それならドージコインの決済システムも組み込めるかもなとマスクは思った。

ブランチのあと、マスクは、「ツイッターのように短いテキストメッセージと決済が取り扱えるブロックチェーンベースのソーシャルメディア」の具体化に向けたアイデアをいくつかキンバルに送った。こういうシステムは中央サーバーがないので「絞める首がなく、言論の自由が保障される」などの言葉もあった。

取締役になるのではなく、ツイッターを買ってしまえばいいのではないかとも言い出した。「このままでは崖から落ちてしまう。取締役になったくらいではツイッターを救えない。そういう気がしてきたのです。であれば、いっそ、買い取って株式を非公開化し、あるべき姿に変えればいいのではないかと」

メッセージのやりとりでもツイートでも、すでに、友好的な手続きで取締役に就任すると答えてしまった。だが、キンバルとのブランチ後、バーチャルに連絡し、最終的な手続きはするなと指示。もう少し考えてみる必要がありそうだ。

ハワイ

その夜、マスクは、オラクルの創始者ラリー・エリソンが持つハワイの島、ラナイに飛んだ。盛り上がった島の中央部に落ちついた屋敷を建てたので、ビーチ脇の古い建物は自由に使っていいと言われたのだ。もともとは、ときおりデートする女性のひとり、豪州で俳優をしているナターシャ・バセットとふたりでのんびりするつもりだったのだが、結局、ツイッターをどうするかばかりを考える四日間になってしまう。

最初の夜は、一晩、まんじりともせず、ツイッターが直面している問題について考えた。フォロワー数の上位に並ぶバラク・オバマ、ジャスティン・ビーバー、ケイティ・ペリーなどは、ツイートがめっきり少なくなってしまっている。そう気づいたマスクは、ハワイ時間の午前3時32分、次のようにツイートした。

「『トップ』アカウントの大半はめったにツイートせず、コンテンツをほとんど投稿していない。ツイッターは死にかけているのか?」

ツイッターCEOのアグラワルがいるサンフランシスコはこのとき朝の6時半だ。マスクのツイートから90分ほどあと、アグラワルはマスクにメッセージを送った。

「『ツイッターは死にかけているのか?』などなんでも好きにツイートしていただいてかまわないのですが、そのような行為が、現状、ツイッターを改善しようという私の努力を助けるものでないことは、立場上、お知らせせざるをえません」

ツイッターを批判する権利はもうないとほのめかしているようには受け取られないよう、慎重に言葉を選び、ごく抑えた調子のメッセージだ。「我々の仕事能力が減じられる騒動」を避けるべく、なるべく早いタイミングで話がしたいとも記されていた。

このメッセージが届いたとき、ハワイは朝5時ごろだったわけだが、マスクはまだ元気いっぱいだった。この時間と状況にしては元気すぎるくらいに元気だったと言うべきかもしれない。受信のわずか1分後、痛烈な一言を返す。

「今週、どういう成果を挙げましたか?」

マスク渾身の痛撃である。

続くのは斉射3回の弔銃だ。

「取締役にはなりません。時間の無駄です。株式非公開化を提案するつもりです」

アグラワルにとっては震天動地だろう。マスクの取締役就任は発表まですんでいる。その彼が敵対的買収に転じる予兆はなかった。

「とにかく、お話させていただけませんか?」——悲痛な叫びが返ってきた。

3分とたたず、取締役会会長のブレット・テイラーからも、話をさせてくれとのメッセージが届く。ふたりにとって悲惨な土曜の始まり方だと言えよう。

ちょうどそのとき、キンバルから、ブロックチェーンベースのソーシャルネットワークを立ち上げる件の返信が届いた。

「これはおもしろそうで、もっと調べてみたい。ウェブ3についてはかなり調べてみたんだけど(暗号関連はまだそれほど)、投票の力がすごいのはよくわかった。ブロックチェーンならツイートの削除はできない。賛否あるだろうけど、これはやってみるんだと思うよ」

イーロンは「ブロックチェーンベースで決済もできるソーシャルメディアの新しい会社が必要だと思う」と返した。

新しいソーシャルネットワークの立ち上げをキンバルと検討しつつ、アグラワルとテイラーに対しては、ツイッターを買収するとくり返した。そして、株式非公開化を提案する、と。

「5分でいいから、なにがどうなっているのか、わかるように説明をしていただけませんか」

——テイラーが食い下がる。

「パラグと話をすることでツイッターを立て直すのは無理です。思い切った策が必要なんです」

「取締役になられて24時間です。おっしゃりたいことはわかるのですが、なぜ急に方向転換をされたのかがわかりません」

これにマスクが返信したのは2時間近くもたってからだった。ハワイは午前7時を回っていたが、寝ていたわけではない。

「これからちょっと用事があるんですが、明日なら話ができると思います」


取締役会経由でツイッターをどうこうするのは無理だと、ハワイについたころには結論が出ていたとマスクは言う。

「基本的にロープアドープをやられてましたから。話を聞き、うなずいて、なにもしないわけです。私としては、仲間として迎えられたあげく、取締役会を内から崩壊させる獅子身中の虫みたいなことはしたくないと思ったのです」

こう言われると、それならもっともだなと思ってしまう。だが、あの瞬間には要因がもうひとつあった。マスクは躁モードで、そういうときの常で、衝動的になっていたのだ。

さて、その日、つまり4月9日土曜日の午後、マスクはバーチャルに、ツイッターは買収することにしたとメッセージを流した。

「まじめな話だ。9%の株主ではあの会社を立て直せないし、公開の市場は翌四半期より先まで考えたりできない。ふつうのユーザーに紛れているボットや詐欺師をぜんぶ洗い落とさなきゃいかん」

バーチャルは、モルガン・スタンレーに「ご都合のよろしいときにお電話ください」と連絡を入れる。その日のうちに、妥当な買収価格や資金計画の検討が始まった。

マスクは「サンフランシスコのツイッター本社をホームレスのシェルターにするのはどうだろうか。どうせだれも出社していないんだし」と投票を呼びかけるなど、ツイッターをつつき続けた。この投票には150万票もの回答が集まり、その91%がシェルター化に賛成だった。

「今晩中に話す時間を取ってもらえませんか?」――テイラーからマスクへのメッセージだ。「ツイートを見た結果、貴君の立場について急ぎ理解しなければならないと感じています」

マスクは返信しなかった。

日曜日、テイラーはあきらめた。マスクの考えが変わり、取締役就任は見送りになったと公式発表するつもりだと連絡を入れる。

「いいのではないでしょうか」――これには返事をした。「私としては、ツイッターをいったん株式非公開とし、リストラが終わったら、また株式を公開するほうがいいと思っていますから」

この件は、この日の夜遅くアグラワルからツイートで公表された。

「イーロンは4月9日をもって取締役に就任するはずだったのですが、当日の朝、本人より、取締役への就任は辞退する旨、連絡をいただきました。私もそのほうがいいと考えています。なお、我々は、取締役であろうがなかろうが、株主の貴重なご意見には真摯に耳を傾ける所存です」

一方マスクは、ハワイ時間の月曜午後、バーチャルおよびモルガン・スタンレーと電話会議を持った。モルガン・スタンレーが提案した株価は54ドル20セント。マスクとバーチャルは爆笑だ。テスラの「株式非公開化」価格に続いて、今回も420と、マリファナのインターネットスラングが入っていたからだ。「冗談にしてもできすぎです」とマスクは言う。なお、マスクは、このあたりから、ツイッター買収を前提として、ブロックチェーンベースのソーシャルネットワークを「プランB」と呼ぶようになった。

バンクーバー

マスクは、グライムスから、生まれ故郷のバンクーバーに一度来てくれ、両親や年老いた祖父母にXを紹介したいからと、だいぶ前から言われていた。

「祖父は技術者で、ひ孫に会いたいって前々から願っていましたから。それに祖母はすっかり年を取ってしまって、いつ亡くなってもおかしくありませんでしたから」

そして、どうせなら、クリス・アンダーソンが毎年恒例のTEDを開く4月14日の木曜日に行こうということになった。1週間前にギガテキサスで取材を受け、その様子は収録されているのだが、ツイッターの件がめまぐるしく変化しているのを受け、ぜひとも、会議当日、ライブで話を聞きたいとアンダーソンに頼まれたのだ。

グライムスはオースティンから、マスクはハワイから、4月13日の水曜日、バンクーバーに到着した。マスクは、まずノードストロームのお店で黒のスーツを買う。ハワイにはスーツを持っていっていなかったからだ。そして午後、グライムスひとりがXを連れ、祖父母が住むアガシーズまで120キロほどを移動。マスクはホテルでお留守番だ。

「イーロンはストレスモードでしたし、ツイッターがなにやらすごいことになっていましたから」

そのとおりだった。夕方、マスクは、バンクーバーのホテルからブレット・テイラーに最終決断を伝える。

「何日も熟慮しました――今回の件は重大ですから――その結果、やはり、ツイッターの株式非公開化に向けて動くことにしました。提案は今晩中にお送りするつもりです」

提案は以下のような内容だった。

ツイッターに投資したのは、言論の自由を守る世界的プラットフォームになれると信じたからです。そして、言論の自由は民主主義が機能するために欠くことのできない社会規範だと信じているからです。

しかるに、その後、いまの形式ではツイッターがにぎわうこともなければ、この社会規範を実現することもできないと考えるにいたりました。ツイッターは株式を非公開とする必要があります。

よって、ここに、ツイッター株式の100%を現金で買い取ることを提案します。価格は1株54ドル20セント。私がツイッターに投資を始めた日の価格に対して54%のプレミアム、私の投資が公表された日の価格に対して38%のプレミアムを乗せた価格です。本提案は私が示せる最高の条件であり、最終提案となります。本提案が受諾されない場合、私は、株主としての立場を再考せざるをえなくなります。

ツイッターはすばらしい可能性を秘めています。私なら、その力を引き出せます。

夜は、ＴＥＤ登壇者だけのこぢんまりとした夕食会だった。マスクはツイッターについては特に語らず、人生の意味をどう考えるか、ほかの出席者の意見を尋ねたりしていた。夕食会が終わると、グライムスとホテルに引き上げ、ノートパソコンにダウンロードした新しいビデオゲーム、『エルデンリング』の世界に浸って心を緩める。

『エルデンリング』は、魔物に満ちたファンタジー世界が舞台である。思わぬところにヒントがちりばめられているし、プロットもそうくるかぁと思う変化に富んだもので、細かなところまで目を配らなければならず、気が抜けない。特に、いつ攻撃するかの判断が難しい。

「2～3時間プレイして、何本かのメッセージやメールに返事をして、また、プレイしました」

マスクは、このゲームでも一番危険な地域、燃えるように赤い地獄的風景が広がるケイリッドで主にプレイしていた。

「寝ずに、朝5時半までプレイしてたんですよ」とグライムスは言う。

プレイを終えた直後、マスクはツイートした――「申し入れをした」と。

ピーター・ティールの好奇心に応えようとアクセルを踏み込んでマクラーレンを壊したとき以来というほど高くつく衝動的な行動である。

ナブエイド来訪

オースティンに戻ったマスクのところに、クイーンズ大学時代からの友人、ナブエイド・ファルークがロンドンから訪ねてきた。人付き合いが苦手なギーク同士、一緒に戦略ゲームをプレイしたりSFを読んだりして仲良くなったふたりは、それから30年以上、親友としてつきあい続けている。ファルークは、マスクに個人的なことも聞けるし、父親や家族の相談にも乗れるし、ときおり人恋しくてしかたなくなる件についても語り合える数少ない友人のひとりなのだ。だから、スターベースを見ようとボカチカに飛んだ土曜日、ファルークは、マスクの友だちみんなが聞きたいと思っていたことを尋ねた。

「なんでまた、あんなことをしてるんだい?」

マスクは、言論の自由うんぬんからもっと先まで行っていた。音楽や動画や物語など、ユーザー生成コンテンツのプラットフォームとして発展させることを考えているという。サブスタックやウィーチャットのように、セレブやプロのジャーナリスト、ふつうの人々が各自の作品を投稿し、望むなら支払いを受けられる——そんなプラットフォームにしたいというのだ。

スターベースに着くと、マスクは、いつものようにスターシップの組立テントを巡察した。そして、いつものように、時間がかかりすぎるとあちこちで腹を立てた。その様子を見たファルークは、オースティンに戻った復活祭の日曜日、多くの友だちが気にしているもうひとつの疑問をマスクにぶつけた。

「時間と健康はどうなるんだい? テスラもスペースXもまだまだ手がかかるじゃないか。ツイッターは、どのくらいかかりそうなんだ?」

「少なくとも5年、かな。スタッフの大半を切らなきゃいけない。真剣味が足りない。出社さえしなかったりするんだから」

「そこまでの苦労をしょいこむと? テスラは工場の床で寝泊まりして、その上、スペースXもがんばってる。同じことをもうひとつやりたいなんて、本気で思っているのかい?」

マスクはじっと黙っている。しばらくたってから、ようやく答えが返ってきた。

「うん、やりたいね。それでいいんだよ」

ビジョン

このころマスクは、すでに、ツイッター買収のビジネスケースを作りあげていた。2028年までに売上は5倍の260億ドルとする。同時に広告依存度は現状の90%から45%まで引き下げる。新たな収益源は、ユーザーから徴収するサブスク料金とデータのライセンス料金だ。ペイパルやウィーチャットと同じように、ツイッターにも、新聞記事などのコンテンツに対する少額決済の機能を持たせ、そこからも収益を得る計画だという。

「機能面でウィーチャットに並ぶ必要があります」——4月、投資銀行との電話を終えたマスクは、こう語ってくれた。「なかでも重要なのは、コンテンツを生み出す人がツイッターで支払いを受けられるようにすることです」

オンラインの決済システムには、ユーザーが確認できるというメリットもある。少額を徴収し、クレジットカード情報を確保すれば、ユーザーが本当に人であるか否かが確認できる。成功すれば、インターネット全体にも大きな影響を与えることになる。アイデンティティ確認のプラットフォームになれるし、巨大メディア企業から個人にいたるまで、自分が生み出したコンテンツに対して支払いが受けられる新しい方法を提供することもできる。

ツイッター上でどういう発言なら許されるのか、その「絞りを開きたい」、いろいろやばげなことを書く人も含めて永久追放は避けたいという話もあった。ラジオやケーブルテレビは革新系と保守系に分かれている。ツイッターは90％以上が革新的な民主党員である（マスクはそう見ている）コンテンツモデレーターが右派を押し出し、同様の分断をソーシャルメディアにもたらしつつあるのかもしれない。

「パーラーやトゥルース・ソーシャルのように、似た意見の人が集まるエコーチャンバーばかりという世界にソーシャルメディアをしたくないのです。視点の異なる人が一カ所に集まり、やりとりができるようにしたいのです。そのほうが、文明にとっていいはずですから」

りっぱな意見なのだが、マスクは結局、革新系・主流メディア系をほかのソーシャルネットワークに追い出すような宣言やツイートをくり返し、自分自身が悪いお手本を演じてしまう。

ファルークらと同じ問いを私からもぶつけてみた。このあたりのあれこれをすべて実現するのはものすごく難しいし時間もかかるし、論議を呼ぶのもまちがいなく、テスラやスペースXのミッションに支障が出るのではないか、と。

「スペースXやテスラに比べればたいしたことはないはずだと思っています。火星に行くのとは比べものになりません。地球の産業をそっくり持続可能エネルギーへと変えていくことに比べたら、そう難しいものではありません」

そうかもしれない。だが、なぜ？

スペースXを立ち上げたのは、複数惑星にまたがる種とすることで人類の意識が生き続けられる可能性を高めたいからだとマスクはよく言う。テスラとソーラーシティは、持続可能エネルギーという未来への道を拓くことが大目標だ。オプティマスとニューラリンクは、邪悪な人工知能から人類を守るヒューマン・マシン・インターフェースを作ることが目的だ。

ではツイッターは？

「最初は、私も、基本的な大目標にそぐわないと感じました」と、この4月、マスクは語ってくれた。「ですが、文明を維持するというミッションに資するものだ、複数惑星に広がる時間を買ってくれるものだと思うようになったのです」

なぜ？と問うと、言論の自由が関係するのだという。

「最近はメディアがどんどん集団的浅慮に走って同調圧力が高まっており、みんなと足並みをそろえなければ排斥されたり黙らされたりすることになります」

民主主義が死なないためには、ツイッターからウォーク文化を排除し、偏見や偏向を根絶して、どのような意見でも表明できるオープンな場なのだと世間に認知してもらう必要があるというのだ。

マスクはそう言うが、ツイッターを手中に収めたいとマスクが思う理由はほかにもうふたつあるのではないかと私は思う。ひとつはわかりやすい理由だ。遊園地みたいに楽しいからだ。政治的な平手打ちもできる。知的剣闘士の試合もある。ばかばかしいミームもある。大事な発表もあれば、価値のあるマーケティングも、しょうのないだじゃれもある。ふるいにかけられていない生の意見もある。おもしろくないはずがない。

もうひとつ、マスクにとってツイッターとは、心が恋い焦がれる場なのだろう。究極の遊び場なのだ。子どものころ、マスクにとって遊び場とは殴る蹴るのいじめにあう場所だった。子どもの集まる場で感情的にうまく立ち回る器用さなど、マスクには望むべくもなかったのだから。骨の髄まで痛みが染み入り、ちょっとしたことに過剰な反応をするようになってしまった面もあるが、同時に、この体験があったから、マスクは世界に立ちむかえるようになった、必ず最後まで全力で戦い抜くようになったのだ。オンラインでもリアルでも、へこまされた、追いつめられた、いじめられたと感じると、父親にディスられ、クラスメートにいじめられた、あの超痛い場所に心が立ち返ってしまう。その遊び場を自分の手中に収められる日がついに来たのだ。

第74章

熱と冷

ツイッター（2022年4〜6月）

買収

4月24日の日曜日、ツイッターの取締役会とマスクの弁護士による買収計画の詰めが終わった。午前10時にそう知らせてきたマスクは、結局徹夜だったという。それは最後の条件交渉があったからか、それとも買収が心配で寝られなかったのかと尋ねてみた。

「どちらでもない。友だちとパーティに行ってレッドブルを飲み過ぎたんだ」

レッドブルは減らしたほうがいいのではないだろうか……。

「でも、ねぇ、翼をさずけてくれるんだよ？」

この日はずっと、買収資金を出してくれる人を探すのに費やした。キンバルには辞退されてしまう。ラリー・エリソンは大丈夫だった。

「いいよ。もちろん」

何日か前、尋ねたときにこう快諾してくれていたのだ。

「ざっとどのくらい出してもらえるのかな。約束してくれとかそういうことではないんだけど、ただ、この件には乗りたいって人が多くて。だから、何人か減らすというか蹴り出さなきゃいけないんだよね」

「10億。っていうか、きみが言うだけ出すよ」

エリソンはもう10年もツイッターを使っていない。パスワードが思い出せず、マスクにリセットを手配してもらったくらいだ。それでも、ツイッターは重要だとエリソンは考えていた。

「リアルタイムのニュースサービスで、唯一無二の存在ですからね。民主主義にはそういう存在が大事だと考えるなら、投資する価値があると思うでしょう」

ぜひとも入れてくれと熱心だったのは、ブロックチェーンでツイッターを再構築したいと考えるサム・バンクマン＝フリードである。暗号通貨取引所ＦＴＸの創設者で、この少しあと、不名誉なことになる人物だ。効果的利他主義なる活動を支持しているとのことで、その創始者、ウィリアム・マッカスキルからマスクのところに、会ってやってくれないかと連絡が入る。モルガン・スタンレーの担当者で、この件も取りまとめてくれているマイケル・グライムスからも同じ依頼が来た。

「やらなきゃいけないことが山なんだけど、急いで会わなきゃいけない相手なの？」

バンクマン＝フリードは「ソーシャルメディアとブロックチェーンの統合」を考えていて、今回の買収にも50億ドルを出すと言っているので、と返ってきた。会ってくれるなら、翌日、オースティンまで飛んでいくと言っている、とも。

ブロックチェーンをツイッターのバックボーンにする検討はキンバルらとしてきた。また、ドージコインなどの暗号通貨も好きだ。だが、ブロックチェーンを信奉しているわけではないし、ハイペースのツイッターには反応が鈍すぎると考えていた。だから、マスクにバンクマン＝フリードと会う理由はなかった。「すべてコミコミというビジョンがロックされるなら50億ドル出す」ということですしとマイケル・グライムスが食い下がると、マスクは「よくないね」ボタンで応じた。

「ブロックチェーンツイッターはありえない。帯域もレイテンシーも、ピアツーピアネットワークをサポートできるものではない」

難儀なブロックチェーンの議論をしなくていいのならどこかの時点でバンクマン＝フリードに会うのもやぶさかではない——それがマスクの結論だった。

バンクマン＝フリードはあきらめなかった。「貴兄がツイッターに対してしようとしていることは本当にすばらしい」とマスクに直接メッセージを送ってきたのだ。また、自分はツイッターの株を1億ドル持っている、株式が非公開になった際には持ち分に転換する「ロールオーバー」を希望するとも記されていた。

「すみません、どちら様ですか？」

謝罪と自己紹介に、マスクは、

「ロールがご希望ならどうぞご勝手に」

と一言だけ返した。

それでもバンクマン＝フリードはあきらめない。5月、こんどは電話をかけてきた。

「たわけ警報が鳴りっぱなしでした。ガイガーカウンターがビービー鳴ってる感じです」

バンクマン＝フリードはものすごい勢いで自分のことばかりしゃべっていたそうだ。

「分速2キロとかものすごい勢いなんですよ。スピードかアデロールでも決めてるんじゃないかって感じで。買収について尋ねたいことがあるんだろうと思ったのですが、結局、自分がなにをしているのかをしゃべりつづけです。私は『おいおい、少し落ち着けよ』と思いながら聞いていました」

逆にバンクマン＝フリードも、マスクは変なヤツだと感じたらしい。電話は30分ほど続いたが、結局、バンクマン＝フリードは投資することも、手持ちの株をロールすることもなく終わる。

4月24日にマスクが確保した大手投資家は、エリソンに、マイケル・モーリッツのセコイアキャピタル、暗号通貨取引所バイナンス、アンドリーセン・ホロウィッツ、ドバイのファンド、カタールのファンドである（カタールは、サッカーワールドカップの決勝観戦が条件になっている）。また、サウジアラビアのアル＝ワリード・ビン・タラール王子が持ち株のロールオーバーに同意してくれた。

翌4月25日の月曜午後にはツイッター取締役会の同意も取り付けた。株主の承認が得られれば、秋には買収が成立するわけだ。

「これが正しい道なのだと思います」と、共同創業者のジャック・ドーシーはマスクにメッセージを送った。「いい結果をめざし、微力ながら力を尽くさせていただきます」

マスクはと言えば、特にお祝いをすることもなく、オースティンからテキサス州南部のスターベースへ飛んだ。そして、夜定例のラプターエンジン検討会で1時間あまり、不可解なメタンの漏れと格闘する。オンラインなど世界中はツイッターのニュースで持ち切りだったが、ラプターの会議だけは別だった。マスクが目の前の仕事に集中するタイプだとみなわかっているので、ツイッターの件を取りあげないのだ。

会議が終わるとブラウンズビルのロードサイドカフェでキンバルと会い、午前2時まで、最前列のテーブルで地元ミュージシャンの音楽にただ耳を傾けた。

警告旗

ツイッター取締役会の同意を取り付けた週の金曜日、マスクはロサンゼルスに飛び、ウェスト・ハリウッドにあるソーホークラブの屋上レストランで上の息子4人と夕食をともにした。ツイッターをあまり使わない子どもたちには、マスクが買おうとしている理由が理解できないらしい。質問の端々からは、そんなことをしてもという思いが伝わってくる。

「あらゆる人を歓迎する公共広場がデジタル世界にあって、みんなに信頼されているというのは大事なことだと私は思うんだ」

ちょっとの間ののち、付け加えた。

「そうじゃなきゃ、2024年のトランプ再選なんてまず無理だろ？」

もちろん冗談だ。だがマスクの場合、冗談かどうかわかりにくいことがある。子どもたちでさえ、だ。いや、本人でさえかもしれない。だからこのときの子どもたちもぎょっとなっていた。

「冗談だよ、『冗談』」とマスクが笑うまでは。

夕食が終わるころ、子どもたちも理由を基本的に理解はしたが、納得はしていなかった。

「なにもわざわざいざこざを呼び込まなくてもと思ったようです」とマスクは言う。

もちろん、子どもたちが正しい。ついでに言えば、父親がわざわざいざこざを呼び込むタイプであることも、子どもたちはよくよくわかっていた。

そのいざこざが始まったのは、1週間後の5月6日、ツイッターの経営陣と会うため、サンフランシスコの本社を訪れたときだった。ツイートでリモートワークをマスクにそしられても、あいかわらず、豪華なアールデコ調の本社に人影はまばらだった。アグラワルさえいない。コロナ陽性で、会議にはリモートで参加することになったのだ。

この会議で、司会進行を務めた最高財務責任者のネッド・シーガルは、マスクへの対応を大きく誤ってしまう。

公開情報によると、ボットや偽アカウントはユーザーの5%前後だとされている。対してマスクの実感はそんなものじゃない、だ。そもそもツイッターは、違う名前やエイリアスを用いていくつもアカウントを作ることを、むしろ推奨してきた。アカウントを何百個も動員するトロールファームさえ生まれている。こういう偽アカウントはサービスを汚す存在であるし、収益化できないという問題も抱えている。

マスクは、まず、偽アカウントの数をどうやって把握しているのかを尋ねた。だが、買収提案を改定なり破棄なりしたくて、その理由にできるなにかが欲しいのだろうと疑っていたツイッター経営陣は、はっきり答えようとしない。

「正確にはわかっていないって言うんですよ？」――会議の直後、マスクは口をとがらせた。「思わず、『わからないってなんだよそれ』って言っちゃいましたよ。ばかばかしいにもほどがあるってやりとりで、アホすぎてシリコンバレーコメディーにもならんぞという感じでした。なんどもなんどもあごが床に落ちるほど口をあんぐりしてしまい、もう、痛くて痛くてどうしようもありませんでした」

マスクはいらつくと、細かなことを具体的に尋ねがちだ。このときも、そういう質問をつるべ打ちにした。開発陣が１日にコーディングするのは平均何行だ？　テスラのオートパイロットチームは２００人なのに、ツイッターが２５００人も抱えているのはなぜだ？　サーバー費用は年10億ドルだが、その処理能力とストレージはどういう機能に使われていて、そのランキングはどのくらいなのか？　なにを尋ねても明快な答えは返ってこない。テスラなら、全員クビにしているところだ。

「私が知るかぎり、最低最悪の査定会議でした。デューデリジェンス次第という条件はつけなかったのですが、公表している数字の説明くらいはさすがにできるはずだと思っていました。それができなきゃ詐欺じゃないですか」

再考

辛らつな質問や八つ当たりの詰問が飛び出したのは、買収に迷いがあったからだ。やる気はあった。基本的には。だが心の奥底には揺れるものがあったし、葛藤もあった。

まず、払いすぎたという思いが強くあった。事実としてもそうだった。2022年夏は景気の先行きに対する懸念が強まって広告の出稿が減り、ソーシャルメディア企業はどこも軒並み株価が下がっていた。フェイスブックは年初から40％の下落、スナップは70％という具合だ。ツイッターも、マスクが示した54ドル20セントから30％も下がった水準で、買収が白紙に戻るのではないかとウォールストリートではささやかれていた。マスクが子どものころにフロリダ州の遊園地で父親に教えられたように、高すぎるコークはあまりおいしくないのだ。だから、心の奥底には、買収をやめる口実か価格改定の理由をみつけたいという気持ちがあった。

「あんな話を聞かされたら、このまま手続きを進めるわけにいきませんよ」——ツイッター本社の会議が終わると、マスクは私にこう語った。「440億ドルという価格だと、ツイッターも私個人も大変な負債を抱えることになります。ツイッターは脱線しかけているように感じます。それでもなんとかならないことはないかもしれません。もっと安い価格、それこそ、半分とかであれば」

ここまでのやっかいごとに手を出すべきではないのかもしれないという思いもあった。

「いつも、まともにかめないほどがっつりかじりとる悪い癖があるんですよね。ツイッターについてあれこれ考えるの、少し控えたほうがいいのかもしれません。いま、こういうお話をしているのも、たぶん、時間の無駄なのでしょう」

翌週、5月13日の中部標準時で朝4時、マスクはツイッターにこう書いた。

「ツイッターの件は、スパム／偽アカウントがユーザーの5％以下という計算は本当なのか、詳細が確認されるまで一時保留だ」

ツイッターの株価はプレマーケットの取引で20％下落した。個人資産の管理を担当するジャレッド・バーチャルも、弁護士のアレックス・スパイロも、あのツイートはまずい、トーンダウンしてくださいと懇願。なんだかんだ手を引くことはできるかもしれないが、そうしたいと表に書くのは法律的にまずい、と。2時間後、マスクは、「それでも買収する気だけどね」と短い一言を付け足した。

自分でもどうしたいのかよくわからないマスクを見るのは本当に珍しい。このときは、5月から10月の買収成立までの5カ月、すばらしいコンテンツと金融サービスの「エブリシング・アプリ」にするぞ、そして民主主義を救うぞとやる気満々になったかと思うと、逆に、冷たい怒りをたぎらせ、ツイッターの取締役会や経営陣を訴えてやる、買収なんぞもうやめだとつべこべ言いまくったりしていた。

タウンホールミーティング

マスクは、オンラインのタウンホールミーティングによるツイッター社員との対話を提案され、弁護士に相談せず、同意した。

「いかにもイーロンと言うしかありません。我々に知らせもせず、準備のレクチャーを受けることもせず、招待を受けてしまうんですから」とバーチャルは渋い顔だ。

6月16日の当日、マスクはオースティンの自宅居間から参加しようとしたのだが、グーグルミートに必要なグーグルのアカウントがノートパソコンに記憶されていなくて会議に入れず、四苦八苦してしまう。最後はiPhoneからアクセスに成功。会議が始まるのを待っているあいだに、事務局のだれかから「ジャレッド・バーチャルってだれでしょう。知ってる人、いますか」と問う声があがっていた。バーチャルは参加を拒否されたらしい。

タウンホールミーティングに向け、なにか心づもりはあるのだろうかと私はいぶかしんでいた。スタッフに反乱を呼びかけ、事態にゆさぶりをかけるのだろうか。もしかすれば、緻密な計算の上で、あるいは、残酷なほど正直でありたいという衝動にかられて、本当のところ自分がなにを考えているのかを語るのかもしれない。つまり、トランプをたたき出したのはまちがいだ、コンテンツモデレーションが不当な検閲制度になってしまっている、スタッフにウォークマインド・ウイルスが蔓延している、社員はちゃんと出勤すべきだ、社員があまりに多すぎるなどだ。この程度の爆弾で買収がご破算にはならないだろうが、ゆさぶりはかけられるはずだ。

そのいずれも、マスクはやらなかった。火種になりそうな点は、むしろ、下手（したて）に出たほどだ。司会進行を務めるツイッターの最高マーケティング責任者、レスリー・バーランドが、まずコンテンツモデレーションを取りあげると、マスクは、言論の自由は大事だという持論に走らず、投稿が許される内容と、ツイッターが拡散して増幅すべきものは区別しなければならないなど、掘り下げた議論を展開した。

「言論の自由（フリーダム・オブ・スピーチ）とリーチの自由（フリーダム・オブ・リーチ）は違うと思うのです。タイムズスクエアの真ん中でなにか言うだけなら、なんでもアリです。それこそ、ホロコーストなどなかったと主張するのも問題はありません。だからといって、その主張を何百万人もの人に広げる必要があるという話にはならないわけです」

ヘイトスピーチの制限が重要だという話もあった。

「なるべく多くの人にツイッターを使って欲しいわけです。そのためには、楽しんでもらう必要があります。苦しい思いや不快な思いをさせられたら、使わなくなるでしょう。言いたいことを言える一方で、気持ちよく使えるようにもしなければならず、そのバランスを上手に取ることが大事なのだと思います」

多様性、公平性、包括性について問われると、少し押し返した。

「私は、徹底的に実力主義です。いい仕事をしている人に大きな責任を与える。それだけです」

イデオロギーが保守に転じたわけではないという話もあった。

「私の政治姿勢は中道、それも、かなり真ん中あたりだと思います」

参加者が喜ぶ話はしなかったが、爆発を引き起こすようなことは避けていたと言えよう。

第 75 章

父の日

（2022年6月）

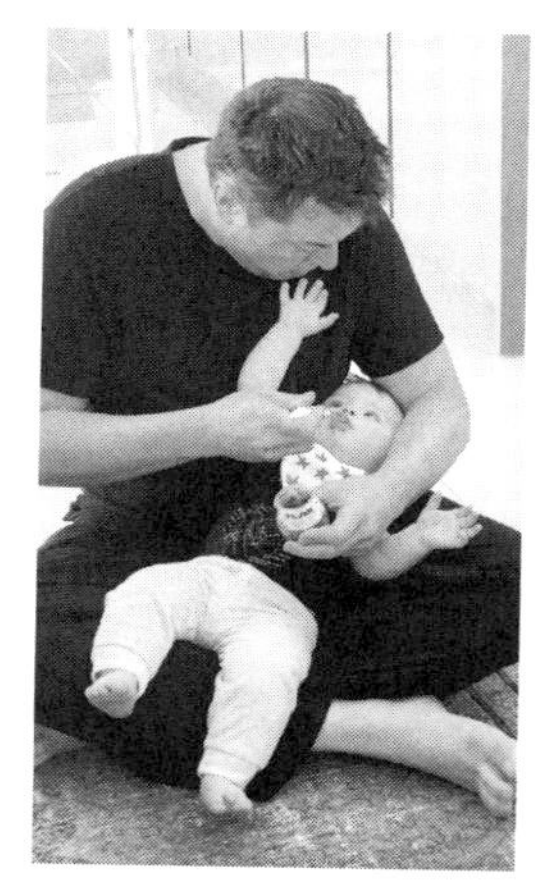

左上：タウに離乳食をあげるマスク
右上：マスクの飛行機でロケット打ち上げの動画配信を見るX
下：オースティンにてノーマン・フォスター卿と自宅の構想を練るマスク

子どもたちみんな

「父の日、おめでとう。子どもたちみんな、愛してるよ〜」

2022年6月19日の父の日、午前2時のこのツイートは、一見、どうということもないもの、むしろ微笑みを誘うとも言える。だが「みんな」という言葉の裏には波乱があった。

まず、この少し前に18歳の誕生日を迎えたトランスの娘、ジェナが、名前をゼイビア・マスクからビビアン・ジェナ・ウィルソンへ正式に変えたい、「生物学的な父親とは一緒に暮らしてもいないし、どのような形であれ関係を持ちたくありません」とロサンゼルスの裁判所に申し立てをしていた(ジェナは母とロサンゼルスに住んでいる)。「ジェナ」という名は、母ジャスティンがマスクに出会い、結婚する前の名前、ジェニファー・ウィルソンとよく似ている。

代名詞の取り扱いについては納得していないが、マスクも、ジェナの性別移行そのものは受け入れている。ただ、ジェナの拒絶は政治的イデオロギーによるものだと考えている。

「徹頭徹尾の共産主義で、金持ちはすべからく悪という見方しかないんです」

マスクにとっては、なにかといらだつ件だ。次のようなツイートも放っている。

「性差なんてものはないと言われる一方で、性の違いは明確で、不可逆的な手術しか乗り越える方法はないと言われる。これがどういうことなのか、私より賢い人なら説明できるのだろうか」

覚え書きなのか意見の表明なのか「他人をとやかく判断しない世界のほうがいいんだろうね」という一言も付け加えられた。

ジェナに拒絶されて迎える父の日は、マスクにとってつらいものだった。

「イーロンはジェナを愛していますし、彼女のことは本当に受け入れているんです」と、ジェナともつきあいが続いているグライムスは言う。「彼があそこまで気落ちするのは見たことがありません。彼女と会えるなら、彼女に受け入れてもらえるなら、なんでもする気なのはまちがいありません」

シボン・ジリスとのあいだに双子が生まれた件も、表沙汰になっていた。生まれたときは母親側のラストネームにしたのだが、ジェナと疎遠になったことから、ふたりの姓を変えたいとマスクが望んだのだ。

「ジェナが『マスク』という名を捨てたことで、彼は悲しみに沈んでいました。そして、『ふたりに僕の名前をつけてもいいかな』と言ってきたんです」

名前を変える申請を裁判所に提出すると、ほどなく、それが流出したわけだ。

もちろん、グライムスも知ることになる——友だちだと思っていたジリスがマスクと双子をもうけていた、と。どういうことかと問いただしても、マスクは、ジリスはしたいことをしただけだ、彼女にはそうする権利があると、なんともつれない答えしか返ってこない。グライムスは激怒。父の日ごろには、ジリスの双子とグライムスの子ども、XとYを一緒に遊ばせていいのかなど、とにかくややこしい問題で大荒れの状態になっていた。

このころも、マスクとジリスは、子育てをどうしているかなどには特に触れず、ニューラリンクで毎週定例の会議に出席していた。こういうなんとも間の悪い展開は、ツイッターで冗談にするのが一番だとマスクは思ったようだ。

「人口減少の危機にあらがおうとできるかぎりのことをしている。出生率の低下は、ダントツで文明最大の危難だ」

テクノ・メカニカス・マスク

２０２２年の父の日には、もうひとつ、サブプロットがあった。まるでマルチプレイヤーゲームだ。

実はこの週、マスクとグライムスに3番目の子どもが生まれていたのだ。代理母に産んでもらった息子で名前はテクノ・メカニカス・マスク。愛称はタウ。２πの概数が6・28で、マスクの誕生日が6月28日だから、無理数２πを表すギリシャ文字、τを愛称としたらしい。

この子のことは、とりあえず、秘密とした。マスクはタウがかわいくてしかたないようだ。グライムスの家で、床に座り、２カ月のタウにベビーフードをあげたりしている。タウはタウで、父親のあごに生えてるものに必死で手を伸ばしていた。

「タウはすごい子です」とグライムスは言う。「心の奥深いところまで見通す目と知識を持って生まれてきてるんです。まるで小さなスポックです。ええ、そうです、そうなんです、彼はバルカン人なんですよ」

その何週間かあと、ギガテキサスで会議の合間にひとり静かに座り、ｉＰｈｏｎｅでニュースを確認していたマスクは、ルーシッド・モーターズの四半期販売台数が悲惨だったとの報道をみつける。ひとしきり笑うと、ツイートを放った。

「このQ2、連中が作った車よりウチの子どものほうが多いぞ！」

そのあとも、ひとり、爆笑していた。

「いや、もう、自分の冗談って大好きなんですよ。ほかの人がどう思うかは別として。おかしくておかしくて、もう、最高」

このころ、ウォール・ストリート・ジャーナル紙では、グーグル共同創業者サーゲイ・ブリンの元妻とマスクが、数カ月前、一夜の関係を持ったとする記事の準備が進められていた。これが原因でマスクとブリンが仲たがいしたというのだ。この記事が出た直後、とあるパーティでマスクは、いやがるブリンとツーショットを自撮りすると、仲たがいなどしていない証拠として、その写真をニューヨーク・ポスト紙に送った。

「私への注目は超新星並みにすさまじく、超不快だ」とツイートする。「たわいもない記事でさえ、私が登場するとクリックが山のように得られるらしい（できるだけ目立たず、文明に資することに集中したいと思う）」

だが、目立たないというのは、マスクにとってなかなかに難しいことだった。

父の因果

2022年父の日のクライマックスは、まさかと言えばあまりにまさかのことだった。疎遠になった実の父、エロール・マスクがらみなのだ。

エロールから、「父の日」と題したメールが届いた。

「毛布と新聞紙にくるまり、寒さと飢えに耐えて座っている。電気もない。これは私ががんばって書いているのだから、お前もがんばって読んで欲しい」

このあとは、バイデンは「あほうの極致で頭がおかしいロリコン大統領」であり、バイデンのせいで、マスクを含め、米国と言われてイメージされるものすべてがだめになったと愚痴が続く。南アフリカの黒人リーダーが反白人の人種差別をしている、「白人がいなければ、黒人なんて森に帰るしかないのに」という言葉もあった。「語るべきを語っている世界的リーダー」はウラジーミル・プーチンくらいだとも書かれていた。

追加で届いたメールには、スタジアムのスコアボードに「トランプ勝利―ジョー・バイデンくそくらえ」と描かれた写真に「そのとおり」の一言が添えられていた。

このメールは、あらゆるレベルで驚くとしか言いようがないのだが、一番は人種差別だろう。だがもう1点、そのあと年末にかけて影を落とすものが現れている。陰謀論に染まりきっているのだ。また、バイデンをロリコンとののしりプーチンをほめたたえるなど、オルタナ右翼の穴にも落ちてしまっている。ほかのメールや投稿では、コロナなど「うそ」だとコロナの専門家、アンソニー・ファウチを攻撃したり、ワクチンを打ったら死んでしまうなどと書いたりもしている。このあたりは、イーロンも後に似たことを言うようになる。

寒さと飢えは、お金を送ってくれなくなった息子をなじる言葉だ。実はこの少し前まで、イーロンは、なんだかんだと仕送りをしていた。２０１０年からで、最初のころは、2回目の離婚後、まだ小さな子どもたちを育てられるようにと月２０００ドルを送っていた。そしてその後は、おりおり増やしたり、息子が成功したのはオレのおかげだとエロールが取材で吹くと減らしたりが続いた。２０１５年にエロールが心臓の手術をしたときには、しばらく、月５０００ドルまで増やしている。仕送りをやめたのは、４歳のころから育ててきた義理の娘、ジャナを妊娠させたと知ったときだ。イーロンもキンバルも、ジャナのことは妹だと思っていたからだ。

２０２２年3月末にエロールは仕送りの再開を求めてきた。

「76歳では、収入を得るのも難しい。仕送りが再開されなければ、飢えるか、忍び難き恥を忍ぶか、自殺するかしかない。自殺は別に怖くないが、お前は困るだろう。真実が明らかになりすぎているからな。まちがいなくお前は終わる。お前が本当はどういう人間なのか、どういう人間になったのか、世間に知れ渡ることになる」

イーロンの態度は「国家社会主義で頭がおかしく、自分のことしか考えない卑劣な母方の家系」によるもので、「ハルデマン側のやばい血筋が勝ってしまったのか?」とも書かれていた。

結局、父の日のころ、イーロンは月２０００ドルの仕送りを再開した。それに伴い、臨床心理士とふたりで制作し、配信している「天才の父（Dad of a Genius）」なるユーチューブ動画のシリーズをやめるよう、ジャレッド・バーチャルが申し入れた。エロールからは怒りが返ってきた。

「口止め料２０００ドルってか？　オレはそんなに安くないぞ。そもそもオレをだまらせようっていうのがおかしい。世間に教えてやらなきゃいけないことがたくさんあるんだから」

２０２２年の父の日はひねりにひねりを効かせた脚本のようで、ややこしい話がもうひとつ持ち上がる。エロールがジャナとふたり目の子ども、娘をもうけたと言ってきたのだ。

「地球に暮らす我々の目的といったらひとつだけ、子孫を残すことですからね。もうひとり子どもを作れるならそうしますよ。しない理由なんてありませんから」

絆を深める試み

そんなこんな、私生活が大変な騒ぎになっていたわけだが、落ちついた時間を与えてくれる人もいた。タルラ・ライリーだ。２０１０年にマスクと結婚し、離婚して再婚し、２０１５年、最終的に別れてイングランドの静かな村に帰った英国の俳優である。彼女はその後もマスクを憎からず思っているし、それはマスクも同じだった。マスクはそういう温かな関係より、炎が吹き上がったかと思うと凍るような関係に惹かれるのが悩みの種なわけだが。

２０２１年に彼女が親しい友だちを亡くしたとき、マスクはイングランドへ飛び、彼女とともに丸１日を過ごしている。

「ふたりでたわいもないテレビを見て笑って、だらだら過ごして。彼のおかげで、泣かずに笑うことができました」

そして、マスクが私生活のあれこれとツイッター買収でごたついていた２０２２年夏、こんどはタルラがロサンゼルスに来て、ビバリーヒルズホテルでマスクとディナーをともにしている。

彼女は新しい恋人、若手俳優のトーマス・ブロディ＝サングスターとともに、パンクロック草分けのバンド、セックス・ピストルズのドラマシリーズ、『セックス・ピストルズ』のプロモーションで来ていたのだが、ブロディ＝サングスターはディナーに加わらず、その代わり、マスクの上の息子４人が来ていた。小さいころから、４人ともタルラに打ち解けているからだ。

「みんなとにかくゴージャスなんです」――タルラから私へのメッセージにはそう記されていた。

「グリフィンはハンサムですし、とても陽気で、いまもすごく魅力的です。ダミアンは、驚くほど頭も人柄もいい大人になりました。カイは昔からすごく温厚で、いまは加えてすばらしいギークになりました。サクソンはありえないと思うほど言語能力が発達していて、これでもかってほど細かな話ができました。ただ、『あなたとイーロンでおもしろいと思うのは、年が離れているのに……そっくりに見えることです』と言われたのはさすがにちょっとでしたけど😂😂」

久しぶりに会うといろいろ思いだしてしまう。まだマスクを愛している部分もあるからなおさらだ。ホテルに戻ったタルラは大泣きして、ブロディ＝サングスターになぐさめてもらうことになってしまった。

マスクは、２０２２年夏に勃発した家族のあれこれをシュラバ発動で乗り切ろうとした。父親業のシュラバだ。上の息子４人にグライムスとＸも伴い、スペインで休暇を取ることにしたのだ。ジェームズとエリザベスのマードック夫妻とその子どもたちも一緒だ。テスラ取締役のジェームズは保守で知られるルパート・マードック家の人間だがリベラルで、エリザベスはさらに革新的だ。マスクにとってふたりは心が落ちつく友だちであり、政治的な問題でバランスを取ってくれる友だちでもある。

２、３週間をスペインで過ごしたあと、マスクと息子４人はローマへ行き、フランシスコ教皇に拝謁（はいえつ）をたまわった。その様子をマスクがツイッターに投稿したのだが、マスクのスーツは体に合っていないし、サクソンは身をよじらせているし、ほかの３人も黒いシャツで暗い雰囲気だしと悲惨な写真だった。本人も「ひっどいスーツ着てるよね」と認めている。翌朝、これを知った子どもたちは怒った。泣いてしまった子もいる。子どもたちとマスクはこういう旅行中もグループチャットでやりとりをするのだが、そこで子どものひとりから、許可なく自分たちの写真をツイートするのはやめてくれという話も出た。マスクはいじけてチャットから落ちる。そして数分後、米国に戻るぞと言いだした。

家であってホームじゃない

家族の家がなければ安定した家族の暮らしなど望むべくもない――このころマスクはそう思うようになっていた。だから、家族関連で波瀾万丈（はらんばんじょう）だった2022年夏、オースティンに自分の家を持つことを考えはじめた。中古物件も当たったが、どれも高すぎる。それならいっそ、ギガテキサスからコロラド川をはさんだところに買っていた馬牧場に新築したほうがいいのではないだろうか。静かな湖さえあるくらいで広い。自宅に加えてニューラリンクなど会社の施設を建ててしまうのもいいだろう。

というわけで、とある土曜夜、グライムスに加え、ギガテキサスの建設を指揮したオミード・アフシャーを伴って敷地を歩いてみた。ザ・ボーリング・カンパニーで川の下にトンネルを掘れば自宅とギガテキサスを簡単に行き来できるなど、さまざまなアイデアが出てきた。その数日後にはシボン・ジリスとも歩いている。

「マイホームと呼べる場所を持ちなさいってよくいじめてるんです」とジリスは笑う。「心のよりどころがいるんですよ。あの牧場がそうなってくれるんじゃないでしょうか」

2022年夏の暑い午後、マスクは、タープテントの日陰にノーマン・フォスター卿と並んで座っていた。フォスター卿はスティーブ・ジョブズの依頼を受け、宇宙時代を感じさせる円盤形のアップル本社をデザインした建築家だ。その彼がマスク自宅のアイデア出しをするため、スケッチパッド持参でロンドンから来てくれたのだ。カードテーブルに置かれたフォスター卿のスケッチをくりながら、マスクは、自由に発想を広げていく。

「宇宙から降ってきたモノって感じがいいな。別の銀河から飛来したなにかが湖に降りた、みたいな」

同席のバーチャルがグーグルの画像検索で未来っぽいイメージの建物を探し、フォスター卿がノートにスケッチを描いていく。ガラスの破片が湖から飛び出しているみたいなのはどうだろう？　マスクはそんなアイデアも出した。低い部分は水面下で、湖岸の建物とトンネルで結ぶ。

家族が暮らす家という感じじゃないように思うとあとで指摘すると、たしかにと返ってきた。

「家というより芸術作品になってますね」

自宅の建設は、とりあえず、延期となった。

第 76 章

スターベースのオーバーホール

スペースX（2022年）

スターシップブースターの根元でラプターエンジンをチェックするマスク

スターシップのお披露目

気の緩みに神経質なマスクは、2022年の頭、ボカチカでまたシュラバを宣言することにした。発射台にスターシップを積み上げる件でアンディ・クレブスらを締め上げてから6カ月がたっていた。こんどは、ロケットを一般公開する、しかも、メカジラの腕、お箸でロケットを積み上げるところを公開するというのだ。

2月中にそこまで行くのは難しいとビル・ライリーにも反対されたので、マスクは、ツイッターで退路を断つことにした。2022年2月10日木曜日の午後8時、スターシップの一般公開をおこなうとツイートしたのだ。

当日の夕食は、カジュアルでノリのいいスペースXの社員食堂フラップスだった。同席はNASAの幹部が3人。ケープカナベラルにあるケネディ宇宙センターのジャネット・ペトロ、有人着陸システムプログラムのリサ・ワトソン＝モーガン、ヒューストンにあるジョンソン宇宙センターのバネッサ・ワイシュと全員女性である。

テーブルの上をよちよち歩いていたXがブルーチーズのディップをフォークで食べはじめた。Xは私のかわいさを演出する小道具なんですよとマスクが冗談を飛ばす。ペトロが私にささやいた――「母親の本能を必死で抑えています」と。しばらくするとあきらめたらしく、フォークをスプーンに替えてあげていた。

「恐れない子なんです。もうちょっと怖いという感覚を持ったほうがいいんでしょうけど。まあ、ないのだ。

遺伝ですね」

そのとおりだが、マスクがいつも放し飼いにするのも一因だ。なにかと世話を焼くタイプでは

「ふぁるこんないん」

遠くを指さしてXが言う。

「違うよ。スターシップだよ」

「じゅう、きゅう、はち……」とXがカウントダウンを始める。

「この年で数字を大きい方から小さい方に数えられるなんて、頭のいい子なんですねとよく言われます。でも、小さい方から数字が数えられるのかはよくわからないんですよね」

続けて、同席のNASA幹部3人に、お子さんは？と尋ねる。回答は、人類の意識にとって出生率の低下が脅威になっているという持論をつい展開してしまうものだった。

「友だちも、みんな、平均するとひとりというところなんですよ。子どもがいない夫婦も珍しくありません。私としては、そのあたり、お手本になりたいと思っています」

と言いつつも、その少し前にもう3人子どもが増えたという話はさすがに伏せていた。

話題は中国に転じた。スペースXと同じくらい頻繁に軌道への打ち上げミッションをおこなっているのは中国だけなのだ。NASAは当事者でさえない。

「我々がもう一度月に人を送るより前に中国が成功してしまったら、スプートニクショックの再来ですよ。そうなれば、我々が訴訟合戦をしている間に中国は月まで行ってしまったと気づき、さすがに目が覚めるのでしょうね」

中国に行くと、どうすれば中国をもっと革新的にできるだろうかとよく尋ねられるという話もあった。

「権威に疑問を呈しろと答えています」

その後、積み上げられ、スポットライトに照らされたスターシップの前に、作業員や記者、政府関係者、近隣住民など数百人が集まった。マスクが語りかける。

「思わずやる気になるようなことが必要です。心が動くようなことが必要です。そのひとつは、宇宙を旅する文明になること、SFをフィクションでなくすことでしょう」

この話を聞きながら、私は、会場の端っこにクレブスと座り（このころはまだ退職を考えていなかった）、7カ月前にまさしくここでマスクの火線にさらされたときのことを尋ねていた。あの苦行に耐えてよかったと思うかと問うと、彼はメカジラを見あげてうなずいた。

「あのタワーを見るたび、やってやるぜという気になるんですよ」

あいさつを終えたマスクは、スターベース本館裏のティキバーに行った。数分後には、インスピレーション4で宇宙に行ったジャレッド・アイザックマンも合流。このイベントのために自分の高性能ジェット機で飛んできたのだ。

アイザックマンは地味だが自信に満ちていて謙虚だ。だから、彼といるとマスクは肩の力が抜ける。その彼から、ブランソンとベゾスに続いて自分も宇宙に行くと言い出さなかったのはいいことだとの指摘があった。

「あやうく、スリーストライクだった」

ビリオネアの趣味だと見られてしまいかねなかったというのだ。

「ストライクをもうひとつくらったら、『宇宙なんぞくそくらえ』と世間に言われるところだったよ」

「たしかに」――マスクは寂しげに笑った。「配役部門から4人回してもらって宇宙に送り出すほうがずっとよかったね」

チームを揺さぶる

2022年7月、シアトルで作っているスターリンク衛星の在庫が積み上がりつつあった。週に1回はファルコン9を打ち上げ、衛星50基ほどを軌道に投入しているのだが、マスクの頭の中では、このころすでに、巨大なスターシップをボカチカからがんがん打ち上げているはずだったのだ。さすがはマスクのあり得ない計画だ。

「何人か、ほら、ボカチカに行かせましょっか?」――衛星の生産を監督するためシアトルに転勤したマーク・ジュンコーサがマスクに問う。

「頼む。あと、きみも行ってくれ」

マスク恒例、上層部刷新の時期が来たわけだ。8月頭には、ほこりをけたててつむじ風のように組立ラインテントを走り回るジュンコーサの姿がボカチカにあった。

ジュンコーサは、マスクに似てかなりおかしい。髪もかなりワイルドで目はさらにワイルド。文字どおり飛び回るし電話をくるくる回すしで、体から高エネルギーフィールドを発散している感じだ。

「おかしな感じに積極果敢なカリスマですね」とマスクは言う。「アホなことをしている、そんな考え方じゃだめだって、相手を怒らせないようにうまく言えるんですよ。私にとっては古代ローマのアントニウスみたいな存在ですね」

マスクもジュンコーサも、ボカチカはいいチームだ、特にライリーとパテルはいい、ただ、ふたりともタフさが足りないと思った。

「ライリーはいいやつなんですが、ネガティブなフィードバックを返すのが苦手ですし、だれかをクビにするとかできないんです」とマスクは言う。スペースXのプレジデント、グウィン・ショットウェルによると、ボカチカの設備建設で活躍したパテルもそんな感じらしい。

「パテルはすごく一生懸命働くのですが、イーロンに悪い報告を上げられません。ライリーもパテルも肝っ玉が小さいんですよ」

8月4日、マスクは、午後におこなわれるテスラ株主総会の準備を進めつつ、ギガテキサスでスターシップチームからウェブ会議で報告を受けた。だが、スライドが進むにつれ、機嫌がどんどん悪くなっていく。

「なんだその予定は。最悪だ。超ダメだ。そんなに時間がかかるはずないぞ」

スターシップのチームとは、これから週7日、毎晩会議をするぞと宣言する。

「第一原理のアルゴリズムを毎晩くり返す。要件を疑い、削除していくんだ。ラプターもそうやって救ったんだから」

ブースターを発射台にセットしてエンジンを試験するのに何日かかるかと尋ねると、10日と返ってきた。

「時間、かかりすぎだ。人類の運命がかかってるんだぞ？　運命なんてそうそう簡単に変えられるものじゃない。9時5時でどうにかできるようなことじゃないんだ」

マスクはここで会議を打ち切った。

「じゃあ、またのちほど夜に。午後はテスラの株主総会なのに、スライドもまだ見てないんだ」

ティキバーに押し入る

ファンクラブの集会かって感じのテスラ株主総会を終え、オースティンからボカチカに飛んだマスクは、夜遅いというのに、スターベースのチームが待つ会議室に直行した。ぱっと見、『スター・ウォーズ』の1シーンかという雰囲気だ。マスクが連れてきたXは、夜遅いというのに元気いっぱいで「ろけっとぉ〜！」と叫びながらテーブルのまわりを走っている。髪をピンクとグリーンに染めたグライムスもいる。ジュンコーサはひげがいつも以上の伸び放題となっている。人事の刷新を手伝うためロサンゼルスからショットウェルも来ていたが、彼女は超朝型で、いつもならもう寝ている時間だという。もうひとりだけ女性がいた。シャナ・ディエスというMIT卒の航空技術者で、スペースX勤続14年のベテランだ。率直な物言いでマスクに気に入られ、スターシップエンジニアリング部門のディレクターを務めている。そのほか、ビル・ライリー、ジョー・ペトルジャルカ、アンディ・クレブス、ジェイコブ・マッケンジーなどがジーンズに黒いTシャツというスペースXの制服姿で集まっていた。

ここでもマスクは、なるべく早くブースターを発射台に載せてエンジンの試験をしろとせっついた。10日はかかりすぎだ。マスクが考えていたのは、エンジンの熱シールドをなくせないか、だ。マスクはとにかく部品を少なくしたがる。特にブースターを重くする部品は目の敵だ。

「あれほどあっちにもこっちにもはいらんのじゃないか？　懐中電灯を持って見にいったんだけど、熱シールドにさえぎられて、なんか、まともに見ることもできなかったぞ」

会議は迷走した。マスクの会議はこれが多い。試験日程も決まっていないのに、クエンティン・タランティーノ脚本の映画『トゥルー・ロマンス』について議論していたりするのだ。1時間あまりがすぎたところで、ショットウェルがなんとかまとめようとした。

「なにが決まったのかな？」

明快な答えは返ってこない。マスクは遠い目をしてなにか考えている。みんなおなじみのトランス状態だ。情報をひとりで処理し、それが終わると、決定事項が伝えられる。とはいえ、時計は午前1時を回っている。考えに沈むマスクを残し、みんな、だんだんといなくなっていった。

会議室から駐車場へ流れると、みな、なんとなく、ジュンコーサの周りに集まっていく。いつものように電話をくるくる回しながら何人かに囲まれて話をしていて、どう見ても、エアストリームトレーラーに帰って寝る雰囲気ではなかったからだ。実際のところ血がたぎっていたというのもあるが、人事の刷新がありそうだとみんな心配になっていて景気づけくらいしたほうがよさそうだったというのもある。だから、ジュンコーサは、すぐそこの社員用ティキバーに忍び込んで一騒ぎしないかと提案。まるで、どのくらいなら羽目を外しても大丈夫なのか、よく心得ている高校生チームのキャプテンといった風情だ。クレジットカードで鍵をこじ開けて10人あまりと店内に入ると、ひとりに命じてビール、スコッチのマッカラン、バーボンのエライジャ・クレイグ・スモールバッチを注がせた。

「やばい話になったら、ほら、悪いのはお前な？　みたいな？」

マッケンジーを指さしながら言う。一番若くて一番内気で、一番、バーに忍び込むなどしそうにないやつだ。

マスクなしなので、くつろいだ雰囲気にしつつ、先輩としてそれとなく指導をいれていく。試験設備の準備がまにあわないと進言するのをためらった社員にからかう言葉をかけると、ひじを羽のようにばたばたさせながら彼の周りをまわり、ニワトリの鳴きまねをする。私はエクストリームスキーが趣味なのでとアピールしてきた若手技術者には、スマホで動画を見せた。アラスカで雪崩を従え滑りおりていくジュンコーサが映っていた。

「え、それ、マジで先輩なんですか？」

「おう。リスク、取らなきゃ。リスク取るのが好きでなきゃ、ほら、やってけないぞ？　みたいな？」

そのころ――正確には午前3時24分――私のスマホにマスクからメッセージが届いた。2キロほど先の小さな自宅でまだ起きているという。

「ブースターを10日で発射台にセットする予定だったけど、B7を完成させせなくても次の開発の節目を迎えられると9割の確率で確信した」

これはどういう意味だとマッケンジーにスマホを渡すと、彼はそれをジュンコーサに見せた。音が消えた。会議に出てきたあれこれを総合し、試験のために10日かけてB7ブースターを発射台まで動かすことはしないと決めたらしい。33基のエンジンすべてが組み付けられるまで試験を待つことはしない、と。そこに補足のメッセージが届いた。

「なんとしても、今日中にB7を発射台に戻す」

10日ではなく1日でやる、ということだ。シュラバ発動である。

ハイベイ

2、3時間も寝ればもう朝だ。マスクは「火星に住もう（Occupy Mars）」と胸元に描かれた黒いTシャツを着るとハイベイへ行き、ブースター7のラプターエンジン組み付けを監督した。急なはしご段でブースター下部のプラットフォームまでよじ登る。ケーブル、エンジン部品、工具、チェーンブロックがところ狭しと並び、作業員が40人あまりもびっちり並んで、エンジンを組み付けたりシュラウドを溶接したりしている。マスクだけ、ヘルメットをかぶっていない。
「その部品はどうして必要なんだ？」

こう尋ねられたベテラン技術者のケイル・オードナーは、マスクがいることに驚きもせず、また、手も止めず、たんたんと答える。マスクはしょっちゅう視察に来るので、なにか命令されたり尋ねられたりしないかぎり、作業員はほとんど意識もしない。ちなみに、マスクがよく尋ねるのは「もっと手早くできないのはなぜだ？」である。数分、じっと黙って見ているだけのことも多い。

1時間以上もそうしていただろうか。プラットフォームから降りてきたマスクは、駐車場をどすどすと200メートルほど走って軽食スタンドに飛び込んだ。

「急いでいるんだぞとみんなに言いたいのでしょう」――アンディ・クレブスの弁だ。

だから走ったのかと本人に確かめてみた。

「違いますよ」とマスクは笑う。「日焼け止めを忘れたので、なるべく日に当たりたくなかったんです」

でも、と話は続いた。

「将軍が姿を見せれば、まちがいなく、兵の士気は上がります。一番いい戦いになるのはナポレオンがいる戦場なんです。私も姿を見せるだけで特になにもしなくても、夜通し飲んで騒いでいるわけじゃないんだと思ってもらえますからね」

ティキバーのハメ外しはばれているらしい。


マスクが設定した期限の真夜中をすぎてすぐ、直立したブースターを載せたトラックがハイベイから射場に向け、1キロほどの道のりを進みはじめた。その光景を見ようと、グライムスもXを連れて来ていた。Xはゆっくり進むロケットの周りではしゃいでいる。

ブースターが射場に到着。発射台に直立したその姿は、ほぼ満月の光を照り返して荘厳な雰囲気があった。

すべて順調とみんなが思った瞬間、ラインが1本切れ、油と水を混ぜた油圧作動液があたりに降りそそいだ。みんなびしょ濡れだ。グライムスとXもである。有害な化学物質なのではないかと真っ青になったグライムスに、マスクが、大丈夫だと声をかける。

「朝に水圧液体は格別だ」――『地獄の黙示録』の有名なせりふのもじりである。

ほら、お風呂できれいにするよとグライムスはせき立てるが、Xはまるで気にしていなかった。

「危険の許容度がふつうより高いみたいなんですよね」とマスクは言う。「あそこまで高いのはさすがに問題があるんじゃないかと思うほどです。正直なところ」

どの口が言うか、である。

第 77 章

オプティマスプライム

テスラ（2021～2022年）

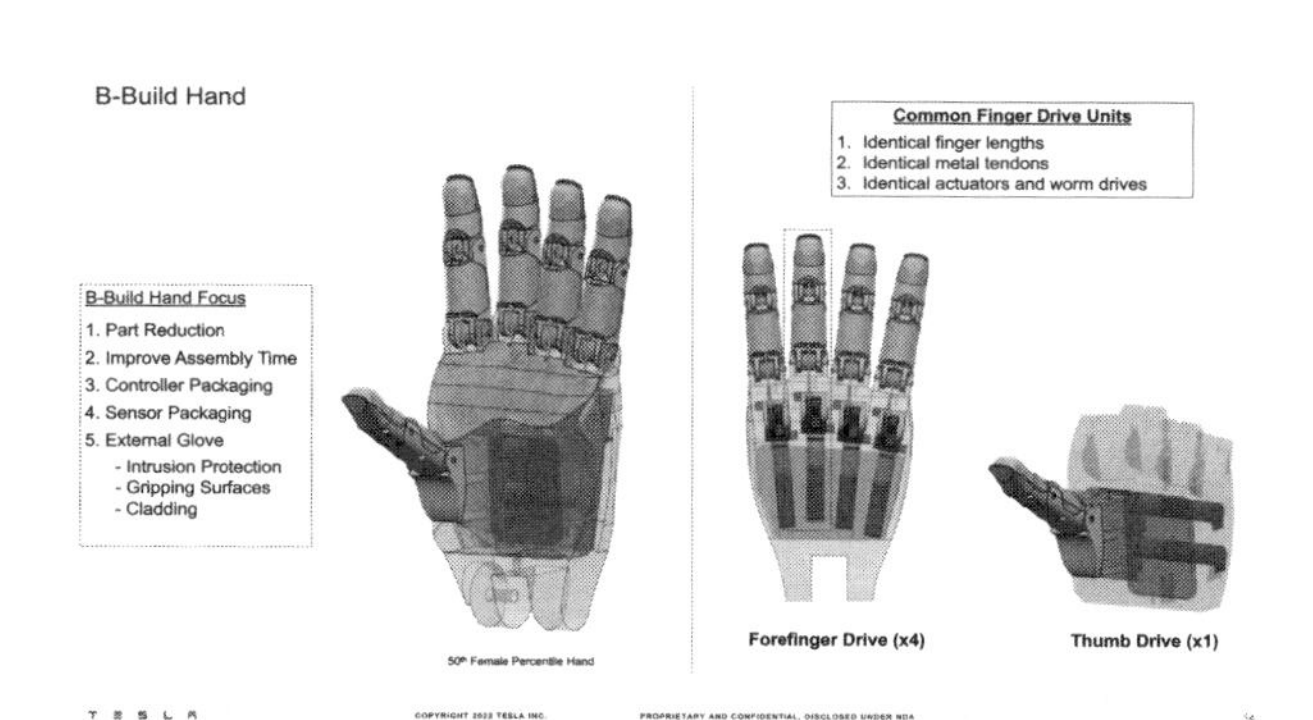

上：オプティマスの手を説明するスライド
下：AIデイ2のロゴとなった、ロボットの手によるハートマーク

人らしさ

マスクがオプティマスの開発計画を2021年8月に発表したときには、白いボディスーツを着た女性俳優がロボットのまねをしてみせた。その数日後、次は本物にするため、つまり、人間のまねができるロボットを作るため、テスラデザイン部門トップのフランツ・フォン・ホルツハウゼンがチームを立ち上げた。

マスクの指示はひとつ、人型であること、だ。他社が開発している車輪のついたものや、ボストン・ダイナミクスの4本足などではなく、人そっくりの見た目にしろ、と。職場も工具も、すべて、人に合わせて作られている。そのなかで自然に動かしたければ、人に似た姿でなければならない。それがマスクの考え方だ。

「できるかぎり人そっくりにしたい」──集まった技術者とデザイナー、10人にフォン・ホルツハウゼンはこう宣言した。「ただし、人以上のことができるようにもしたい」

最初に選んだのは手だ。電動ドリルを持ってみて、指や手のひらの根元でどう支えているのかなどを調べていく。小指はあまり使っていないようなので、指は4本でよさそうだ。だが、4本指は見た目も不気味だし、機能的にも問題があると判明する。最終的には、逆に大きな小指をつけることになった。そのほうが使い勝手がよかったのだ。ただし、指の関節は、1本あたり3カ所ではなく2カ所に簡素化した。

もう1点、手のひらの根元は長く、手のひら自体で電動工具をつかむ感じにした。そうすると親指への負担が減るからだ。こうして、人間の手より強い力を出せる手ができあがった。指先に強力な磁石を仕込んだらどうかというアイデアもあった。試してみると、磁石が悪さをするケースが多く、これはお蔵入りとなった。

ほかにもさまざまなアイデアが出た。指を手のひら側だけでなく、逆側にも曲げられたらいいのではないか？　手首も、内側と同じくらい外側に曲げられたらいいのではないか？　みんな、手のひらをそらしてみたり手首をひねってみたりしている。

「壁を押すようなときには便利かもしれない。指に力がかからない形にできるから」――フォン・ホルツハウゼンの意見だ。

指が腕に触れられるくらいにしたらどうかというアイデアも出た。そうすれば、手を使わず腕で圧力をかけられる。

「それはすごいな」とフォン・ホルツハウゼン。「ただ、それはさすがに不気味すぎるだろう。そこまでするのはやめておこう」

「さて、ここからが難しいところだ」――2時間の会議が終わるころ、フォン・ホルツハウゼンがこう切り出した。「ソーセージの見た目をよくしなきゃいけない」

毎週のレビュー会議でマスクに報告する宿題を出す。

「まずは、指の見た目と指先に向けてどう細めていくのか、だ。特に小指は大きくするからな。イーロンは女性っぽいたおやかな細め方を望んでいる」

『ヤング・フランケンシュタイン』

人の体はすごい。マスクも技術者も舌を巻いた。たとえば、指は圧力を加えるだけでなく、圧力を感じることもできる。どうすれば、オプティマスの指で圧力を測れるだろうか。

「指の関節となるアクチュエーターに流れる電流から、指先でかけている圧力を推定できるのではないでしょうか」——ある技術者から出てきたアイデアだ。タッチスクリーンと同じように指先にキャパシタを仕込む、気圧計のような圧力センサーを取り付ける、ゴムにチップを埋め込む、さらには、ジェル状の指先にごく小さなカメラを仕込むなどのアイデアも出てきた。

「コストは?」

フォン・ホルツハウゼンが問う。コストを考えれば、関節アクチュエーターの電流で圧力を測るのが部品を増やす必要もなく、一番いいという結論になった。

どれほど忙しくても、マスクは、毎週のオプティマス設計会議にはなるべく参加した。たとえば2月。イェとして知られるカニエ・ウェストのニューアルバム『ドンダ2』を聞くパーティで、マスクは、マイアミ・マーリンズが本拠にしているスタジアムのVIPルームにいた。ラッパーのフレンチ・モンタナやリック・ロスとタコスをかじり、暗号通貨の話などをしていると、9時からオプティマスの会議が始まりますとのメッセージがオミード・アフシャーから入る。この会議にマスクはパーティ会場から参加した。カメラがオンのままだったので、パーティの様子が筒抜けだ。逆にパーティ会場では、指をわさわさ動かし、必要なアクチュエーターの数を検討しながら会場内をうろつくマスクにほかのＶＩＰが好奇の目を向けていた。

「どんな角度からでも鉛筆をつまみあげられなければならない」

マスクの言葉にラッパーのひとりがうなずくと、指をにぎにぎしはじめた。

会議は2時間以上も続くことがある。マスクが大小さまざまなアイデアを検討するからだ。

「腕を外していろんな工具に交換できるようにしたらいいんじゃないだろうか」

このアイデアは、マスクが却下した。顔にあたる部分をスクリーンにすべきではないかとマスクが言い出したこともある。

「単なるディスプレイで、タッチスクリーンにする必要はない。でも、ロボットがなにをしているのか、遠くからでもわかるほうがいいと思うんだ」

それはよさそうだ、ただ、最初はなくていいのではないか。そういう結論になった。

マスクが夢見る未来に話が飛ぶこともあった。火星のコロニーで働くオプティマスの動画シミュレーションを作ってみたときには、火星で働くロボットは自律型にすべきか、人間が監督するべきかでかんかんがくがくの議論になった。フォン・ホルツハウゼンが話を地球に引き戻す。

「火星のシミュレーションもおもしろいとは思うんだが、まずは、だれもやりたくない、くり返しの作業など、ウチの工場で働くロボットのシミュレーションからすべきだろう」

ロボタクシーの運転席にオプティマスを載せたら、車にはドライバーが必要という法的要件をかいくぐれるのではないかというアイデアが出てきたこともある。

「昔の『ブレードランナー』がそんなだったよな」――マスクはうれしそうだ。「最近だと、ゲームの『サイバーパンク』なんかもそうだ」

SF、つまりサイエンス・フィクションからフィクションを取っ払うのがマスクは大好きなのだ。

おバカな側面も存分に発揮された。

「充電コードはケツにぶっさすのがいいかもしれない」

自分の冗談にひとしきり大笑いしたが、やっぱり自粛しておこうとなった。

「さすがに冗談がすぎるよな。穴はやばい」

「この話をしていると、『ヤング・フランケンシュタイン』を思いだすんだ」と言ったこともある。メル・ブルックス監督のパロディ映画だ。「あれはよかったよな」

ここから議論が発展し、どうすれば、モンスターにならないロボットにできるのか、まじめな話が展開した。ここは、マスクが人工知能やロボット工学に興味を持った原点だ。「ストップコマンド」を検討したこともある。ロボットを停止できる究極の力を人間に与える道だ。「母艦にアクセスしてロボットを悪用するシナリオを許す危険はなくさなければならない」と、電気信号によるコントロールは却下とした。ハッキングされるおそれがあるからだ。アシモフのロボット三原則を参考にしつつ、「猛威をふるうロボット軍団」に人が勝利できるゲームプランを構築することになった。

未来を思い描きつつ、マスクは、オプティマスの事業化も進めた。2022年6月には、工場で箱を運ばせるなどのシミュレーションが完成。「ロボットは人間より一生懸命働く」のがいいとマスクはご満悦だ。オプティマスはそのうちテスラの一番大きな収益源になると考え、人型ロボットのオプティマスは、自動車事業より大きくなる可能性を秘めているとアナリストに語ったりするようになった。

その収益を念頭に、マスクは、実現したい機能性とそれを大量生産する際のコストをまとめるよう、オプティマスチームに指示した。たとえば、人の手首は、上下、左右、回転と3通りに動かすことができる。この「自由度」のうちふたつを実現すると、手首ひとつに712ドルかかる。アクチュエーターを増やして3自由度を実現すると1103ドルという具合だ。マスクは自分の手首がどう動くのか、どの筋肉を使っているのかをしばらく堪能すると、ロボットには人と同じ能力を持たせるべきだと宣言。

「3自由度にするということです。あとは、それをどこまで効率的に実現できるか、ですね。いまの設計はひっどいですよ。じっくり見てみましたが、どうにもならない。車に採用しているリフトゲート用アクチュエーターを使うべきでしょう。あれなら安く作れますから」

毎週、最新の予定表を見ては、不平を鳴らす。強い調子のことが多い。

「資金が尽きそうなスタートアップだと思え。もっと早く。もっと早くだ。遅れは必ずチェックすること。悪いニュースはこまめにはっきりと知らせろ。いいニュースはまとめてそっとでいい」

歩く

オプティマスを歩けるようにするのも一苦労だった。ちょうどそのころ、Xはもうすぐ2歳で、歩く練習をしていた。だからマスクは、学び方が人と機械でどう違うのかを観察した。

「子どもは、べた足で歩いていたものが、だんだんつま先を使うようになります。いずれにしてもサルみたいです。大人と同じ歩き方ができるようになるには、かなりの時間がかかります。歩くというのは、とても難しいことなんですね」

それでも3月には、週例会議の冒頭に動画を流し、節目を越えたと祝うところまで来ることができた。

「第一歩だ！」

4月には次の段階も実現した。箱を持って歩く、だ。

「腕と足を連動させてバランスを取ることはまだできませんでした」――技術者のひとりはこう証言している。周囲を確認するのに頭を回さなければならないのも問題だった。

「カメラをたくさん付ければ頭を動かす必要はなくなるよな」とマスクが提案する。

マスクは、人を目で追うロボットやブレークダンスをするロボットなど、おもちゃをいくつか、7月半ばの設計レビュー会議に持参した。おもちゃもいいヒントになるとマスクは考えている。巨大鋳造機で車を作るアイデアは、小さな車のおもちゃから得たものだし、高精度加工の重要性はレゴから学んだものだ。

作業場の真ん中で架台に支えられて立っていたオプティマスがマスクの周りをぐるりと回り、持っていた箱を置く。マスクがジョイスティックのコントロールを操作すると、オプティマスは置いた箱をまた持ち上げ、フォン・ホルツハウゼンに手渡した。こんどはマスクがオプティマスの胸を押す。倒れない。スタビライザーはうまく働いているようだ。マスクは満足げな笑みを浮かべると、オプティマスの動画を撮影した。

「イーロンがスマホを取りだして動画を撮ると、やったぜと思います」――ラース・モラビーの言葉だ。

このあとマスクは、オプティマス、完全自動運転、ドージョーの公開デモをすると宣言。

「この三つを通じて、我々は、汎用人工知能の構築という大きな仕事をしているんだ」

このイベント、「ＡＩデイ2」は、２０２２年9月30日にパロアルトでおこなう。デザインチームが作ったロゴは、オプティマスが美しく先細った指をハート型に合わせているものだった。

第 78 章

波乱含み

ツイッター（2022年7〜9月）

上：ミコノス島でマスクをもてなすアリ・エマニュエル
下：アレックス・スパイロ

『ターミネーター』

　ツイッターについて自分がどうしたいのかよくわからなくなったマスクは、２０２２年6月、三つの選択肢を検討することにした。プランＡは、合意どおり４４０億ドルで買収手続きを進める、プランＢとプランＣは、価格の再交渉か買収取りやめをどうにかして試みる、だ。比較検討は、ボブ・スワンにお願いした。イーベイでＣＦＯ、インテルでＣＥＯを務めたあと、ツイッター買収提案に資金を出す予定のベンチャーキャピタル、アンドリーセン・ホロウィッツのパートナーに転じた人物だ。

　ただ、スワンは真っ正直で、プランＡしかありえないと考えていた。買収を取りやめる正当な理由などないと思っていたのだ。だから、ツイッターが書類に記載してきた数字は基本的に正しいとし、若干割り引いただけで、わりとバラ色の予想を完成させた。世界的に景気が後退しつつあるし、ボット問題についてツイッターは誤った見解を示していると考えているマスクは、スワンに食ってかかった。

「こんなものをまじめな顔で出してくるのなら、この仕事をあなたに頼んだこと自体がまちがいだったと言わざるをえませんね」

　スワンはここまで優れた実績を積み上げてきたわけで、こんなことを言われて、はいそうですかと引き下がる人物ではない。

「こんなものをまじめな顔で出したわけで、そうですね、きっとそうなのでしょう、この仕事を私に頼んだこと自体がまちがいだったのでしょう」

そう吐きすてて帰ってしまった。

今回もマスクは、創業期のテスラに投資してくれた旧友、アントニオ・グラシアスを頼ることにした。2007年にSWATチームを編成し、テスラの問題を洗い出してくれた人物だ。マスクが連絡したとき、グラシアスは子どもたちとヨーロッパ旅行をしていた。

「テスラの取締役を辞めるとき、必要になったらいつでも連絡してくれって言ったよね?」——マスクが念押しする。

グラシアスは、わかった、チームを組んでツイッターの財務をじっくり調べてみると請けあってくれた。

評価と資本構成をきちんと把握するには利害関係のない投資銀行家に手伝ってもらう必要がある。グラシアスはそう考え、友人であるペレラ・ワインバーグ・パートナーズのロバート・スティールに声をかけてみた。スティールは単刀直入にマスクに目標をただす——買収をやめたいのか、安く買いたいのかと。「後者」がマスクの回答だった。それはそれで正しい回答だ。少なくとも、正しい時間が長い回答である。本当は、朝起きると、あるいは、夜にもおりおり、どうしたわけか骨折り損をしかけていて、ぜんぶご破算にできたらどんなにいいかと思うことがあると言いたいのだが、法的な問題や気持ちの問題から、そう言えないのだ。なお、スティールは、マスクのことを珍しいタイプだなと思ったそうだ。選択肢が三つとか四つとか並んでいると、ふつうは、どれがお勧めかと聞いてくる。マスクは、各選択肢について細かく尋ねてくるが、お勧めは聞いてこない。判断は自分でしたいということだ。

リアルなユーザーの数を求めるための生データと推計手法を要求すると、ツイッターから山のようにデータが出てきたが、どうにも使えないものだった。マスクはこれを口実に買収から手を引こうとした。

「偽アカウントやスパムアカウントの横行度を評価するために必要なデータと情報を、マスク氏は2カ月近くも求めてきました」とマスクの弁護士は書いている。これにツイッター社が抵抗したことから、マスクは「買収合意を破棄する権利」を行使する、と。

ツイッター経営陣は、「署名した契約が自分の利益にならないものとなったから、マスクは、ツイッターおよびその株主に対する義務を拒絶している」と、デラウェア州衡平法裁判所へ提訴した。裁判は10月に始まる予定だ。

自分たちの主張を揺るがすようなことは言ってくれるなと、事業マネージャーのジャレッド・バーチャルと弁護士のアレックス・スパイロはマスクに頼んだ。広告が減っていて経済が落ち込みつつある、だから買収はやめたい――そう思っているように取られかねないことをツイートしないでくれ、と。

「ツイートはやめるようにといまから電話する」とスパイロはバーチャルに連絡を入れた。だがスパイロ程度のライオン使いにマスクが抑えられるはずもない。それから10分もたたないうちに、マスクがツイートをつるべ打ちにする。スパイロに対する嫌がらせとしか思えない内容だ。バーチャルは一言だけ、スパイロに返した。

「話をしてもダメみたいですね」

ぜんぜん関係のないおふざけツイートが問題になることもあった。8月に、「マンチェスター・ユナイテッドを買うつもりだ」とマスクがツイートしたのだ。不適切な開示だとSECにみなされる恐れはないのかと、バーチャルがスパイロに確認を入れるが、スパイロは「本気なんでしょうか」と問い返す。まずはそこだ。本人に確認すると、マンチェスター・ユナイテッドは、だれかがチームを買ってくれないかと昔からファンに思われているというミームで遊んだだけだという。スパイロの強い求めで、マスクはネタばらしのツイートを追加した。

「いや、これはツイッターで昔からくり返されてきたジョークだ。スポーツチームを買うつもりはない」

アリ・エマニュエルの参戦

アリ・エマニュエルはハリウッドのスーパーエージェントと言われることが多いのだが、2022年の彼はそれ以上の存在になっていた。エンターテイメント分野に広く、深く浸透したエンデバー社のCEOであり、常に電源オンで尽きることのないエネルギーを持つ男だ。声高めの早口で人と人をつなぎ、露悪な言葉で注意を引く——ラームとジークの兄ふたりと共通する才だ——そうすることで、おいしそうな話にはみんな唾を付けてしまう。

2001年9月11日の同時多発テロで、サウジアラビア人にオイルマネーを与えるのはやめたいと思ったエマニュエルは、フェラーリからプリウスに乗り換えた。これがつまらない。とにかく走らないのだ。だから、すごい電気自動車がないかと探し、マスクのことを知った。

「私はいつもそうなんですよ。つまり、偶然で掘り出し物をみつけるんです。だからこのときもマスクに連絡し、『会いたい』と伝えました。まだまだなにもわかっていないしょんべんたれふたり、すぐ仲良くなりました」

「プリウスなんぞ一瞬でも早く捨てたかった」と、エマニュエルはテスラのロードスターを注文。そして、２００８年、商業生産11台目のロードスターを受け取る。いまもその車に乗っているそうだ。

　そのエマニュエルとファッションデザイナー、サラ・シュタウディンガーの結婚式がフランスのサントロペであり、マスクも出席した。ショーン・〝ディディ〟・コムズ、エミリー・ラタコウスキー、タイラー・ペリーなど、セレブも大勢が参列した。カンヌ映画祭もあるので、みんなリビエラに来ているのだ。ナターシャ・バセットも来ていたので、結婚式前のお昼は彼女とふたりで取った。１カ月前、ツイッターに敵対的買収をしかけると決めたハワイ旅行にも同行していた豪州の俳優だ。

　披露宴では、マスクと同じテーブルに、『ラリーのミッドライフ★クライシス』シリーズを制作したコメディアンで、この日は司会進行のラリー・デイビッドがいた。なにやら腹を立てている。

「学校で子どもたちを殺したいと思ってるんですか？」とデイビッドが食ってかかる。

「え？　え？」――マスクは困惑でしどろもどろだ。「子どもの殺害には反対ですが……」

「ではなぜ共和党に投票を？」

　マスクに突っかかったことはデイビッドも認めている。

「民主党は不和と憎しみの政党だから共和党に投票するというツイートがどうにも引っかかって

いまして。ユバルディの小学校で銃乱射事件がなかったとしても突っかかっていたと思いますよ。かなり腹を立ててましたから」

同じテーブルにはニュース専門チャンネルMSNBCのジョー・スカボローもいて、マスクの件でデイビッドに愚痴られたらしい。本人は、おもしろがっていた。

「イーロンのことはあんまり好きじゃないってアリには言ってあったんですよ。だから同席になったんでしょうね」と笑う。「イーロンはすごく静かにしてましたよ」

かき回すつもりではなかったとエマニュエルは言う。

「本当の話、いいテーブルになると思ったんですよ」

それがツイッターの縮図になってしまったわけだ。

火種はもうひとつあった。ツイッターの大株主で取締役も務めているベンチャーキャピタリスト、エゴン・ダーバンも出席していたのだ。モルガン・スタンレーのジェームズ・ゴーマンCEOにあることないこと、自分の悪口を吹き込んだと、マスクはダーバンに腹を立てていた。だがエマニュエルは、披露宴同席を機会にふたりには仲直りして欲しいと考えていた。

「くっそアホなことしてんじゃないよ。マスクと話、してくるべきだ」

エマニュエルの言葉に押され、ダーバンはマスクと20分ほど話をした。マスクによると「オレのどっか丸いものにキスしようとした」という内容だったらしいが、関係は改善されなかった。

根っからの仕切り屋であるエマニュエルは、マスクとツイッター取締役会の裏交渉ルートを買って出る。440億ドルという合意額を引き下げる余地ならあるかもしれない。マスクに尋ねると、ざっくり半分かなぁと返ってきた。だが、ダーバンもほかのツイッター取締役も、返答する意味さえないと思ったようだ。

7月にも、エマニュエルはなんとかしようと画策する。ギリシャのミコノス島に持つ別荘にマスクを招待したのだ。マスクはオースティンから飛び、二日をそこで過ごす。このときヨットで遊ぶ姿が報道されているが、白っぽいブルーベリーのようなマスクとちょっと信じられないくらい引き締まってきれいに焼けたエマニュエルの対比が目に焼きつく。

このときマスクは、10月からの裁判を避けるためツイッターと和解するのもありだろうとエマニュエルに語った。そう伝えられてもダーバンは価格交渉に応じる気などなかったが、取締役のなかには訴訟合戦が避けられるならそのほうがいいという人もいた。和解の道を探る話し合いが始まる。

買収成立

価格の引き下げは思うように進まなかった。ツイッターからは4％ほどの引き下げしか提案されないし、マスクは10％以下など検討する価値もないとけんもほろろだ。それでも歩み寄れそうな雰囲気がなくもなかったのだが、問題がもうひとつあった。買収の仕組みや価格が変わればローンの条件も改めて交渉だと銀行に言われる可能性がある件だ。金利がたいぶ上がったので、買収価格が少々下がったくらいでは意味がないかもしれない。

感情的な障害もあった。マスクが自分たちを訴えるのは禁止する条項を買収合意に入れろとツイッターの経営陣や取締役が求めていたのだ。マスクは反発した。

「法的に放免なんてありえない。全員、生きているかぎり狩ってやる」

マスクは、9月中ほとんど毎日、3回から4回もふたりの弁護士、アレックス・スパイロとマイク・リングラーと電話で打ち合わせをしていた。デラウェアの裁判を受けて立つぞと対決モードの日もあった。情報のたれ込みなどもあり、ボット数についてツイッターはウソをついていたと確信を深めたのだ。

「連中はゴミツイートについて戦々恐々だったんだ。こんな買収、裁判所が許すはずがない。世間が許すはずがない」

かと思えば、予定どおり買収し、ツイッターの取締役と経営陣を詐欺で訴えるほうがいいと思う日もあった。そうすれば、買収資金を多少なりとも回収できるかもしれない。

「でもあの取締役連中は株を少ししか持ってないんで、回収も難しそうなんだよね」

でも9月末には、本当に裁判で争ったらたぶん負けるという弁護士の説明を受け入れた。最初の合意どおり、1株54ドル20セント、総額440億ドルで買収するのが最善手だと。またそのころには、ツイッター買収の熱意も少し戻っていた。

「もしかすると全額払うのがいいのかもしれない。いまツイッターを経営している連中はアホなでくの坊ばっかりだから」――9月の末ごろ、マスクはこう語った。「アホが操る船でも去年は株価が70ドルまで行ってるんだ。ポテンシャルはすさまじいものがある。あちこち直せばいいんだ」

そして、10月に買収の正式手続き、いわゆるクロージングをおこなうことに合意した。

買収成立がたしかになると、暗号化テキストのサービス、シグナル経由でアリ・エマニュエルから3段落のメッセージが届いた。ツイッターの運営を自分とエンデバー社に任せてくれというのだ。コスト削減、文化の再構築、広告主やマーケターとの関係調整を1億ドルの料金で請け負う、と。

「運営は我々がやりますが、なにをどうするのかは彼の意向に合わせますし、エンジニアリングや技術については彼が自由にやってくれればいいわけです」とエマニュエルは言う。「広告主相手のビジネスを山のように回すことになるわけで、それは我々がこれまでにしてこなかったことでもありませんからね」

だがバーチャルは、このメッセージを「ばかにするにもほどがある。いやしいし、頭がおかしいとしか思えない」とこき下ろしている。マスクはもう少し前向きだった。エマニュエルはいい友だちだからだ。

「提案には感謝します。でも、ツイッターはテック系の会社、プログラミングの会社なんです」

そのくらい、専門家を雇えばどうにでもなるだろうとエマニュエルは食い下がったが、マスクは譲らない。製品の設計と製作を分けてはならないと信じているからだ。むしろ、製品の設計も技術者がするべきだ、と。テスラやスペースXと同じようにツイッターも、あらゆる階層をエンジニアリング主導に作り変える。マスクはそう考えていた。

もうひとつ、エマニュエルが理解していない点があった。ツイッターも、マスクは自分で経営したかったのだ。テスラやスペースX、ザ・ボーリング・カンパニー、ニューラリンクと同じように。

第 79 章

オプティマス発表

テスラ（2022年9月）

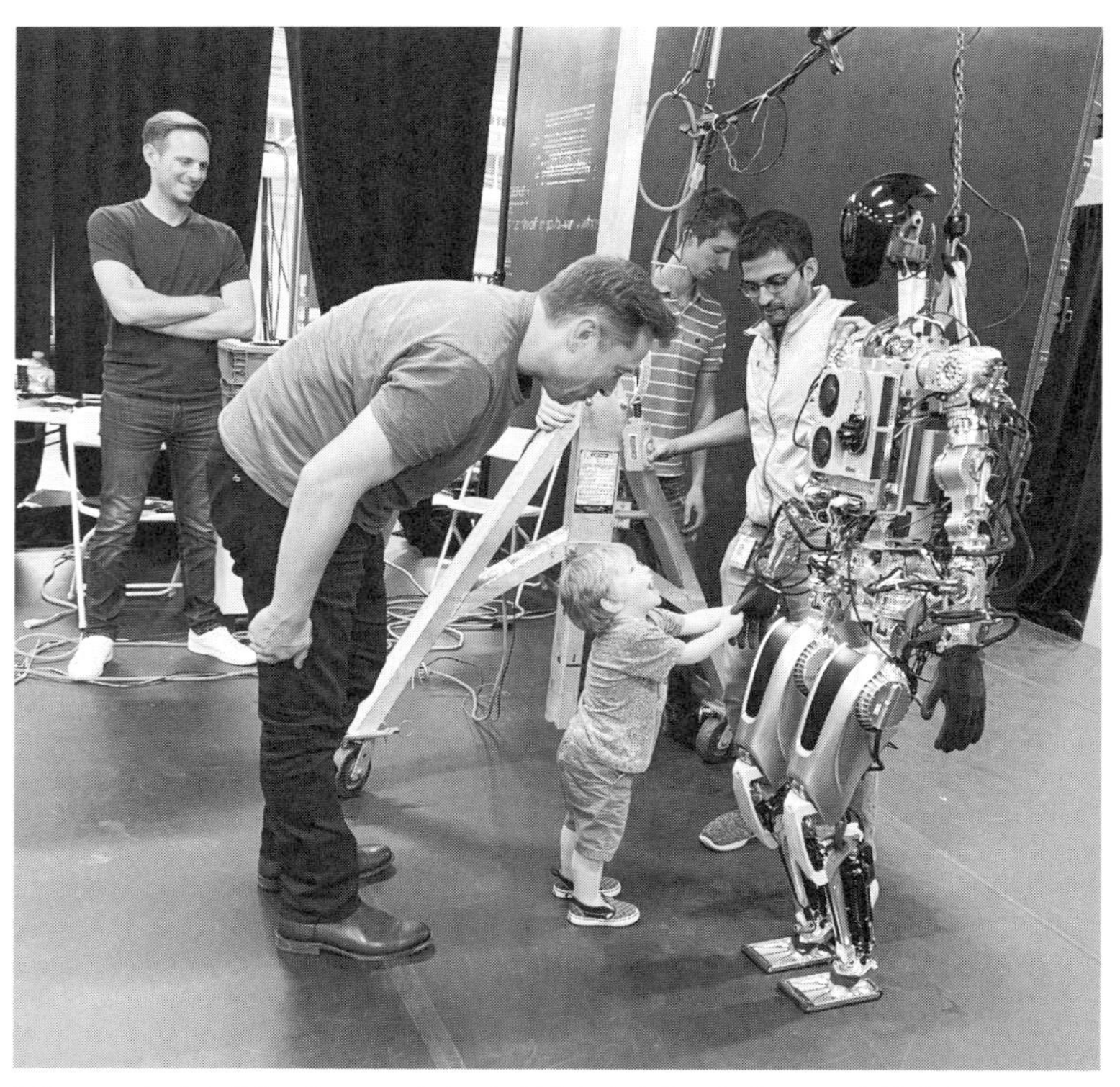

ミラン・コバックとアナンド・スワミナサンに見守られながらオプティマスと握手するX

髪ボウボウ

「私は心の健康状態が波のように上下するんです」――マスクが言った。テスラの人工知能や自律運転車、オプティマスロボットを一般向けに公開する一大イベント、ＡＩデイ2の準備をするため、9月27日の火曜日にオースティンからシリコンバレーへ飛ぶ機中のことだ。「強烈なプレッシャーがかかるのはよくありません。でも、あれもこれもみんな順調というのも、よくないんです」

この週は、本当に盛りだくさんだった。ツイッター買収契約の履行を求める裁判に向けてデラウェアの裁判所に供託金を納めなければならない。ＳＥＣの調査も入る。テスラから受け取る報酬に関する裁判もある。スターリンク衛星をウクライナに使わせている件もなにやらきな臭くなっていたし、テスラサプライチェーンの中国依存度を引き下げようとしている件もなかなかうまく進まない。国際宇宙ステーションに宇宙飛行士4人（うちひとりはロシアの女性宇宙飛行士）を届けるファルコン9を打ち上げ、同じ日に西海岸からも、スターリンク衛星52基を積んだファルコン9を打ち上げる予定になっていた。個人的な問題も子どもに恋人、元妻とともにかくことかかない。

ストレスはいろいろな形で発散させる。おふざけもそのひとつだ。この日の西行きフライトでは、髪の毛が焦げた香りの香水を売るというアイデアに大興奮していた。着陸するとすぐ、ザ・ボーリング・カンパニーのスティーブ・デイビスＣＥＯに連絡する。おもちゃの火炎放射器でも実働部隊を務めてくれた男だ。売り込み文句のアイデアも添えて企画を伝える。

「焦げ髪香水だ！　例の火炎放射器を使ったとき、いい香りがしたとは思いませんか？　その香り、ご用意しました！」

マスクの望みをなんとしてでもかなえようとするデイビスCEOは、この香りを最初に作ったところと契約すると、あちこちの香りラボに連絡を入れていく。完成した香水がザ・ボーリング・カンパニーのウェブサイトに載ると、マスクがツイートで宣伝する。

「香水を買ってくれ。そしたら、私はツイッターが買える」

1本100ドルの香水3万本が1週間で完売した。

会場に着くと、洞窟のように奥深いショールームへ行く。金曜日のAIデイ2で使う仮設ステージが用意されていた。完成に近いバージョンのオプティマスが1体、架台につり下げられている。技術者のひとりが「アクティベート」と声をかけ、別のひとりが赤いボタンを押すと、オプティマスが歩きはじめる。ステージの一番前まで進んで立ち止まり、穏やかに手を振る。皇帝のご挨拶みたいな感じだ。それから1時間、20回ほども演技練習をくり返した。ステージの端で立ち止まり、あたりを見回して手を振る——うっとりするほどの動きになった。最終回では、Xが近づき、オプティマスの指に触れるというおまけもあった。

練習セッションのリーダーは、ミラン・コバックという技術者だった。

「PTSD、抱えてますよ。前回は、あのあとしばらく、どうにも気が静まらなくて」

そう言われて気づいたのだが、彼は、1年前、AIデイ1のリハーサルでスライドがつまらんとマスクにたたかれた技術者だった。あのあとは、何週間か、辞めることばかり考えていたそうだ。

「でも最後は、あきらめるには重要すぎるミッションだと吹っ切ったんです」

ＡＩデイ2の直前、コバックは勇気を出し、1年前の件をマスクに尋ねてみた。

「私が用意したプレゼンテーションが気に入らなくて、ひどすぎるとくり返されたのですが、覚えておられますか？　私は辞めてしまっただろうなとみんなが心配したことは？」

マスクは、最後まできょとんとしたままだった。まったく記憶にないらしい。

ＡＩデイのリハーサル

ギリシャで二日間、アリ・エマニュエルと楽しんだときの写真がブルーベリーだったからか、マスクは、ダイエット薬のオゼンピックを打ち、1日1食のファスティングダイエットを始めた。この1食をマスクは遅めの朝ご飯にした。ただし、そのときは好きなだけ食べる。というわけで、翌日の水曜日は、午前11時にレトロヒップなレストラン、パロアルト・クリーマリーへ行き、ベーコンチーズ・バーベキューバーガーにスイートポテトフライ、オレオ・アイスクリーム・ミルクセーキ、クッキードウ・アイスクリーム・ミルクセーキを注文している。ポテトフライはXが多少手伝っていたが。

この日はそのあとフリーモントのストリップモールにあるニューラリンクのラボへ行き、歩く動作にかかわる動きとその信号の研究を視察した。白衣に靴カバーといういでたちで、シボン・ジリス、ＤＪセオ、ジェレミー・バーレンホルツがマスクを窓のない部屋に案内する。実験は、ハチミツにつけたリンゴをご褒美に、ミントという名のブタをトレッドミルで歩かせるというものだ。ときどき揺らして筋肉の反応を見る。そうやって、どこをどうして歩いているのかを調べるのだ。

そのあとまわったAIデイ2会場でも、一番の検討課題は歩行だ。翌日夜のオプティマス発表に向け、歩幅が少し狭く調整されていた。発表に使うステージはコンクリート製の実験室より滑りやすいからだ。だがマスクは歩幅が広いほうがいいと言うと、モンティ・パイソンの『バカ歩き省』でジョン・クリーズが披露した、足を高々と挙げる歩き方をまねてみせた。

「どうせなら、かっこいい歩き方がいいだろう」

技術陣は調整に取りかかった。

このあとマスクは技術者30人を呼び集めた。激励タイムだ。

「人型ロボットができれば、経済はほぼ無限に伸びることができる」

「ロボットに仕事をしてもらえば、人口が増えないことによる問題が解消されますね」とドリュー・バグリーノが相づちを打つ。

「そのとおり。それでも子どもは持つべきだけどね。そうしないと、人類の意識が続かないから」

夜には、パロアルト商業地区のはずれに3階建てのビルを訪ねた。27年前、キンバルとともに立ち上げたスタートアップ、Zip2が小さなオフィスを置いていた思い出のビルだ。

昔を思いだしたのか、口笛を吹きながらビルをぐるりと一周。中に入ろうとするが、ドアはすべて鍵がかかっていた。窓には「貸し事務所」の看板もある。マスクは2ブロック歩き、ジャック・イン・ザ・ボックスへ行った。キンバルと毎日食べていたお店だ。

「断食中なんだけど、これは食べないわけにいきません」

　ドライブスルーのインターホンで尋ねる。

「テリヤキボウルって、まだありますか？」

　あると返ってきた。マスクは自分用にそれをひとつと、X用にハンバーガーをひとつ注文する。

「25年後、Xが子どもを連れてくるまで、このお店、あるかなぁ」

AIデイ2

　翌日は、オプティマスを発表するＡＩデイ2の当日だ。午後、会場に着くと、技術陣の様子がただごとでない。オプティマス胸部の接続が切れて、動かなくなったらしい。

「こんなことになるなんて……」――そう言うコバックの頭には、１年前のＡＩデイ１の悪夢がよみがえっていた。

　外れたところを押し込む応急修理で最後までもってくれることを祈るしかない。このリスクは取る。マスクから無言の圧力を感じるなか、ほかに選択肢などあるはずがない。

　発表イベントで裏方を務める技術者20人は準備室に集まり、そこまでの苦労話に花を咲かせた。オートパイロットチームで働く機械学習のエキスパート、フィル・ドゥアンは、生まれ故郷の中国武漢で光情報科学を学び、米国オハイオ大学で博士号を取得した。テスラ入社は２０１７年。そのちょっとあと、２０１９年には、オートノミー・デイで自律運転車を発表するぞとマスクがプッシュしたシュラバがあった。

「休みなしに何カ月も働き続けて疲れてしまい、オートノミー・デイの直後に退職しました。燃え尽きちゃったんです。でも9カ月もたつと、こんどは退屈してしまいました。だから昔の上司に連絡し、また働かせてくれと泣きつきました。退屈より燃え尽きのほうがいいと思ったわけです」

人工知能インフラストラクチャーのチームを率いるティム・ザマンも似たような体験をしていた。オランダ北部出身の彼は2019年の入社だ。

「テスラで仕事をすると、ほかに行きたくなくなるんです。退屈で死にそうになるのがわかっていますから」

実は少し前にひとり目の子ども、娘が生まれ、テスラがワークライフバランスを取りやすい職場でないこともわかっている。それでも転職するつもりはないという。

「このイベントが終わったら、2、3日休みを取って妻や娘と過ごすつもりです。ですが、1週間丸々休んだりしたら、頭がおかしくなりそうです」

前回のAIデイでプレゼンターに女性はいなかった。今回は、カリスマ的な設計技術者、リジー・モスコベッツが共同司会を務めている。耳をろうする音楽が小さくなった。オプティマス登場を盛り上げるアナウンスは彼女だ。

「さあ、オプティマスにとっても初めての挑戦です！　支えなし、クレーンでつるすのもなし。支えるなにかもケーブルもないないづくしで初めて歩きます」

オプティマスの手で描くハートのロゴが大きく刻まれたカーテンが開き、ひとり立つオプティマスの姿が現れる。両腕をあげはじめた。

「動いたぞ。やった、動いたぞ」――ドゥアンが準備室で歓声を上げる。

手を揺らし、腕を回し、手首を曲げ伸ばしと動きが続く。右足を踏み出す。技術者全員、固唾（かたず）を呑んでいる。もっさりとはしているが、危なげなくステージの前端まで進んだ。勝ち誇るように右手を空に突き上げる。続けてダンスっぽい動きをしてから、回れ右をするとカーテンの後ろへ戻っていった。

マスクでさえ、見るからにホッとしていた。

「我々は、実用的な人型ロボットをなるべく早く完成したいと考えています」――集まってくれた人々にこう宣言する。そういうロボットが数え切れないほどいる世界がそのうち来る。「なに不自由のない未来、貧困のない未来が来るのです。ユニバーサルベーシックインカムが実現できる未来です。そうなれば文明が根本的に変わります」

ミラン・コバック

第 80 章

ロボタクシー

テスラ（2022年）

上：オミード・アフシャー、マスク、フランツ・フォン・ホルツハウゼン、ドリュー・バグリーノ、ラース・モラビー、ザック・カークホーン
下：ロボタクシーのコンセプト

自律運転にオールインする

自律運転車は、運転という単純作業から人々を解放するだけのものではないとマスクは考えている。車を持つ必要からして、かなりなくなるはずなのだ。鍵を握るのはロボタクシー。運転手なしで、呼べば来て目的地まで乗せていってくれ、そこから次の乗客のもとへ走り去る。そんな車だ。個人でも持つ人はいるだろうが、基本的にはタクシー会社かそれこそテスラが持つことになるだろう。

11月、マスクは側近中の側近5人をオースティンに集め、夕食を囲みながら、この件についてブレインストーミングをすることにした。会場はまだ未完成のオミード・アフシャー宅で、彼が雇ったシェフが超分厚い熟成リブアイステーキを焼いてくれるという。参集したのはフランツ・フォン・ホルツハウゼン、ドリュー・バグリーノ、ラース・モラビー、ザック・カークホーンだ。検討の結果、モデル3より小さく、安価で、走りもおとなしいものにすると方針が決まった。

「今回大事なのは量だ」とマスクが言う。「十分な台数を作るのは不可能に近い話だからね。年に2000万台は欲しい」

なんといっても難しいのは、ハンドルもペダルもない車でどうやって国の安全基準を満たすのかと、特殊ケースの取り扱いだ。マスクは何週間もかけて細かく詰めていく。

「降りたあとにドアを閉め忘れること、ありそうだよな。だからロボタクシー自体がドアを閉められるようにしなきゃいけない」

ゲート付きコミュニティや有料駐車場はどうすればいいのだろうか。

「ボタンを押したりチケットを取ったりする腕が必要かもな」

だが、これはどう考えても大変すぎる。

「簡単に乗り入れられない場所には目をつぶることにしよう」

こういう細かな点を真剣に検討していくので、もともとが夢のようなコンセプトであることを忘れそうになる。

2022年の晩夏、マスクらは、1年も悩んできた問題に結論を出さなければならない段階に入っていた。備えあれば憂いなしで、いま規制に定められているハンドルやペダル、サイドミラーなどを装備するのか、真に自律的な車にするのか、だ。

技術陣は基本的に安全策を推していた。完全自動運転(FSD)の完成時期について現実的に考えていたからだ。8月18日、運命の会議が開かれる。

「イーロン、あなたにも同席していただいて、リスクを評価しておきたいと思います」とフォン・ホルツハウゼンが切り出す。「ハンドルなしで進め、FSDが完成しなかったら、道を走らせることができなくなります」

だから、簡単に取り外せるハンドルとペダルを用意するのがいい――それが技術陣の考えだった。

「とりあえずアリで進め、ナシでよくなったら外そうということです」

マスクは首を横に振った。自分たちが無理やり引き寄せなければ、未来はいつまでたっても訪れない。

「小さいヤツにしますから」──フォン・ホルツハウゼンが食い下がる。「簡単に取り外せて、設計にも支障が出ないような」

「だめだ」──マスクは切り捨てた。「だめだ。だめだったらだめだ」

音が消え、時だけが刻まれていく。

「ミラーなし、ペダルなし、ハンドルなしだ。責任はオレが取る」

微妙な空気になった。同席していた幹部のひとりが切り出す。

「あ〜、その点についてはのちほどまた……」

「はっきりさせておく」──マスクはゆっくりとこう言った。極冷モード発動である。「この車はまごうかたなきロボタクシーにする。そのリスクを取る。それで失敗したらオレが責任を取る。とにかく、両生類のカエルみたいに半分車なんて設計にはしない。自律運転にオールインするんだ」

何週間かあとになっても、マスクは、まだ、念押しをしていた。グリフィンを大学に送って戻る機中から毎週定例のロボタクシー会議にリモート参加すると、切迫感を生み出そうとする。

「この製品は、歴史的なメガ革命になるものなんだ。これが完成すればすべてが変わる。そして、テスラは10兆ドル企業になる。いまこの瞬間は、100年後まで語り継がれることになるんだ」

2万5000ドルの車

ロボタクシーの議論を見ればわかるが、マスクは、なにがなんでも考えを曲げないことがある。

現実をねじ曲げる意志の力を持ち、無理だと言われてもかまわず突きすすむのだ。鉄のようなこの意志があるから、マスクは数々の成功を収めることができたのだろう。派手にしくじることもあるわけだが。

だがここに、あまり知られていない一面がある。考え直すことがあるのだ。却下したはずの論点を取り込み、リスクの計算をやり直す。このときがまさしくそのパターンだった。

ハンドルなしでロボタクシーに「オールイン」するというマスクの宣言を受け、フォン・ホルツハウゼンとモラビーは、保険をかけるよう説得することにした。どうすれば対決せずにそうできるのかもちゃんと心得ている。

「夏の会議でイーロンがきちんと把握していなかったと思われる情報を新たに示したんです」

自律運転車が比較的早くに米国で認可されたとしても、海外で認可されるにはそこからまた何年もかかるはずだ。であれば、ハンドルとペダルを用意しておくのが現実的だ、と。

実はこの何年も前から、次に開発するのは、価格2万5000ドル程度の小型・安価な大衆車がいいのではないかという話が続いていた。マスク本人も2020年にはその気になっていたが、その後計画を棚上げし、それから2年間は、ロボタクシーが完成すればほかに車はいらなくなると、企画を持ち出されるたびに却下してきた。それでもフォン・ホルツハウゼンは影のプロジェクトとしてひそかにこの企画を進めてきていた。

オプティマス発表の準備で飛び回っていた2022年9月の水曜夜遅く、マスクは、昔からの隠れ家であるフリーモント工場の窓なし会議室、ジュピターでくつろいでいた。そこに、フォン・ホルツハウゼンとモラビーがテスラチームの幹部若干名を連れて現れる。持参したのは、年率50

％で成長するには安価な小型車が必要だとするデータだ。そういう小型車は世界的にすさまじい規模の市場がある。２０３０年時点で7億台と、モデル3やモデルYのカテゴリーの倍に達するとも見積もられているのだ。続けて、2万５０００ドルの車とロボタクシーならプラットフォームも組立ラインも同じものにできると説明。

「この工場とプラットフォームなら、ロボタクシーと2万５０００ドルの小型車を同じアーキテクチャーでがんがん作れると示したわけです」とフォン・ホルツハウゼンは言う。

打ち合わせが終わり、マスクと私だけが会議室に残った。マスクは、どうにも気が乗らないようだ。

「興奮するような製品じゃないんですよね」

ロボタクシーで輸送の世界を根底から変える――マスクの心にはその思いしかないようだった。それでも、それから何カ月かで、マスクは、少しずつやる気になっていった。２０２３年2月の設計レビューに行くと、ロボタクシーと2万５０００ドルの小型車がデザインスタジオに並べられていた。どちらも、サイバートラックに雰囲気が似ていて、未来的だ。マスク好みのデザインである。

「こんなのが角を曲がってきたら、みんな、未来から来たモノかと思うだろうな」

この新しい大衆車（ハンドルがあるものとロボタクシー）が、のちに「次世代プラットフォーム」として知られるようになるものだ。工場は、この車に合わせた新設計のものを、オースティンから６５０キロほど南下したメキシコ北部に作ろう。まったく新しい生産方式で極限まで自動化する。そういう工場を一から作る。

そう思ったのだが、大きな問題があることにすぐ気づく。設計したものをどこか遠くで作るのはよくない、設計の技術者は組立ラインのすぐ横にいなければならないというのがマスクの信念だ。こうすれば、車そのものもよくなるし、生産も簡単になるアイデアを現場から設計にフィードバックできる。車や生産方式を新しくするなら、ここは外せないポイントだ。じゃあ、トップクラスの技術者をのきなみメキシコに移すのか？

「生産ラインの隣に技術者を置かないと成功はおぼつかないわけですが、みんなにメキシコに行ってもらうわけにはいきませんからね」とマスクは言う。

というわけで、2023年5月、次世代の車とロボタクシーはとりあえずオースティンで作ることを決断。そうすれば、自分も精鋭部隊も超自動化高速組立ラインのすぐ横にいることができるからだ。そして2023年夏、生産ラインのステーションをひとつずつじっくり検討し、工程や作業をミリ秒単位でスピードアップする方法を探っていく。

第 81 章

「洗いざらい」
ツイッター（2022年10月26〜27日）

上：洗面台を持ってツイッター本社に登場したマスク
下：10階のコーヒーバーでツイッター社員と話をするマスク

文化の衝突

２０２２年10月末のツイッター買収に向け、マスクの精神状態は乱高下した。

「めでたい。大昔に作りたいと思ったXドットコムがやっと作れます。ツイッターを促進剤にして！」——こんなテキストが、早朝3時半、突然に送られてきた。「そうすることで、民主主義とみんなの対話を支えられたらいいなと思っています」

24年前にXドットコムで夢見たもの、すなわち、金融プラットフォームとソーシャルネットワークの組み合わせが実現できる可能性がある、名前も、大好きなXドットコムにすると、そういうことらしい。ところが数日後にはすっかり沈んでいた。

「ツイッター本社に住まなきゃならなくなりそうです。状況は超きびしい。いらついてしかたがない(--;)　眠れない」

10月26日の水曜日、マスクは、社内をあれこれ確認し、目前に迫った買収クロージングの準備をするため、サンフランシスコのツイッター本社を訪れることにした。その彼を2階の会議室フロアロビーで出迎えるのは、温厚なツイッターCEO、パラグ・アグラワルだ。

「うまく行くと私は思っていますよ。イーロンは、みんなのやる気を引き出し、本人ができると思っている以上のことをさせるのが上手ですから」

慎重な物言いだが、おそらくは本心だろう。隣に立つネッド・シーガルCFOは、5月にマスクとひと悶着あったからか、それはどうだろうなという顔をしている。

そこにマスクが飛び込んできた。洗面台を手に大笑いしている。十八番(おはこ)の視覚的なだじゃれだ。

「洗いざらいわかり合おう。パーティだぁ〜」

アグラワルもシーガルも顔がほころんだ。

マスクはおもしろそうにツイッター本社を見て歩いた。10階建て、アールデコ調のビルは、小売店舗用として1937年に建てられた古いものだ。リノベーションで、コーヒーバー、ヨガスタジオ、フィットネスルーム、ゲームアーケードを完備したテックヒップな建物になっている。9階のカフェは奥行きが深く、サンフランシスコ市庁舎が下に見えるパティオもある。食べ物は、手の込んだハンバーガーから厳格な菜食主義者向けのサラダにいたるまで、すべて無料だ。トイレには「ジェンダーの多様性を尊重しよう」と標語が掲げられている。キャビネットに詰まったツイッターブランドの商品をあさると、「ステイ・ウォーク(ウォークであろう)」と大きく書かれたTシャツが出てきた。ほら見ろ、こういう考えに侵されているからいかんのだと、マスクがそれを振り回す。2階は会議室フロアで(マスクはここをベースキャンプとして接収した)、細長い木製テーブルに素朴なお菓子と水が山のように用意されていた。水はノルウェーのものやリキッド・デスの缶など5種類もある。どれかいかがですかと尋ねられたマスクは「私はいつも水道の水を飲んでいる」と返す。

先行きが懸念される幕開けだ。厳しい仕事で糊口(ここう)をしのいできたカウボーイがスターバックスを訪れたようなもので、文化の衝突は避けられない。

争点となるのは設備やサービスにとどまらない。そもそも、ツイッタランドとマスクバースは、まるで別物だと一目でわかるほど違う。職場というもののとらえ方からして違うのだ。

ツイッターは人に優しい職場であることを前面に押し立てている。甘やかしは善なのだ。「ツイッターは、まちがいなく、共感にすぐれ、多様性を尊重してどんな人もウェルカムな会社でした。社員には、安心して仕事をしてほしかったんです」と、マスクにクビを切られるまで最高マーケティング・人事責任者を務めていたレスリー・バーランドは言う。だから、完全在宅勤務も選べるし、心の「休息日」も毎月1日取ることができる。「心の安全」という言葉がよく使われる職場で、不安を取りのぞく努力がなにかと払われてきた。

「心の安全」なる言葉を耳にしたとき、マスクは、ふっと苦い笑いを漏らした。切迫感、進歩、軌道速度など、彼が大事にするものの敵であり、背筋がぞっとする言葉なのだ。そんな彼が好んで使う言葉は「本気」だ。また、彼にとって、不安はいいものだ。充足感という病と戦う武器になるからだ。休暇、花の香り、ワークライフバランス、「心の休息日」など知ったことではない。そのあたりも、洗いざらいわかってもらわなければならない。

熱々のコーヒー

この水曜日午後、買収手続きの完了前ではあったが、マスクは製品レビュー会議を開いた。オンラインのニュースバンドルにサブスクリプションを販売するスタートアップを立ち上げた経験があり、プロダクトディレクターを務めているトニー・ヘイルから、ジャーナリズムの料金をユーザーから徴収することについて質問が出た。マスクは、動画や記事の料金を簡単に支払えるようにするのがいいと思っている、「メディアを生み出す人の労に報いる仕組みを作りたい」と回答。ちなみにマスクは、ツイッターにとって最大のライバルになるのはサブスタックだろうと考えていた。ジャーナリストなどが記事を投稿し、ユーザーからお金をもらえるオンラインのプラットフォームだ。

休憩時間にはあちこちうろつき、社員から話を聞いてみることにした。ツイッターの案内係は心配顔で、在宅勤務を選んで出勤しない人が多いと説明。たしかに水曜午後のおやつ時だというのに、人の姿がほとんどない。ようやく、20人あまりが10階のコーヒーバーにたむろしているのをみつけることができた。だが、みな怖いのか、近寄ってこない。案内係が声をかけるなどして、ようやく、話をすることができた。

「これ、レンジで超熱くしてもらえるかな？」――コーヒーを渡されたマスクはこう尋ねた。「超熱くないと、つい、ぐいっと飲んでしまうので」

まず、ツイッター創業期に製品開発を主導したエスター・クロフォードが、ツイッターで少額決済を可能にするウォレットのアイデアを語りはじめた。利回りのいい口座のお金が使えるようにするといいのではないかとマスクが提案する。

「ツイッターを世界一の決済システムにしなければならない。昔、Xドットコムでやろうとしたように、だ。マネーマーケットアカウントにひも付けたウォレットがあれば、クリスタルを輝かせるのに、大いに役立つと思う」

フランス出身の中堅技術者、ベン・サン・スーシも、控えめながら声を上げた。

「19秒、私の考えを聞いていただけませんか？」

ヘイトスピーチのモデレーションをクラウドソーシングでやるというアイデアだった。マスクは、タイムラインに表示されるツイートの激しさをユーザーが自分で選べるスライダーを用意したらどうかと返していた。

「テディベアや子犬を求める人もいるし、けんか上等で『本気でこいや』と言いたい人もいますから」

的外れなコメントで、ベン・サン・スーシもそのあたりを説明しかけたのだが、別の女性がなにか言いかけると、彼は、テックブロらしからぬことをした。譲ったのだ。

その女性は、みんなが気にしていることを尋ねた。

「我々の75％をクビにされるおつもりなんですか？」

マスクは笑うと、一瞬考えてから答えた。

「いや、その数字は私が出したものではありません。だれが言ったかもわからないでたらめはなくさなければなりません。ただ、これからがんばらないといけないのはまちがいありません。景気は後退していますし、コスト以下の売上しかあげられていません。ですから、お金をもっと儲ける方法かコストを減らす方法をみつける必要があります」

この回答は、質問された内容を必ずしも否定するものではない。そして、3週間後には、75％という予想は正しかったと証明されるわけだ。

コーヒーバーから2階に戻ると、たくさんある会議室のうち三つは、テスラやスペースXの忠実なる技術者が占拠していた。マスクの指示を受け、ツイッターの規約をチェックして組織図をホワイトボードに描くなどして、とどめるに値する社員を洗い出そうとしていたのだ。もうふた部屋は、銀行の担当者と弁護士だ。臨戦態勢という雰囲気である。

「ジャックとは話したかい？」と、グラシアスが尋ねた。

ツイッターの共同創業者で前CEOのジャック・ドーシーは、当初、マスクの買収に賛同したものの、その後のごたごたに神経をとがらせていた。自分の子どもを実質別物に作り変えられてしまうのではないかと心配し、それを許していいのかと悩んでいたのだ。株式非公開化にあたり、自分の株式を持ち分にロールオーバーすることにも異を唱えていた。だがロールオーバーしてもらえないと、マスクの金融計画が狂ってしまう。だからこの前1週間ほど、マスクはほぼ毎日ドーシーに連絡し、ツイッターを愛している、害するようなことはしないと言い続けていた。最後は、ロールオーバーしてくれれば、いつかお金が必要になることがあった際にはその持ち分を買収価格で買い取ると約束して決着を付けた。

「全部ロールオーバーしてくれることになりました。ええ、我々はいまも友だちですよ。流動性を心配していたので、54ドル20セントで買うからと約束しました」

夕方、アグラワルが2階ラウンジに行くとマスクがいた。この翌日夜にはグラディエーターさながらの戦いをくり広げることになるのだが、このときは、どちらも同僚のフリをしていた。

「いかがでしたか？」――アグラワルが声をかける。

「もうもう、頭がいっぱいですよ。このデータからなにかを引き出すには、一晩寝る必要がありますね」

第 82 章

買収

ツイッター（2022年10月27日木曜日）

左：アントニオ・グラシアス、カイル・コーコラン、ケイト・クラーセン、そして、最高級バーボンのパピー・ヴァン・ウィンクルを掲げるマスク
右：作戦本部に立つデイビッド・サックスとグラシアス

クロージングベル

ツイッター買収のクロージングは10月28日金曜日に予定されていた。ツイッターの経営陣はそう認識していたし、世間もウォールストリートもそう認識していた。スムーズな移行となるように、株式市場の取引開始に向けて準備が整えられていた。お金を受け渡す、文書に署名する、株式を上場廃止にする、そして、マスクが経営権を掌握する。株式の非公開化と経営権の委譲というデュアルトリガーにすれば、パラグ・アグラワルらツイッター幹部は退職金を受け取り、ストックオプションも行使できるからだ。

だが、マスクは、そうなって欲しくなかった。だから事態の転覆を狙った。木曜午後、アントニオ・グラシアス、アレックス・スパイロ、ジャレッド・バーチャルらが寝技を練りあげていく。マスクも、ちょくちょく、狭い会議室に様子を見にきた。狙いは、木曜夜、クロージングを一気におこなうこと。すべてうまく行けば、ストックオプションを換金する前にアグラワルら幹部を「正当な理由により」クビにできるはずだ。

大胆不敵な作戦だ。無慈悲とも言える。だが、ツイッター経営陣にミスリードされ、高い値段で買わされたと思うマスクにとっては、そのくらいはして当たり前のことだった。

「クロージングが今晩か明日朝かで、たんすのへそくりが2億ドル、違ってきますからね」――木曜夕方、作戦本部で詳細の説明を受けていたとき、マスクは私にこう言った。

仕返しと若干の節約に加えてもうひとつ、ゲーマーとしての駆け引きがマスクを突き動かしていた。『ポリトピア』でタイミングよく放つ一撃と同じで、最後のどんでん返しは劇的だ。木曜夜のクロージングで驚きを演出する元帥は、長年付き合ってきた弁護士、アレックス・スパイロである。おもしろいのに鋭い法曹界のガンマンで、戦いになると元気になる。大混乱だった2018年、「ペド野郎」ツイートや「株式非公開化」ツイートから法的なバックファイアをくらわないように助けて以来、顧問としてずっとマスクに信頼されている。マスクは、能力を自信が上回る人には注意することにしている。スパイロは能力も自信もトップクラスだ。だからマスクは、おりおり気をつけつつ、信頼しているわけだ。

「書類に署名させる前にパラグをクビにはできないんだよな?」――マスクが確認する。

「かたがつく前にクビのほうがいいと思います」がスパイロの回答だった。スパイロは仲間と選択肢の検討をしつつ、送金完了を証するフェデラルリザーブ整理番号を待つ。

太平洋標準時の午後4時12分、送金と必要文書の署名が確認できたところで、マスクらは、クロージングの引き金を引いた。時を同じくして、マスクのアシスタントを長年務めた経験があり、今回、ツイッター買収のために呼び戻されたジェーン・バラジャディアが解任通知書をアグラワル、ネッド・シーガル、ビジャヤ・ガッデ、法務担当のショーン・エッジットに送付。6分後、セキュリティの責任者が現れ、全員、ビルから「退去」した、電子メールもアクセス不能にしたと報告があった。

電子メールの即時停止も作戦の一環だ。アグラワルは、送信ボタンを押すだけで、経営権の変更を理由とした辞表が送られるよう、準備万端整えていた。だがツイッターの電子メールが使えなくなったので、Ｇｍａｉｌから送信するのに1、2分かかってしまう。そのあいだにマスクがクビにしたわけだ。

「辞任しようとしやがったよ」とマスクが言う。

「でも我々が一枚上手でしたね」とスパイロが応えた。

そのころ、作戦本部のすぐ近く、同じビルの中で「トリック・オア・ツイート」なるハロウィーンパーティが会社主催で開かれていた。さようならのハグに満ちたパーティだ。「ネッド・シーガルはＣＦＯの仮装をしてきたらしいね」――バーチャルがきついジョークを飛ばす。

同じく作戦本部にほど近い会議室では、スペースXの技術者がコンピューターに張り付き、ビデオストリームを食い入るように見ていた。午後6時すぎ、スターリンク衛星53基を積んだファルコン9がバンデンバーグから打ち上げられたのだ。

モルガン・スタンレーのリードバンカー、マイケル・グライムスがロサンゼルスからお祝いに飛んできた。お土産もいくつか持参していた。まず最初は、１６４４年のジョン・ミルトンに始まり、マスクが「洗いざらいわかり合おう」と言ってツイッター本社を訪れるシーンに終わる言論の自由を守る歴史のコラージュだ。もうひとつは、世界最高のバーボン、パピー・ヴァン・ウィンクルだ。奥さんが誕生日のプレゼントにもらったものだという。みんなで味見をする。そして残りは奥さまにと、半分ほど残ったボトルにマスクがサインをした。

その数分後、マスクは製品をいじりはじめた。それまでは、アクセスすると、ログインを促す画面が表示されるようになっていた。これは、トレンドやホットな話題がリストアップされた

「話題を検索」ページのほうがいい——マスクはそう考えた。「話題を検索」ページの責任者、テジャス・ダラムシという技術者にメッセージを送る。ダラムシはインドへの里帰りから戻る機中だったので、月曜日に出社して直しますと返信。ところが、すぐやれ、いまやれと言われてしまう。しかたがないので、ユナイテッド航空の機内Ｗｉ－Ｆｉを使い、夜のうちに修正をすませた。「何年も前からさまざまな新機能を検討してきましたが、だれも決断してくれませんでした」と彼は後に語ってくれた。「それが突然、彼が次から次へと決断を下すようになったわけです」

このときマスクはデイビッド・サックスの家に泊めてもらっていた。夜9時ごろに戻ると、地元選出の民主党下院議員、ロー・カンナがいた。カンナは技術に通じているし、言論の自由は大事だと考えている。であるのに、ツイッターには触れず、ユーザーに製造業を取り戻す件でテスラがどういう役割を果たしているかや、ウクライナの戦いを外交的に解決できなければ危険だといった話を2時間近くも熱心にすることになった。

「ツイッターの買収をクロージングしてきたばかりなのに、その話はまったくしませんでした。驚きですよね」とカンナは言う。「ほかの話のほうがいいと思っているように感じたのです」

第 83 章

三銃士

ツイッター（2022年10月26～30日）

上：ジェームズ・マスク、ダウェル・ショフ、アンドリュー・マスクとコードをチェックするマスク
左下：ツイッターのソフトウェアアーキテクチャーを検討するロス・ノルディン
右下：ジェームズ・マスクとアンドリュー・マスク

ジェームズ、アンドリュー、ロス

問題の木曜日、２階会議室に参集した若いテック兵士を取りまとめていたのは、マスクによく似た29歳だった。それもそのはず、ジェームズ・マスクは父方のいとこなのだ。だから、髪の毛もそっくりなら歯の見える笑い方もそっくり、首に手を当てる癖もそっくり、南アフリカなまりもそっくりだ。心にも目にも鋭さが感じられるが、イーロンのレパートリーにはないこぼれんばかりの笑顔に細かな気遣い、相手を喜ばせたいという思いも持ち合わせている。ふだんはテスラのオートパイロットチームでソフトウェア技術者として精力的に働いているのだが、今回は、遠征部隊としてテスラとスペースXからツイッター本社に派遣された技術者40人ほどを取りまとめる親衛銃士の中心的存在となっていた。

ジェームズは12歳のころからイーロンのあとを熱心に追い、手紙もよく送ってきた。イーロンと同じく18歳になるとすぐ南アフリカを出て、1年間、リビエラを渡り歩く。仕事はヨットの乗組員、泊まりはユースホステルだ。そのあとバークレーで勉強してテスラに入社。入社すると、すぐ、イーロンに引きずり込まれ、２０１７年にネバダのバッテリー工場であった狂乱のシュラバを体験する。その後は、オートパイロットチームで、人が運転している動画データから車の動かし方を学ぶニューラルネットワークプランニングパスの開発に携わっている。

10月末にイーロンから連絡をもらい、ツイッター買収の手伝いに志願するよう言われたとき、ジェームズは迷った。次の週末は恋人の誕生日だったし、彼女の親友の結婚式に行く予定もあったからだ。でも彼女は、いとこの手伝いならしかたない、「それは行ってあげなきゃ」と理解してくれた。

ニューラリンクでソフトウェア技術者をしている赤髪で内気な弟、アンドリューも一緒だ。ふたりとも、南アフリカの子ども時代、全国レベルのクリケットプレイヤーとしてならしたし、理系の才でもずぬけていた。ただイーロンやキンバルより半世代ほど若いので、母方のいとこ、ライブ兄弟らと違い、一緒に遊ぶようなことはなかった。また、ふたりが南アフリカを出たあとはイーロンが面倒を見ていて、大学の学費も生活費も負担している。アンドリューはＵＣＬＡへ行き、インターネットのパケットスイッチング理論を提唱したレナード・クラインロックのもとでブロックチェーン技術を学んだ。遺伝なのかなんなのか（実際のところ、そうなのかもしれない）、ふたりとも戦略ゲームの『ポリトピア』にはまっている。

「元カノは嫌がってましたけどね」とアンドリューは言う。「っていうか、だから元カノになってしまったのかもしれません」

リビエラを放浪していたとき、ジェームズは、ジェノバのユースホステルで、ピーナッツバターを瓶から直接、指２本で食べているのを別の若者にみられてしまったことがある。そのとき「おいおい、それはないだろう」と笑ったのが、ロス・ノルディンというコンピューターの天才である。ウィスコンシン州出身で、やせて髪はぼうぼうだ。ミシガン工科大学を卒業し、フリーのコーダーとしてあちこちの仕事をリモートでこなしつつ、放浪生活を満喫していた。

「会った人に、次はどこに行ったらいいでしょうねえって尋ねるんです。ジェノバに行ったのもそれです」

特に人があまり行かないようなところをあてもなく旅する人には偶然をチャンスに変える才能があるように感じるのだが、このときのロスも、スペースXへの就職を狙っているんだと語った。

「え、それ、いとこの会社だよ？」——当然、そういう話になる。

ロスはお金がなくなっていたので、ジェームズが友だちとふたりでアンティーブ近くに借りている家に転がりこんだ。ただし、寝るのは屋外だ。

ジュアン・レ・パンというういい感じの村でナイトクラブに行ったこともあった。ジェームズが若い女性と話をしていると男がやってきて、オレの恋人になにしてくれてるんだ、外に出ろとけんかになり、ジェームズとロスと友だちの3人は走って逃げるはめになった。上着は店に置きっぱなしだ。これはロスが取りにいくことになった。

「一番小柄で人畜無害っぽかったので、私が貧乏くじを引くことになりました」

このあとまた待ち伏せにあい、割ったボトルで追いかけ回されてしまう。最後は、壁を飛び越え木の陰に隠れてやりすごし、難を逃れたそうだ。

こういうバカをくり返し、ふたりは仲良くなっていった。1年ほどたったある日、ロスはとある会議で出会ったパランティア社の幹部に採用される。ピーター・ティールも立ち上げに関わった会社で、機密情報を含むデータの分析や諜報が仕事だ。ロスの紹介でジェームズもインターンとして仕事をするようになる。そしてなんだかんだの末、ロスも、テスラのオートパイロットチームでジェームズと並んで仕事をするようになった。

ジェームズ、アンドリュー、ロスはツイッター買収の三銃士となる。テスラとスペースXから派遣され、2階会議室に参集した技術者40人ほどの中心的存在として活躍するのだ。最初の任務は、まだ20代の3人には若干荷が勝つとも言える大変なもの、すなわち勤務評定だった。ツイッターの技術者2000人あまりについて、コーディングのスキルや生産性、仕事に取り組む姿勢などまでを評価し、だれを残すのか、そもそも残すべき人がいるのかを決めるのだ。

コードの評価

ジェームズとアンドリューは、小さな丸テーブルでノートパソコンを開いた。場所は、前線キャンプにマスクが接収した2階会議室からすぐのオープンスペースだ。すぐ横の床ではXが大きなルービックキューブ四つで遊んでいる（ルービックキューブを解いていたわけではない。まだ2歳半なのだから）。時は10月27日木曜日。買収クロージングの電撃作戦に向けてばたばたしている中、マスクが1時間ほど時間を作り、ツイッター技術陣の間引き方法をいとこふたりと相談しに来たのだ。もうひとり、オートパイロットチームの若手技術者、ダウェル・ショフの姿もあった。AIデイ2でプレゼンターを務めた人物だ。

ジェームズ、アンドリュー、ダウェルがノートパソコンから過去1年間にツイッターで作成されたコードにアクセスする。

「ここ1カ月で100行以上、コードを書いた技術者を洗い出せ。全員について確認して、コーディングと真剣に向き合ってる技術者をリストアップしろ」

超優秀な者は残しつつ技術者の大半をお払い箱にする——それがマスクの計画だ。

「まずはコーディングの量でふるいにかけ、そこから、コーディングの質がいいやつだけを抽出するんだ」

気が遠くなりそうなタスクだ。挿入や削除をだれがしたのか、簡単にはわからないのだからなおさらである。

ジェームズが一計を案じた。数日前、サンフランシスコの会議にダウェルと行ったとき、ツイッターの若手ソフトウェア技術者と出会い、連絡先を交換したのだ。名前はベン。ジェームズから電話をかけ、スピーカーモードであれこれ尋ねていく。

「技術者ごとの挿入と削除なら、リストを持ってるよ？」

「それ、送ってもらえる？」

ジェームズが頼み、続けて、不要部分を整理するプルーニングとＰｙｔｈｏｎスクリプトで転送時間を短くする工夫を相談する。

そこにマスクが割ってはいった。

「手伝ってくれるのか。ありがとな」

返事にはずいぶんと時間がかかった。

「イーロン？」

クロージング直前で忙しいなか、新しいボスがソースコードをチェックしていることにベンは驚いているようだった。

フランス語なまりで気づいたのだが、彼は例のベン、コーヒーバーでコンテンツモデレーションについて尋ねてきたベン・サン・スーシだ。いかにも技術者で、どんどん人脈を広げていくタイプではないのだが、今回は、突然、中枢に取り込まれてしまった。運も実力の内とはよく言ったものだ。もちろん、それもこれも、実際に現場にいてこそ、なわけだが。

ツイッターが正式にマスクのものとなった翌朝、三銃士は無料の朝ご飯を食べに9階のカフェへ行った。ベンもいた。ちょうどそこにいたテスラのエンジニア、2、3人も一緒に市庁舎を見下ろすパティオに出る。パティオは楽しげな作りになっているし、テーブルが10台以上もあるのに、ツイッター社員の姿はない。

ジェームズ、アンドリュー、ロスが整理者リストの進捗を説明すると、ベンはおじることなく自分の考えを語った。

「個人はたしかに重要ですが、チームも重要だと経験から思うのです。優秀なコーダーだけをリストアップするのではなく、全体としてすごくいい仕事をしているチームもみつけるといいのではないでしょうか」

ちょっと考えるしぐさを見せたあと、ダウェルが賛成の声をあげた。

「私やジェームズを含むオートパイロットのチームは、いつも一緒に座っていて、アイデアがすごい勢いで駆け巡るんです。そして、メンバーひとりではできないほどいい仕事をチームとしてはできています」

だからリモートワークより出社がいいとマスクは考えているのかもなという指摘もアンドリューからあった。

ここでもベンは、異を唱える気概があった。

「出社がいいと私も思いますし、だから私は出社しています。でもプログラマーなので、しょっちゅう邪魔が入るとまともに仕事ができません。ですから出社しないこともあります。両方をうまく組み合わせるのが、たぶん、一番いいのではないでしょうか」

取り仕切る

ツイッターでは、いや、テスラやスペースXやウォールストリートでも、マスクがだれかにツイッターの経営を任せるつもりなのか、どうなんだろうとささやきが交わされていた。実はオーナーになったその日、マスクは、ひとりの候補者とひそかに会っている。ビデオストリーミングのアプリ、ペリスコープを立ち上げたケイボン・ベイクポールだ。ペリスコープはツイッターに買収されたが、その後、お蔵入りにされてしまった。ベイクポールも、一時は製品開発のトップを務めたが、2022年、特段の説明もなくアグラワルにクビを切られている。

テック系投資家のスコット・ベルスキーも同席しておこなわれたマスクとベイクポールの会談は、精神融合を目の当たりにする感じだった。

「広告については、ちょっと考えていることがあります」とベイクポールが切り出す。「サブスクリプションを契約したユーザーに興味関心を尋ね、体験をパーソナライズするんです。サブスクリプションのメリットとして売り出すのもありでしょう」

「そうですね。広告主も喜んでくれそうです」

「反対票ボタンも導入を考えてはいかがでしょう。ランキングにはユーザーのマイナス評価も反映させるべきですから」

「反対票は、お金の支払いで本人確認ができているユーザーにのみ使える機能にすべきでしょうね。そうしないとボット攻撃に利用されてしまいます」

最後に、マスクが気軽な雰囲気で尋ねた。

「戻ってくるつもりはありませんか？　この仕事、たいそう気に入っておられるようにお見受けしました」

続けて、ツイッターを金融とコンテンツの融合プラットフォームにしたい、Xドットコムで夢見た要素をすべて盛り込みたいというビジョンを語る。

「そうですねぇ。迷うところです。あなたのことは尊敬していて、製品もみんな買ってきました。後日ご連絡申し上げるということでいいでしょうか」

ほかの会社と同じようにツイッターについても、権限を委譲する気がマスクにないのはまちがいない。1カ月後、結論は出たかとベイクポールに問い合わせてみた。

「戻ったとしてなにをするのかが見えないんですよね。イーロンは、エンジニアリングや製品について、自分が直接、好きなように舵を取りたいと思っていますから」

さしあたって、ツイッターの経営を急いでだれかに任せるつもりはマスクにない。オンラインでアンケートを取り、そうすべきだという意見が過半数という結果を得ていても、だ。最高財務責任者さえ置いていない。自分の遊び場にしたいのだ。マスクは直属の部下が多い。スペースXに15人以上、テスラに20人ほどもいる。ツイッターでは、20人以上も直属を配するつもりだと語っている。そして、直属の部下と中核技術者は、全員、ぶち抜きになっている10階のオープンなところで仕事をしろ、日夜、自分が直接指揮をとるからと宣言した。

第1ラウンド

技術陣のぜい肉をごっそりそぎ落とす戦略の策定をマスクに指示された若い三銃士はコードベースをあさり、優秀でやる気のある人材を洗い出した。そして10月28日金曜日の午後6時、クロージングの24時間後に、マスクは、三銃士に加え、テスラとスペースXの傭兵軍団40人ほどを集めると、人員整理大作戦の実行を命じた。

「ツイッターには、いま、ソフトウェア技術者が2500人いる。ひとりが1日にたった3行書くだけで――ばからしいにもほどがあるレベルだが――年に300万行、つまり、新しいオペレーティングシステムができるくらい書けるはずなんだ。でもそうなっていない。なにかおかしい。すさまじくおかしい。コメディじゃないんだから、さ」

「コーディングを知らない製品マネージャーが、どう作ればいいのかもわからないまま、機能の作成を指示しています」とジェームズが指摘する。「馬に乗れない騎兵隊長なんです」――マスク自身がよく使う表現だ。

「基本線を決めよう。オートパイロットは150人で作っている。ツイッターもそこまで絞り込みたい」

生産性が低すぎるというのはそうだろうが、それでも、9割以上のクビを切るという話には、みな、たじろいだ。オプティマス発表のころに比べると多少は大胆になったミラン・コバックが、もっと人数が必要な理由を説明する。弁護士のアレックス・スパイロも、慎重に進めるべきだと進言した。天才的なコンピュータースキルが不要な仕事もあるはずだというのだ。

「ＩＱが１６０で1日20時間働く人ばかりでなければソーシャルメディアの会社が立ちゆかないとは、私には思えません」

営業が得意な人も必要だし、管理職は感情面のスキルが必要なはずだ。ユーザーの動画をアップロードする仕事もあって、それならスーパースターである必要などない。さらに、ギリギリまで絞り込むと、だれかが病気になったりいやになったりしたら全体がまわらなくなるリスクが生じてしまう。

マスクは納得しない。人員の大幅削減はお金だけが理由ではなく、本気で必死に働く文化にしたいからでもあるのだ。安全ネットなしで飛ぶ覚悟がある、いや、ぜひともそうしたいと考えていたわけだ。

このあと、ジェームズ、アンドリュー、ロス、ダウェルが管理職と面談し、人員を90％削減するようにと伝えていく。

「いや、もう、みなさん、ご機嫌斜めでしたよ」とダウェルは言う。「そんなことをしたら会社が倒れるってみんなに言われました」

銃士隊の答えは決まっている――「イーロンがそうしろと言っている」。これが彼のやり方だ。だから、我々は、それをどう実現するのか、実行計画を策定しなければならない」である。

10月30日日曜の夜、優秀でとどめるべき技術者のリストをジェームズがマスクに提出した。そこに名前がない者は解雇していいということだ。マスクは即座に引き金を引こうとした。11月1

日はボーナスの支給基準日でありストックオプションの付与日でもあるので、その前にクビを切ればどちらも支払わなくてすむからだ。人事部門の上層部から多様性のチェックが必要だと入った横やりは却下。だがもうひとつの警告は、さすがのマスクも無視できなかった。一気にクビを切ると、雇用契約やカリフォルニア州雇用法に違反し、罰金を科せられることになる、罰金は何百万ドルにも達するおそれがあり、それくらいならボーナスを払ったほうがまだしもだというのだ。

しぶしぶながら、11月3日まで延期することをマスクも承知した。人員整理は、その日のうちに署名なしの電子メールで社内に告げられた。

「ツイッターを健全にするため、世界的な人員の整理という困難に立ちむかわなければならない」

世界全体で社員の半分をレイオフする。インフラストラクチャーチームの一部は90%をレイオフする。社有コンピューターへのアクセス権限や電子メールは、レイオフと同時にオフとする。

マスクは、人事部の幹部も大半をレイオフした。

しかも、これは第1ラウンドにすぎない。血の粛清はぜんぶで3ラウンドになるのだ。

第 84 章

コンテンツモデレーション

ツイッター（2022年10月27～30日）

左上：スペースXにてカニエ・ウェストとともに
右上：ヨエル・ロス
左下：デイビッド・サックス
右下：ジェイソン・カラカニス

ひとり委員会

ミュージシャンでファッションデザイナーのカニエ・ウェスト改めイェは、マスクの友だちだ。といっても、活気とスポットライトを並んで浴びるが親しみを感じているわけではない、同じパーティに集まるセレブ同士というくらいの意味合いだが。ともかく、マスクは、2011年、そのイェにロサンゼルスのスペースX工場を案内している。またその10年後、イェはテキサス南部のスターベースを見学しているし、マスクもマイアミで開かれた「ドンダ2」のパーティに出席している。ふたりは似ているところがある。歯に衣(きぬ)着せぬ物言いや、半分頭がおかしいと思われているところなどだ——もっともイェについては、この言い方も半分しか正しくなかったという感じの展開にこのあとなるのだが。

「カニエは自身を信じて粘り強くがんばるからあそこまでになれたのです」——マスクは2015年、タイム誌の取材にこう語っている。「彼は、文化の神殿に自分の居場所を得ようと、確固たる目的意識を持って戦ったのです。あれこれ言われたり、笑われたりすることを恐れずに」——自身について語っているような言葉である。

さて、ツイッターがマスクのものになる直前の2022年10月頭、イェとそのモデルが「ホワイト・ライブズ・マター(White Lives Matter)」と大きく描かれたTシャツを着てファッションショーに登場した。黒人に対する人種差別に反対する抗議活動「ブラック・ライブズ・マター(Black Lives Matter)」のもじりである。イェらの行動でソーシャルメディアは大荒れとなった。クライマックスはイェのツイート、「明日朝起きたら、対ユダヤ人のデスコン3を発令し、厳戒態勢に入る」だ。これを受けてツイッターはイェのアカウントを凍結。数日後、マスクが「イェと話し、先日のツイートについての懸念を伝えた。あの件は本人もすごく気にしているようだ」とツイートするが、イェの凍結は解除されなかった。

この件は、マスクにとって、言論の自由がいかに複雑であるのか、また、衝動的なポリシー判断にはどういうデメリットがあるのかを学ぶ教訓となる。ツイッター買収後、最初の1週間は、人員整理の決断とコンテンツモデレーションの問題でてんやわんやになるのだ。

マスクは昔から言論の自由を掲げてきたわけだが、このころようやく、意外にややこしい問題なのだと認識しつつあった。ソーシャルメディアでは、真実が靴を履いているあいだに、うそは世界の反対側まで行ってしまう。ニセ情報やデマは、暗号通貨がらみの詐欺、だまし、ヘイトスピーチに並ぶ問題なのだ。損得勘定という面でもマイナスだ。瘴気を発する言葉にあふれたゴミ溜めに自社ブランドの広告を出そうと思う広告主などいるはずがない。

この問題を担当するコンテンツモデレーション委員会を立ち上げるつもりだと、マスクは、ツイッターの主となる少し前の10月頭、私に語っている。世界中の多様な声を反映したい、だからこういうメンバーを考えているという話もあった。

「この委員会が動きはじめるまで、アカウント復活の判断はしないつもりだ」

買収が完了した翌日の10月28日金曜日には、この考えを公にしている。「この委員会が立ち上がるまで、コンテンツの大幅な見直しやアカウントの復活はしない」とツイートしたのだ。だが、権限の委譲という言葉はマスクの辞書にない。このころには、すでに、トーンが下がりはじめていた。これは諮問委員会で、その意見はあくまで「助言」にすぎず、「最終決定は自分が下さなければならない」というのだ。

会議室をめぐって人員整理や製品機能を検討して歩く様子から、この委員会の立ち上げに興味を失いつつあるのは明らかだった。候補者は決めたのかと尋ねてみると、案の定、「いや、いまはそれどころじゃありません」と返ってきた。

ヨエル・ロス

最高法務責任者のビジャヤ・ガッデが追い出されたあと、コンテンツモデレーションの取り扱いという難しい仕事と、もうひとつ、同じくらい難しい仕事、つまりマスクの取り扱いは、若干学者肌だが明るく若々しいヨエル・ロス（35歳）がしょいこむことになった。どう見ても相性のいい組み合わせではない。ロスは左寄りの民主党支持で、共和党を批判するツイートをしてきている。

たとえば2016年には「大統領選挙にお金を出したことはなかったのだけれど、今回初めて、ヒラリーに100ドルを寄付した。これ以上、ぼやぼやしているわけにはいかない」とツイートしている。ツイッターの信頼・安全チームに加わった翌年のことだ。

投票当日にも、トランプのサポーターをあざけるツイートをしている。

「なにか理由があって人種差別のタンジェリンを選んだ州があったら、その上を飛んでみたいと思うんだよね」

トランプが大統領になったあとにも「本物のナチがホワイトハウスにいる」と書いたり、共和党の重鎮ミッチ・マコーネルを「人格のない屁袋」と呼んだりしている。

そんなロスだが、楽観的・積極的な性格のおかげで、マスクの下でも仕事はできるだろうと考えていた。ふたりが初めて顔を合わせたのは、電撃クロージングで狂乱の木曜夕方だ。5時、ロスの電話が鳴る。

「もしもし。ヨニといいます。2階に来ていただけませんか。お話ししなければならないことがあります」

ヨニと言われてもだれのことかわからないが、ロスは、わびしさ漂うハロウィーンパーティを抜け、会議室フロアの広々としたオープンスペースに行ってみた。マスクや銀行の人間、銃士隊が忙しく働く戦場だ。

ロスを出迎えたのは、小柄・長髪で元気いっぱいのヨニ・ラモーンだ。イスラエル出身で、テスラの情報セキュリティ技術を担当している。

「私もイスラエル人なので、出身が同じことはすぐにわかりました。でも、それ以外はかいもく見当がつきませんでした」

ラモーンは、恨みを抱いた社員にサービスを妨害されることがないようにしろとマスクに命じられていた。

「腹を立てた社員が妨害工作をするのではないかとイーロンはすごく心配しています。もっともなことですよね」と、ロスを待つラモーンは私に語ってくれた。「で、私が、それを防止しろと命じられたわけです」

ふたりはオープンスペースのテーブルに座った。近くには水のボトル各種が並んでいる。ラモーンは説明もなしにいきなり尋ねた。

「どうすれば、ツイッターのツールにアクセスできるのかな」

ロスにしてみれば、だれかもわからない人にそんなことを聞かれても、だ。

「ツールにはごく限られた人しかアクセスできません。プライバシーの問題がありますので」

「いや、さあ、会社の持ち主が変わったわけよ。わかる？　ぼくはイーロンの命を受けて安全確保に動いてるんだ。どんな感じのものなのか、ツールを見せるくらいしてくれてもいいんじゃないかな」

もっともな話だと思ったので、ロスはノートパソコンを取りだしてコンテンツモデレーションツールを開くと、関係者による脅威からシステムを守る方法をいくつか提案した。

「きみ、信頼できる人？」

やぶから棒にラモーンが尋ねた。じっとロスを見ている。ロスはあまりの真剣さに驚きつつも、もちろんと答えた。

「わかった。イーロンを呼んでくる」

1分後、クロージングを片付けたマスクが作戦本部から現れ、丸テーブルのひとつに座ると、セキュリティツールを動かしてみせろと命じた。ロスはマスクのアカウントを例になにができるのかを実演する。

「このツールへのアクセスは、当面、ひとりに制限すべきだな」とマスクが言う。

「その制限は、昨日、私が自分でかけました。現時点では私だけになっています」

マスクはなにも言わずにうなずいた。ロスの仕事に満足しているように見える。続けて、この最上位ツールへのアクセスを許してもいい「命がけで信頼する」10人をリストアップしろと指示する。わかりましたと答えるロスに、マスクは、目を見ながら念押しをする。

「命がけで信頼、だぞ？　そいつらがなにかしでかしたら、しでかしたやつはクビだしお前もクビだし、チーム全員がクビになるからな？」

　こういうタイプか、だったら対応はわかっている――ロスはそう思いながらうなずき、自分の執務室に戻っていった。

ハチにご執心

　早くも翌金曜の朝、トラブルの予兆がヨエル・ロスのところに飛び込んできた。大のお気に入りだった保守系風刺サイト、バビロン・ビー（ハチ）のアカウントを復活させたいとマスクが言っているとヨニ・ラモーンから連絡があったのだ。バイデン政権で登用されたトランスジェンダーの女性、レイチェル・レビーンを「今年の人（Man of the Year）」とちゃかし、「ミスジェンダリング」ポリシー違反で凍結されたアカウントだ。

　マスクは気まぐれだといううわさはロスも耳にしていて、いつかは自分の身にも降りかかってくるだろうと思っていた。トランプについてだろうという予想は外れたが、バビロン・ビーでも問題の本質は同じだ。ロスは、マスクが思いつきで適当にアカウントを復活するのは阻止したいと考えていたのだ。マスクがマスクであろうとするのを防ぎたかったと言ってもいいだろう。

ロスは朝のうちにマスクの弁護士、アレックス・スパイロに会いにいった。ポリシーは彼が担当で、必要なときやなにかやばいことが起きたときは、私に直接相談してくれと言われていたからだ。

ミスジェンダリングのポリシーをざっと説明し、問題となったツイートの削除をバビロン・ビーは拒否したことにも触れたあと、選択肢は三つだと進言する。凍結を続ける、ミスジェンダリングを禁じる規則をなくす、ポリシーや先例などなにも考えずビーのアカウントを復活する、だ。マスクをよく知るスパイロが選んだのは3番目である。

「マスクならそうできるんじゃないの？」

「できますね。会社を買ったわけですから、なんでも意のままに決められます」

だが、将来的な問題の種をまくことになる。

「同じことをほかのユーザーがして、規則だからと凍結したらどうなります？　一貫性の問題が生じます」

「じゃあ、ポリシーを変えるほうがいいのかな」

「それも可能です。ただ、これが文化的な大戦争の火種となる問題であることを忘れるわけにはいきません」

たくさんの広告主がコンテンツモデレーションの取り扱いがどうなるのかに注目しているのだ。

「まっさきにミスジェンダリングのヘイト行為ポリシーをなくすというのは、そういう意味で、得策にはなりえないと思うのです」

スパイロはちょっと考えると、イーロンと話をする必要があるなと言った。

ロスが執務室に戻ろうとすると、こんどは、ジョーダン・ピーターソンの復活をイーロンが望んでいるとのメッセージが飛び込んできた。数々の著作もあるカナダの心理学者で、トランスジェンダーの男性セレブを女性であると言いつのり、この年の半ばにツイッターのアカウントを凍結された人物だ。

1時間ほどのち、ロスとスパイロに会うため、マスクが会議室から出てきた。スナックバーでほかにも人がいる中での立ち話となり、ロスとしては居心地がよくなかったが、それでも、気ままなアカウント復活の問題について話を始めた。マスクが割って入る。

「大統領恩赦という考え方はできないのか？　あれは憲法に定められてるものだったよな？」

まじめな話なのか冗談なのか判断に苦しみつつ、ロスは、気の向くまま恩赦を与える権利がマスクにはある、だが、と続けた。

「同じことをする人が出てきたらどうするのですか？」

「規則を変えるわけじゃない。恩赦を与えるだけだ」

「いや、でも、ソーシャルメディアの場合、話はそれだけで終わりません。どこまでなら許されるのか、規則をためそうとする人がいます。特にこの問題はそうで、ツイッターのポリシーが変わったか否かを知りたいと思う人がたくさんいるんです」

マスクはちょっと考え、少し譲歩することにした。自分の子どももひとり性別移行するなど、この問題は我が事でもあったからだ。

「はっきりさせておきたいんだけど、ミスジェンダリングはクールじゃないと私も思ってる。でも、棒と石ってほどの話じゃない、つまり、殺すぞと脅すのと同じじゃないと思うんだ」

この指摘も、ロスには喜ばしいほうの驚きだった。

「そのとおりだと思ったんですよ。私は検閲旅団だのなんだのとよく言われるのですが、正直な話をすれば、もっと控えめな対策だって可能なのに凍結してしまうことが多すぎると昔から思っていたんです」

ロスはノートパソコンをカウンターに置き、ツイートを削除したりアカウントを凍結したりするのではなく、ツイートに警告メッセージを添えるという温めてきたアイデアをマスクに紹介した。

マスクの顔が輝く。

「うん、いいねぇ。それだよそれ。そうすべきなんだよ。そういう問題のあるツイートは検索にも引っかからないようにしたほうがいいだろう。タイムラインにも表示しない。でもたとえば、プロフィールページでその人の投稿をずらっと見ていけば、そのツイートも見ることができる」

実は1年以上も前から、ロスは、ツイートやユーザーの扱いを一部軽くする方法を模索していた。それができれば、物議を醸すアカウントを軒並み凍結しなくてもすむからだ。その証拠に、2021年、部下に一斉送信したスラックメッセージに次のように書いている。

「私としては、ほかのアカウントとの関わりを減らしたり、フィルターで拡散性や可視性を引き下げるなど、凍結以外の介入方法を検討したいと考えています」

2022年12月、透明性を高めようと社内でやりとりされたデータ(「ツイッターファイル」)を調査した際、このメッセージが、ツイッターの革新派が保守層を「シャドウバン」していた動かぬ証拠とされたのは、皮肉なことだと言えよう。

問題のあるツイートやユーザーを凍結せず、「可視性フィルタリング」で拡散されにくくするというロスのアイデアを、マスクは承認した。バビロン・ビーやジョーダン・ピーターソンの復活を延期する件もである。

「それより、これからすぐ、この拡散抑制システムを組み込む作業に入ったほうがいいのではないでしょうか」

ロスの提案にマスクはうなずいた。

「月曜日までには仕上げられると思います」

「わかった。進めてくれ」

サックスとカラカニス

翌日の土曜日、夫と昼食を楽しんでいたヨエル・ロスのところに、会社に来いと連絡が入った。デイビッド・サックスとジェイソン・カラカニスがなにか尋ねたいそうだ、来た方がいい、と、このふたりの重要性を知る友だちが連絡してくれたのだ。ロスは自宅のあるバークレーからサンフランシスコ湾の向こう側、ツイッター本社まで車を走らせた。

このころマスクはサックスがサンフランシスコのパシフィックハイツに持つ5階建ての家に泊めてもらっていた。ふたりはペイパル時代からの旧友だ。サックスは昔から自由意志を強く主張するリバタリアンで、言論の自由を支持してきている。ウォークがきらいで右寄りになったが、人民主義・民族主義的なところがあり、国による干渉には疑いの目を向けがちだ。

2021年にイタリアはトスカナで同じくリバタリアンのインターネットアントレプレナー、スカイ・デイトンが50歳の誕生会を開いたとき、サックスとマスクは、ビッグテック会社が結託してオンラインにおける言論の自由を制限しているという話でひとしきり盛り上がった。このときサックスは、企業エリートが「言論カルテル」を結成し、検閲を武器に異分子の封殺をもくろんでいると人民主義的な議論を展開している。グライムスは反論したが、マスクはサックス寄りだった。そのころのマスクは、まだ、言論と検閲について確たる意見は持っていなかったが、サックスの意見は反ウォークの気持ちに訴えてくるものがあったのだ。そういう経緯もあり、マスクが買収するとサックスもツイッターに入り浸りとなり、会議を開く手伝いをしたりさまざまな提案をしたりするようになっていた。

ジェイソン・カラカニスというのは、ポーカーをよく一緒に楽しむサックスの友だちで、ふたりで毎週ポッドキャストを流すなどもしている。ブルックリンに生まれ、インターネットスタートアップをあちこち渡り歩いてきた人物だ。熱烈なマスクのサイドキック志望でもある。むっつり寡黙なサックスとは対照的に子どものようにはしゃぎまわるし、政治姿勢はサックスに比べて中道寄りだ。マスクがツイッターに対して動きはじめた4月には、お手伝いがしたいと熱いメッセージを送っている。

「取締役でも相談役でもなんでもやります……剣をささげます。コーチ、私も試合に出してください！　ツイッターCEOは私の夢です」

熱心すぎて、マスクに牽制（けんせい）されることもある。ツイッターの買収資金を集める特別目的事業体をマスクが立ち上げたときもそんなことがあった。

「特別目的事業体を一般人にマーケティングするなんてなに考えてるんだ？　それはダメだよ」

カラカニスは謝罪し、一歩引いた。

「この買収は思いもよらなかった形で世界の注目を集めてしまいました。いくらなんでもです。……いずれにせよ、私は、乗るか死ぬかです――あなたのためなら喜んで手榴弾をこの身で覆いますよ」


さて、そのサックスとカラカニスに会おうとロスが本社についたころ、大変な騒ぎが起きつつあった。人種差別の投稿やユダヤ人を非難する投稿が爆発的に増えていたのだ。検閲には反対だとマスクが宣言したことをうけ、どこまで許されるのか試してみようとトロールや扇動家が山のように湧いていた。黒人差別のNワードは、マスクがオーナーとなって12時間で500％も増えた。足かせのない言論の自由にはマイナスの側面もあるわけだ。

ロスは驚いた。自分が左寄りなのは報道もされていてサックスも知っているはずだ。であるのに、たいへん礼儀正しいし、すごく気も遣ってくれるのだ。ともかく、ヘイトの猛襲について、また、その対抗手段について、データを引きながら相談が始まった。

ほとんどは、個人ユーザーが自分の意見を表明しているのではなく、トロールやボットによる組織的な攻撃だ――ロスの分析結果である。

「組織的なものであるのはまちがいありません。人種差別をする人が急に増えたわけではありません」

1時間ほどたったところでマスクが現れた。

「人種差別の騒動は、いま、どんな具合になってるんだ?」

「これはトロールの攻撃です」とロスが答える。

「焼き尽くせ。いますぐに。核攻撃でもいい」

ロスは奮い立った。モデレーションは一切禁止されるとばかり思っていたのだ。

「ツイッターでヘイトスピーチは許さん」——公的記録に残そうとでもいうかのようにマスクは続けた。「絶対にだ」

カラカニスから、きみ、説明がうまいね、表にもなにか書いたほうがいいんじゃないかと声がかかった。それもそうだと、ロスは、ツイートを連投した。

「悪意のしたたるツイートの急増に、我々は全力で対処しています。特定の文言を使うツイート5万件あまりが、わずか300個のアカウントから発せられています。そのほとんどは人が書いているものではありません。今回、トロール攻撃をしかけてきたユーザーはアカウントを凍結します」

マスクはロスの投稿をリツイートし、ツイッターから逃げようと浮き足立つ広告主を安心させるべく言葉を足した。

「はっきりさせておく。ツイッターのコンテンツモデレーションポリシーは、まだ以前のままなにも変わっていない」

マスクは側近だとみなした相手に必ずそうするのだが、ロスに対しても、なんだかんだと質問や提案のメッセージを送るようになった。5年前にロスが書いた左派的ツイートがしきりと取りあげられたときも、マスクは、表でも裏でもロスを支えた。

「昔のツイートについてはおもしろいじゃんと言ってくれましたし、たくさんの保守派が私の首を要求したときも、しっかりと私の味方になってくれました」

ロスをかばう発言をツイッター上でしたこともある。

「いかがなものかと思われるツイートはだれでもしたことがあるはずだ。私なんぞ、すごく多い方だろう。いずれにせよ、この際、はっきりさせておくと、私はヨエルの味方だ。彼はとても誠実だと私は思っているし、我々は、それぞれ異なる政治的信念を持つ権利がある」

彼の名前をどう発音するのかはよくわかっていないようなのだが、それでも、ここからすばらしい友情が生まれるのではないかという予感はあった。

第 85 章

ハロウィーン

ツイッター（2022年10月）

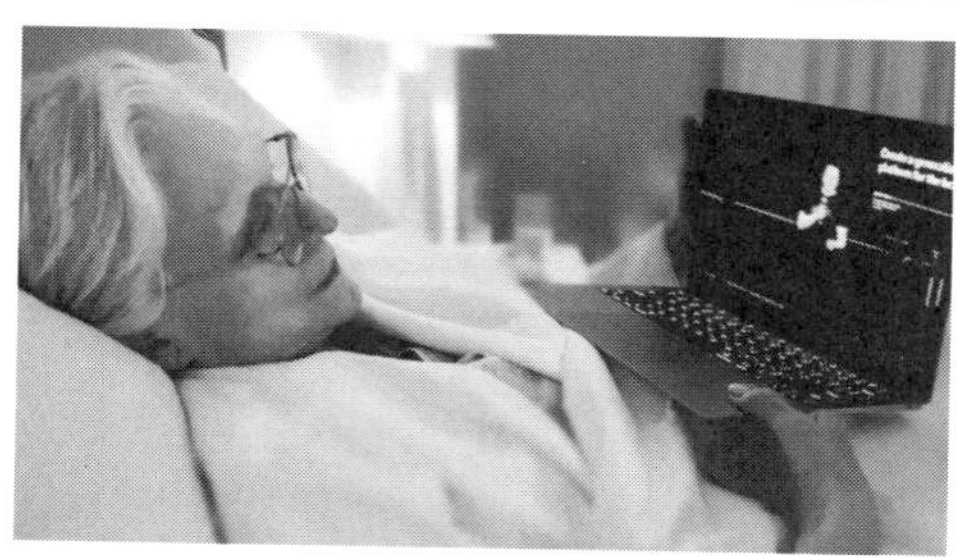

上：ハロウィーンパーティに行くマスクとメイ（2022年）
下：息子のプレゼンテーションを見るメイ

ニューヨーク訪問

ヨエル・ロスはマスクと驚くほどいい関係で仕事ができそうだと思っていたのだが、10月30日日曜日の朝、夫に「おいおい、なんだよ、これ？」と言われてしまう。いやな既視感があった。毎朝、トランプがどんなツイートをしたのかと心配しながら起きていたころ、よくあったことなのだ。今回は、下院議長の夫、ポール・ペロシ（82歳）が自宅で寝ているところをハンマーで襲われた事件に関するマスクのツイートだった。こういう事件があると「憎しみとおかしな陰謀論をまき散らす」人々がいるとヒラリー・クリントンが非難の声をあげたのだが、そのツイートに、「男娼がらみの可能性がある」と勝手な推測をしている右翼系陰謀論サイトの記事を紹介する形でマスクが反応したのだ。「もしかすると、ぱっと見以上のことがあるのかもしれない」というコメントも添えられていた。

マスクは、だんだんと、陰謀論をまき散らす、いかれたフェイクニュースサイトを読むことが増えていて（父親と同じだ）、ツイッターだとそのあたりがはっきりと出てしまう。このツイートはすぐ削除・謝罪し、舞台裏では、本当にばかなことをしてしまったと悔やんでいた。いずれにせよ、被害甚大なツイートだ。

「これは問題だとする広告主が多いのはまちがいありません」とロスはアレックス・スパイロに申し送った。

広告に適した場を作ろうとすると、絞りを開いて騒然とした言論の自由を実現したいという自身の望みをかなえるのが難しくなるということに、このころマスクはようやく気づきはじめていた。実はこの数日前に、広告主にあて、「なんでも好き勝手が言え、その責任を取る必要もない――そんななんでもありの地獄絵図にツイッターをすることはありえません」と約束するレターをマスクは出している。そこにポール・ペロシ事件のツイートだ。うそや攻撃的なデマなどの汚物を後先考えず衝動的に投げつける（マスクもよくやらかす）――ツイッターはそういう場になりうる、広告主が嫌うものになりうるとみずから示し、約束をほごにした格好である。広告は売上の90%を占めるツイッターの大黒柱である。広告業界の景気悪化でツイッターの広告売上も下がりつつあったのだが、経営がマスクに代わると沈下がぐっと速くなり、6カ月で半分以下にまで落ち込んでしまう。

その日のうちにマスクはニューヨークに飛んだ。広告営業チームと善後策を打ち合わせ、広告主やそのエージェントに安心してもらう働きかけをしなければならないからだ。マスクはXを伴い、グリニッチビレッジにあるメイのアパートに午前3時ごろ到着した。ホテルもきらいだし、ひとりになるのもきらいだからだ。翌朝、メイもXも、ツイッターのマンハッタン本部に同行した。厳しい1日になることはまちがいなく、多少なりとも盾や心の支えになれればというわけだ。

エンジニアリングならマスクは直感的に理解できるが、人間の感情については、頭の配線具合から対応が難しい。だから、ツイッターの買収は問題なのだ。ツイッターをマスクはテクノロジー企業だと考えていたが、実のところは、人間の感情や関係に基づく広告メディアである。ニューヨークでは懇願モードが必要になるのに、マスクは怒っていた。

「4月に買収が表沙汰になって以来、ずっと攻撃されてるんです。広告契約をしないようにと活動家がよってたかって圧力をかけています」

月曜日の打ち合わせや顧客との対話は効果らしい効果がなかった。母親が見守り、Xが遊ぶ横で、マスクは、まず営業部隊に対して、続けて広告を出してくれる顧客に対して、ぶつぶつぶつぶつ一本調子で語り続けた。

「ツイッターは、いつの日か10億人など、幅広い人々に興味を持ってもらえるものにしたいと考えています。そのためにも安全性が大事です。ヘイトスピーチのつるべ打ちを見たり、攻撃されたりしたら、みんな、使わなくなってしまいますから」

ポール・ペロシのツイートについては、毎回、質問された。

「私は私でしかありません」――こう回答したこともある。尋ねたほうとしては、できればそうでないほうがいいと思っているはずで、安心してもらえるとは言いがたい答えだ。「私のツイッターアカウントは私という個人の延長です。そして、私という人間は、ばかなこともつぶやいたりしますし、まちがうこともあるわけです」

しかも、面目ないという雰囲気ではなく、形だけ恥じているとしか思えない物言いだ。腕組みをする人やズーム会議からサインオフしてしまう人までいた。「なんなんだ?」とつぶやいた人もいる。ツイッターは10億ドルの事業であって、イーロン・マスクのだめなところやおかしなところの延長ではないはずなのだ。

翌日、レスリー・バーランド、ジャン＝フィリップ・マヒュー、サラ・パーソネットなど、広告業界の信頼があついツイッター幹部が大勢辞めたりクビになったりした。多くのブランドや広告代理店がツイッター広告を当面取りさげると発表。静かにそうしたところも少なくない。月間売上は80％も急落した。マスクのメッセージも、だんだんとでまかせや脅しになっていく。

「コンテンツモデレーションはなにも変わっていないし、活動家とも事を荒立てないようできるかぎりの努力をしているというのに、活動家グループが広告主に圧力をかけるから、ツイッターの売上は急落した。彼らは米国における言論の自由を破壊しようとしている」――この日の打ち合わせや対話が終わったあと、マスクはこうツイートした。

宇宙軍

ロールプレイングゲームができるハロウィーンはマスクお気に入りのお祭りだ。このタイミングでニューヨークに行ったのも、広告主のご機嫌取りに加え、モデルのハイディ・クルムが毎年開いているハロウィーンパーティに母親を連れていくと約束していたのも理由だ。すごい衣装がずらりと並んでレッドカーペットを進む様は注目に値する。

広告の件をかたづけてマスクがメイのアパートに戻ったのは午後9時だった。メイと友だちふたりがかりで、赤と黒のレザーをあしらった防弾チョッキ、「デビルズチャンピオン」の衣装を着せてくれる。メイが用意したものだ。

パーティ会場ではVIPエリアに案内されたが、どうにも居心地がよくない。メイはうるさすぎると思ったし、マスクはマスクで、自分とセルフィを撮ろうとする人が多くてうんざりだった。だから10分くらいで失礼してしまう。ただ、マスクは、ツイッターのプロフィールをこのときの姿に変更した。防弾チョッキというのがいまの状況にぴったりだと思ったのだ。

翌朝は早くに起きて、母親と息子と3人でファルコンヘビーのリフトオフをライブ配信で確認。スペースXがエンジン27基の大型ロケットを打ち上げたのは、3年ぶりだ。そのあとはワシントンに飛び、米国宇宙軍幹部の交代式典に出席。バイデン政権とはあまりいい関係になっていないが、ペンタゴンはマスクを歓迎してくれるのだ。軍事衛星や人員を軌道に送るにはスペースXに頼るしかないという事情もある。この式典のあいさつで、統合参謀本部議長のマーク・ミリー将軍はマスクに言及した。

「民間と軍が協力とチームワークで、米国を宇宙一パワフルな国にしている――それを象徴する存在が彼です」

第 86 章

青いチェックマーク

ツイッター（2022年11月2〜10日）

上：会議中のマスク
下：技術者の評定を進めるジェームズ・マスク、ダウェル・ショフ、アンドリュー・マスク

水素爆弾

ヨエル・ロスをはじめコンテンツモデレーションのチームは大半が人員整理の第1ラウンドを生きのびた。人種差別の荒しに対抗しなければならないし、愛想を尽かす広告主が出ていることから、いまこのチームを大きく縮小するのは得策と思えない。「本質的ではないと思った仕事は少し減らしましたが、部下をクビにしろという圧力は受けませんでした」とロスは証言している。同日、表でも「モデレーション機能は基本的に変わっていない」とツイートしている。

マスクに約束したミスジェンダリングポリシーも作りあげた。人を不快にさせかねないツイートについて、その旨警告を添える、表示されにくくする、リツイートできなくするというものだ。マスクはこれを承認。提案もひとつ加えた。あまり知られていないのだが、ツイッターには、以前から「バードウォッチ」という機能がある。まちがいだと気づいたら、訂正なり文脈の補足なりをユーザーができるものだ。これが機能すれば「人類全体が話し合って真偽を決めていく」ができて検閲をなくせる、だからすばらしい、ただし名前はよくないのでコミュニティノートに改称するという。

広告はすでに1週間減り続けていたが、11月4日の金曜日、そのペースが上がる。オンライン活動家が先導する形で、オレオクッキーの広告を引き上げるべきだなどボイコットを呼びかける活動が起きたのも原因のひとつである。

マスクは、そんな圧力に屈するのは許さないといきり立った。

「これが続くなら、名指し糾弾の水素爆弾だね」

その夜、マスクは悪魔モードに入った。ロスらツイッターの人々も気まぐれモードや無神経モードは経験していたが、なにかに憑かれたかのような漆黒のペルソナが発する冷たい怒りにさらされたことはまだないし、その嵐をどう乗り切ればいいのかも学んでいない。そんなロスに、マスクは、広告引き上げの呼びかけをやめさせろと申しつけた。錦の御旗として掲げる言論の自由に逆行することなのだが、これは倫理的に正しい怒りであり、矛盾など横に置いてしまってかまわないと思ったらしい。

「ツイッターはいいものだ。存在そのものが倫理的に正しいんだ。彼らは倫理にもとる行為をしている」

ツイッターから広告を引き上げるべしと広告主に圧力をかけるのは恐喝である、だからそんなアカウントは凍結しろ——そうロスに命じたのだ。

ロスは耳を疑った。ボイコットの呼びかけを禁じる規則はツイッターにないし、実際、よくおこなわれている。どころか、そういうことができるからツイッターに意義があるとさえロスは感じていた。加えて、ストライサンド効果がある。歌手、バーブラ・ストライサンドが自宅写真の公開を差し止める裁判を起こした結果、世間の注目がすさまじく増えたことが語源の表現だ。広告引き上げを呼びかけるツイートを消せば、ボイコットに注目を集めかねないわけだ。

「今晩こそ、辞めなければならないかもしれない」——ロスは夫にこう漏らしたという。

何回かメッセージでやりとりしたあと、マスクはロスを電話に呼び出した。

「おかしいだろう。恐喝だぞ、これ」

「規則には違反していません。削除は逆効果になります」

15分ほど、ハラハラドキドキの押し問答が続いた。ロスの指摘を受けたあと、マスクは早口になった。口答えするなと言わんばかりだ。音量は変わらない。それほど怒りが深いのだ。独裁者の側面にロスはぴりぴりしていた。

「わかった。いまここで、ツイッターのポリシーを変える。今後、恐喝は禁ずる。やめさせろ。全部だ」

　マスクが宣言した。

「どうすればいいか、少し考えさせてください」

　ロスとしては、とにかく時間を稼ぎたかった──「まずはこの電話を切らないとどうにもならないと思いました」

　ロスはロビン・ウィーラーに相談した。いったん辞任したがマスクとジャレッド・バーチャルに呼び戻された広告営業のトップだ。

「これがどういう事態か、あなたならおわかりですよね？　止めようとすれば、もっと盛んになるだけです」

「そうね。とりあえず、なにもしないこと。イーロンには私からメッセージを流しておきます。ほかの人々からも話が行くようにしましょう」

　次にマスクから問い合わせが来たのは、ブラジルの選挙についてだった。

「いきなり、マスクが尋ねて私が答えるというふつうのやりとりに戻ってしまいました」

悪魔モードが終わったのだ。心のスイッチが切り替わったので、広告の件に触れることもなければ命令をフォローアップすることもなくなったわけだ。

ヘンリー・キッシンジャーによると、ウォーターゲートスキャンダルが起きたのは「どこかのあほうが大統領執務室に入り、ニクソンに言われたことをした」からだと語った側近がいるらしい。マスクの側近は、みな、悪魔モードを乗り切る術（すべ）を身につけている。このときの経験をのちにロスが語ったとき、バーチャルがどう反応したのかを紹介しよう。

「うんうんうん。イーロンあるあるだね。言われたことをせず、無視しておけばいい。そして、あちこちから言われたことをイーロンがしっかり消化しおえたころ、もう一回、話をすればいいんだ」

青いチェックマーク

ツイッター運営の肝だとマスクが考えていることのひとつが、サブスクリプションだ。名前はツイッターブルー。それまでも、認証手続きを踏み（あるいはコネにより）著名で信頼に値するとツイッターに認めてもらえれば、青いチェックマークが付く制度があって、セレブや政府系の要人といったアカウントに適用されていた。当初マスクは、月額料金を払っていることを示す認証バッジをもうひとつ作ろうと考えたのだが、著名人と有料ユーザーでマークを変えるのはエリート主義だとジェイソン・カラカニスらに言われ、最終的には、同じ青いチェックマークを付けることになった。

ツイッターブルーは一石何鳥にもなる妙手だ。まず、トロールファームやボットアーミーを減らせる。ひとつのクレジットカードと電話ではひとつのアカウントしか認証を受けられないからだ。新しい収入源にもなる。ユーザーのクレジットカード情報が手に入るので、将来、金融サービスや決済のプラットフォームにするというマスクの夢に一歩近づくことができる。そして、ヘイトスピーチや詐欺の問題も緩和できる。

マスクが決めた期限は11月7日月曜日で、システムそのものの準備はまにあわせることができた。だが人間側の問題も考えなければならない。新しい認証システムをなんとか食い物にしよう、青いチェックマークを取ったらプロフィールを書き換えてどこぞのだれかになりすまそうと、いたずら小僧やペテン師、アジテーターが山のように狙っているはずだ。この危険についてロスが報告してきた文書は7ページもあった。少なくとも、11月8日の中間選挙が終わるまで、新機能の導入は遅らせたほうがいい――それがロスの結論だった。

この進言を取り入れ、マスクも、二日の延期を認めた。11月7日のお昼ごろ、製品マネージャーのエスター・クロフォードら技術者20人ほどを集めると、ツイッターブルーを悪用から守るようにと念押しした。

「大規模なアタックを受けるだろう。悪人連中がよってたかって防御力を試そうとするはずだ。私をはじめ関係者になりすまし、我々を滅ぼしたいと手ぐすね引いている報道機関にあることないこと吹き込もうとするだろう。これは青いチェックマークをめぐる第三次世界大戦だ。こてんぱんにやられて大恥をかかないようにあらゆる手を打て」

ひとりの技術者がいい機会なのでと別な問題を取りあげようとすると、マスクはそれを制した。

「ほかのことなど考えるな。いまなすべきはひとつ、もうすぐ起きる大規模ななりすまし攻撃を止めることだ」

問題は、コードに加えて人手が必要となる点だ。社員は半数をレイオフしたし、ユーザーに対応する業者も8割方切ってしまっていた。予算削減を手伝っていたアントニオ・グラシアスがモデレーターの支出を劇的に減らせと指示したからだ。

11月9日水曜の朝、ツイッターブルーのロールアウトが始まると、マスクやロスが恐れていたとおり、なりすましが猛威を振るった。有名な政治家などになりすました偽アカウントなのに青いチェックがついているケースが頻発。大手広告主のなりすましは最悪だ。たとえば医薬品メーカー、イーライリリーを称するアカウントが「今後はインスリンを無償で提供する」とツイートし、株価が1時間で4％以上も急落している。コカ・コーラ社のなりすましで「リツイートが1000件を超えたら、コカ・コーラに、また、コカインを入れます」というものもあった（リツイートは1000件を超えたが、コカイン添加はなかった）。任天堂のなりすましアカウントからは、中指を立てたマリオが投稿された。テスラも被害に遭っている。

「当社の車はスクールゾーンの速度制限など守りません。ガキどもなんぞクソ食らえ」

青いチェックのついたテスラを名乗るアカウントからの投稿である。別のなりすましアカウントから「ニュースです。2台目のテスラが世界貿易センタービルに突っ込みました」というのもあった。

マスクは何時間か、規則を追加したりなりすまし連中を脅したりとがんばったが、翌日には方針を変え、ツイッターブルーの本格導入は何週間か延期とした。

職場に戻れ

ツイッターブルーがヒンデンブルク飛行船並みの大炎上となったことを受け、マスクは危機対応モードに入った。危機に直面するとマスクは力がみなぎったりするのだ。生き生きと幸せになると言ってもいい。だがこのときは違った。水曜日から木曜日にかけて暗く沈み、怒りと恨みに鬱々（うつうつ）としていた。

ツイッターが財務面で苦しくなっていたことも一因だ。買収提案をした4月には負債が実質ゼロのいわゆるキャッシュニュートラルだった。それが最近は、広告の売上が落ちている上に、負債が120億ドル以上に膨れて利子負担が大きくなっている。

「これほど悲惨な財務状況はちょっと経験がありません」とマスクは言う。「来年には20億ドル以上もキャッシュが不足するおそれがあります」

このツイッターを支えるため、マスクは、テスラ株式を40億ドルも売っている。

水曜夜、社内に電子メールを流した。

「かっこつけてもしかたない。正直な話、このままではお先まっくらだ」

テスラやスペースX、さらにはニューラリンクでもしてきたことなのだが、状況を改善できなければ事業は継続できない、破産申請もありうると脅す。人に優しく、ゆるやかで家族的な文化を根本的に変えなければ成功はおぼつかないというのだ。

「道は険しく、猛烈に仕事をしなければ進めない」

その突破口として、コロナ禍を受けてジャック・ドーシーが決め、2022年にパラグ・アグラワルが受けついだフルリモートワークの制度を廃止する。

「今後、リモートワークは認めない。明日から、週に40時間以上の出社を命じる」

肩を並べて働く方がアイデアもエネルギーも循環すると信じていることも、この背景にある。だから、9階のカフェで急遽開かれた社員集会でも、一箇所に集まったほうがコミュニケーションがよくなり、生産性が大きく上がるのだと説明している。

だが、彼個人の労働観による面も大きい。自分たちはほかのどこかにいる人を相手にしているわけで、であれば、出社は特に必要ないのではないかとの指摘に、マスクは冷たい怒りを燃やした。言葉はゆっくりだ。

「はっきりさせておく。社に戻れるのに戻らない人間は会社にとどまれない。そういう話だ。出社できるのにしないなら、辞表を出せ。そういう話だ」

アップル問題

ツイッターブルーには、なりすましのほかにもうひとつ、大問題があることにヨエル・ロスが気づいた。アップルだ。iPhoneのツイッターアプリから契約してもらえば、ひとり8ドルの会費と、名前やクレジットカード番号などのユーザーデータが手に入るとマスクは考えていた。

「問題は、この情報を開示してくれるか否か、アップルに確認しようと考えた人間がいなかったことです」とロスは言う。

アプリに関するアップルのポリシーははっきりしている。アプリそのものの購入やアプリ内課金については、30％を徴収する。加えて、ユーザーデータは開示しない。ごまかそうとすればアプリストアから放り出す。プライバシーと安全性の確保が理由だ。iPhoneからの購入は、個人情報もクレジットカード情報もすべてアップルから外には出しませんというわけだ。

「これは大問題です」と、ロスは電話でイーロンに報告した。「iPhoneについては大前提からしてなりたちません」

マスクはいらついた。アップルのポリシーは理解した。だがツイッターならどうにかできるだろう。

「アップルに連絡はしたのか？　必要なデータをくれと電話すればいいだろう」

ロスはあっけに取られた。自分みたいなふつうの社員が情報プライバシーのポリシーを変えてくれと頼んだら、おととい来いと言われるのが落ちだ。

だがマスクは、どうにかなるはずだと承知しない。

「オレが電話しなきゃいけないならするよ？　必要ならティム・クックに連絡するよ」

ヨエル・ロスの辞職

限界だ。ツイッターブルーのビジネスモデルは、アップルの制約で立ちゆかないおそれがある。マスクが人間のモデレーターをごっそりクビにしてしまったので、青いチェックをまとったなりすましにすぐ対処することは不可能だ。なのに、追加でレイオフする候補者のリストを出せと言ってくる。強圧的で有無を言わせぬことがときどきあって神経にさわる。

ここまではがんばろうと思っていた11月8日の中間選挙も平和に終えることができた。潮時だ。そう思ったロスは、9階カフェの社員集会には顔を出さず、10階の自席で辞表をしたためた。

電話会議で部下の一部に事情を説明すると、送信ボタンをクリックし、すぐ退出した。警備にエスコートされるのは避けたかったからだ。ロスの辞職を知らされたマスクは、ひどくがっかりしていた。

「そうか……一緒にがんばってくれると思っていたんだけどな」

バークレーに向けてベイブリッジを渡っていると、電話がなんども振動した。辞職が社内に知れたのだろう。

「運転していたので電話に出ませんでした。運転、あまり得意じゃないもので」

自宅に着いてから確認すると、「話せないか?」とヨニ・ラモーンからメッセージが届いていた。アレックス・スパイロとジャレッド・バーチャルからもだ。

バーチャルに電話する。残念だ、考え直してもらえないかとマスクも言っているという。

「なにか、こうすれば戻ってくれるとか、ないかな?」

そんなこんなで30分ほども電話は続いた。バーチャルは、悪魔モードの乗り切り方を詳しくアドバイスしてくる。だがロスは、もう決めたことで考えを改める気はない、ただ、円満退職の証しとして最後にマスクと話はしてもいいと回答した。遅いお昼を取ったあと、最後に話しておくべきことをまとめてから、5時30分、「お話する準備が整いました」とマスクにメッセージを送る。

すぐに電話が来た。話は、基本的に、ロスが喫緊の課題だと思うものを語る形だった。最後に、マスクがずばり尋ねる。

「戻ってはもらえないかな？」

「すみません、それは私にとって適切な決断にならないと思います」

ロスのマスクに対する思いは複雑だ。まず、関係は基本的によかった。

「合理的だしおもしろいし、魅力的なんですよね。そしてビジョンを語る。ちょっとほらっぽかったりしますが、基本的に、すごく引き込まれる形で」

だが、ときに、高圧的で意地の悪いダークなマスクが顔を出す。

「悪のイーロンです。あのイーロンには耐えられません」

「彼を嫌っていると言わせたい人が多いようですが、そんな単純な話じゃありません。だから彼は魅力的なんじゃないでしょうか。ちょっと夢想家っぽいところがありますよね？　複数惑星にまたがる人類とか再生可能エネルギーとか、それこそ言論の自由とか、グランドビジョンを掲げ、そういう大目標を実現するための精神的・倫理的な世界を身のうちに構築しているわけです。だから、彼を悪党呼ばわりするのは違うと私は思ってしまいます」

退職手当の類いは求めていない。

「なんだあいつはと後ろ指をさされ、どこにも雇ってもらえなくなる前に身を引ければそれでよかったんです」——そう言う表情は少し悲しげだ。安全も気になったポイントだという。昔書いた民主党支持のツイートやトランプ批判のツイートがニューヨーク・ポスト紙などに取りあげられたことで、反ユダヤや反ゲイの人々から殺害予告が送られてくるようになっていた。

「イーロンとけんか別れし、リベラル野郎とかなんとかあしざまなツイートをされたりしたら、

1億人のフォロワーに私も家族も狙われかねません。そのなかには暴力的な人もいるでしょう」

このあたりについて語るロスはとても悲しそうだった。最後はこう結ばれた。

「イーロンにはわからないんですよ。彼と違って我々は警備の人間がついていないっていうことが」

絶望

ロスの退職とツイッターブルーの大騒ぎで大変な一日の終わり、夜遅くなってから、マスクは、フランツ・フォン・ホルツハウゼンらロボタクシーの設計チームと電話会議を開いた。最新のデザインを見せてもらう前に、マスクは、ツイッターのいらいらを吐き出した。

「どうしてこんなこと、しちゃったのかなぁ」——心身ともに疲れ切っているようだ。「ツイッターは買わなきゃいかん、買わないなら……って裁判官に言われたわけだけど、ああ～、もう、くっそ～」

ツイッターの買収からちょうど2週間。その間、マスクはツイッター本社に詰め、寸暇を惜しんで仕事をしてきた。テスラ、スペースX、ニューラリンクの仕事もしつつ、だ。その結果、世間の評判はさんざんだし、ツイッターは波乱の楽しみより痛みが勝ってしまった。

「ツイッター地獄からどこかで抜け出したいよ」と、ロサンゼルスに戻ってロボタクシー会議に直接顔を出したいという話も出た。

フォン・ホルツハウゼンが未来的なロボタクシーのデザインという本来の議題に話を戻そうと

するが、マスクはツイッターから離れない。

「ツイッターの文化はどんだけだよと思うかもしれないが、その10倍はひどいからな。のらりくらりに既得権で頭がおかしくなりそうだ」

　このあとさらに、インドネシアで開かれているビジネスサミットにリモートで出席。次なるイーロン・マスクになりたいと思う人にアドバイスを一言とモデレーターに振られたマスクは、肩をすくめた。

「なにを望むのかに注意したほうがいいと思いますね。本当に私のようになりたい人がどれほどいるのでしょうか。私は異次元の拷問を自分に科していますから」

第 87 章

オールイン

ツイッター（2022年11月10〜18日）

上：ハッカソンのあと、マスクや技術者を入れてセルフィーを撮るクリストファー・スタンリー（右端）
下：ロス・ノルディンとジェームズ・マスク

入居

ツイッターを救う霊薬のつもりでマスクが企画したツイッターブルーは導入が先送りとなり、広告営業の落ち込みは改善の兆しがない。そんななか、またも、人員削減が計画されていた。残る者は、テスラやスペースXの技術者と同じように死ぬ気で働かなければならない。

「並外れて優れていてやる気もすごくある人がごく少人数のほうが、かなり優れていてやる気はそこそこの人がたくさんよりいい仕事ができると、私は信じていますから」――買収直後のつらい2週間が終わるころ、マスクは私にこう語っている。

ツイッターサバイバーに本気で仕事をしてもらいたければ、マスク自身がどれほど本気なのかを示す必要がある。1995年にはZip2事務所の床で寝た。2017年にはテスラがネバダ州に作ったバッテリー工場の屋上で寝た。2018年にはフリーモント組立工場の机の下で寝た。どうしてもそこで寝なければならなかったわけではない。波乱が大好きだから、緊急事態の雰囲気が大好きで、部下を戦いに駆りたてる将軍になるのが大好きだからそうしたのだ。こんどはツイッター本社で寝る番だ。

週末を過ごしたオースティンから11月13日日曜の夜遅くに戻ると、マスクは、ツイッター本社に直行し、7階図書室のカウチを接収した。なんでもどうにかしてくれるスティーブ・デイビスもコスト削減の監督に来てくれていた。彼は妻のニコール・ホランダーと2カ月の赤ん坊と一緒に近くの会議室を使う。ツイッター本社はシャワーにキッチン、ゲームルームまで至れり尽くせりで、マスクらは、ぜいたくな暮らしができそうだと笑い合っていた。

第2ラウンド

日曜夜、サンフランシスコに向かう途中で、マスクはいとこのジェームズに連絡し、弟のアンドリューとツイッター本社に来い、そこで会おうと告げた。その日はアンドリューの誕生日で友だちと外食をしていたのだが、ふたりとも飛んできた。

「ツイッターの社員には口さがないことをあれこれ書かれていて、我々みたいに信頼できる人間が必要なんだとイーロンに言われていますから」とジェームズは言う。

3番目の銃士、ロス・ノルディンもいた。コードを確認して優秀な技術者と無能な技術者を振り分ける作業を週末ずっと事務所でしていたのだ。2週間、クラッカーくらいしか食べられていないので、もともとやせぎすのロスは骨と皮みたいになっていた。日曜日、5階のゲームルームで仮眠して、月曜朝、起き抜けに人員削減の第2ラウンドをマスクが進めていると聞いた瞬間、胃がきゅ～っと痛んだ。

「また8割もクビにするなんて、もう、とにかく気持ち悪くて」

そのままトイレで吐いたという。

「起きたと思ったらゲロゲロですよ。あんなの初めてです」

自分のアパートまで歩いて戻ると、シャワーを浴びてこれからどうしようかと考えた。

「会社から出たら、ここにはいたくないって思ってしまいました」

でもお昼には、仲間を見捨てるわけにはいかないと思いなおし、会社に戻ってきた。

「ジェームズにつらい思いはさせたくなくて」

彼ら銃士隊を中心にダウェル・ショフなど若い忠臣が、10階に作戦本部「ホットボックス」を設置した。マスクが使っている大会議室にほど近い、窓なしで息苦しさを感じる会議室だ。彼らを「愚連隊」と呼んで反発する社員が多かったが、なかにはベン・サン・スーシのように新たな戦闘序列に加わろうとするものもいた。彼らは銃士隊と肩を並べ、10階のオープンスペースに陣取った。

午後、マスクが銃士隊を訪れた。

「現状はとにかくぼろくそだ。優秀な技術者など、300人もいないだろう」

ぜい肉はそぎ落として筋肉だけにするんだ。そのためには、もう8割近くをクビにしなければならない。

押し返す意見もあった。もうすぐワールドカップもあれば感謝祭もある。クリスマスに向けたショッピングのシーズンにも入る。

「この時期におかしくなったら目も当てられません」とヨニ・ラモーンが言えば、ジェームズも「やばいことになりそうな気がします」と賛同する。マスクは、人員整理がどうしても必要だと気色ばんだ。

残すのは、三つの条件を満たす技術者だけ。優秀であること、信頼が置けること、やる気に満ちていること、だ。前週の第1ラウンドは、優秀でない雑草を抜くものだった。第2ラウンドでは、信頼が置けない者を洗い出してクビにする。はっきり言えば、マスクに心からの忠誠を誓っていない者を追い出すわけだ。

ソフトウェアスタックに対して高いアクセス権限を持つ者を中心に、スラックのメッセージやソーシャルメディアの投稿をチェックしていく。

「不満を抱いていそうな者やなにかしでかすかもしれない者を洗い出せと言われました」とダウエルは言う。「イーロン」などのキーワードで公開のスラックチャンネルを検索するわけだ。マスクもホットボックスにとどまり、銃士隊がみつけたあれこれについて冗談を飛ばしていた。

おもしろいものに行き当たることもあった。トレンドにピックアップしない言葉のリストをみつけ、「うんこバーガー（turdburger）」にマスクが文字どおり笑い転げて呼吸困難になる一幕もあった。逆に、仕返ししてやるなど、マスクの神経を逆なでするものもあった。ジェームズによると、データセンター全体をシャットダウンするコマンドに「だれか、これを走らせてくれないかなぁ」と添えて投稿していた人物もいたという。もちろん、すぐさまアクセス権を止め、クビにした。

確認したのは、基本的に、スラックの公開されている部分だが、それでも、ロスは、朝方の吐き気が戻ってくるような気がした。

「プライバシーや言論の自由を侵害している気がしたんですよ」とロスはのちに語っている。「買収前のツイッターはボスの悪口が言える文化だったわけですし」

ジェームズと同じくプライバシーに気を遣うアンドリューも、私的なメッセージはチェックしなかったと言っている。

「社内に意見の相違をどこまで認めるのか、そのバランスが大事だと思うんです」

マスクは、そういう配慮は不要だと考えている。足かせのない言論の自由など、職場にはないというのだ。だから、怨嗟(えんさ)のコメントを書いた社員は全員追い出せと命じた。ネガティブなヤツを職場から消すのだ。真夜中過ぎ、40件近い反抗的なコメントの洗い出しが終わった。

「書いた本人にこれはなんだとただしますか?」

ジェームズの問いにマスクは不要だと回答。いいからクビを切れ。そして、全員がクビになった。

イエスかノーか

優秀であることと信頼が置けることに続き、もうひとつ、選別のポイントとしてマスクが挙げたのが、やる気に満ちていることだ。マスクはずっと本気で生き、オールインをくり返してきた。彼にとっては名誉勲章なのだ。逆に、のんびり休暇を楽しむなど、成功した人間のすることではないと軽蔑していた。

やる気の有無をどう判定すればいいのか——火曜日、ジェームズとロスは悩んでいた。そんなとき、スラックの投稿が目に飛び込んできた。

「退職金がもらえるなら辞めるのになぁ」

そうか、残るかどうか、自分で決めてもらえばいいんだ。夜遅くや週末も喜んで働くよという人もいるだろう。だがそれはちょっとと思う人も当然にいるはずだし、そう言うのも別に恥ずかしいことではない。自分がどちらのタイプなのか、人は、胸を張ってはっきり宣言するものだ。というわけで、ふたりは、新しい本気ツイッターから抜ける、いわゆるオプトアウトのチャンスを社員に与えることをマスクに進言した。気に入ってもらえたので、ボタンひとつのシンプルなフォームをロスが作成。給与3カ月分の退職金をもらって円満退職したい社員はこれをクリックすればいい。

「いや、ほっとしました」とジェームズは言う。「大量解雇をもう1回なんて、たまったもんじゃありません」

その2時間ほどあと、別の会議を終えたマスクがにこにこしながらホットボックスに現れた。

「いいこと、思いついたよ。逆をやろう。オプトアウトはやめてオプトインにするんだ。シャクルトン型だ。自分は本気だと宣言するやつにだけ残ってもらう」

「低賃金。危険満載。無事帰還の保証なし。成功すれば称賛と名誉」とうたって南極探検の人員を募集したアーネスト・シャクルトンと同じようにしようというのだ。

このあとマスクは、テスラの報酬パッケージに対する株主訴訟で証言するためデラウェア州に飛んだ。そして、東部標準時の午前4時少し前、機内からオプトインのリンクを試して新生ツイッターの新しい働き方にイエスと言う最初の人物になったあと、社員全員にメールを発信した。

From: イーロン・マスク
Subj: 分岐点
Date: 2022年11月16日
今後、ブレークスルーでツイッター2・0を作り、競争が激化していく世界で成功するため、我々は超本気にならなければならない。つまり、長時間、集中して働かなければならない。

……

この新生ツイッターに加わろうと思う諸君は、下記リンクの「イエス」をクリックしてくれ。明日（木曜日）の東部標準時午後5時までにクリックしなかった者には給与3カ月分の退職金を支給する。

ジェームズとロスは、結果が心配で、水曜夜、ずっと起きて経過を見ていた。約3600人のうち、何人がイエスと答えるのか。ふたりは賭けをした。ジェームズは2000人、ロスは2150人だ。マスクも乗るというが、予想は1800人と少ない。結果は、2492人だった。実に69％がイエスと答えたのだ。マスクのアシスタント、ジェーン・バラジャディアが用意してくれたウオッカ入りレッドブルで乾杯である。

コードレビュー

木曜夜、ちょっと気になるメッセージがツイッター社員に配信された――翌日の11月18日金曜日は事務所を閉鎖する、社員バッジによる入館も月曜日まで停止する。レイオフされた社員や退職を選んだ社員による破壊活動を心配しての布告である。であるのに、マスクはこれを無視。仕事が一段落した金曜の午前1時、布告と相反するメッセージを流す。
「実際にソフトウェアを書いている社員は、本日午後2時に本社10階まで来ていただきたい」
さらに、その少しあと、「コードレビューをして歩くので、そのつもりで準備をしてきていただきたい」と補足のメッセージも流す。

みんな困ってしまった。ボストン在住の技術者も、どうすべきか悩みに悩んだひとりだ。重要データのキャッシングを担当するチームは自分だけになってしまっている。その自分が飛行機に乗っているあいだにシステムがクラッシュしたら、機内からでは直せないかもしれない。でも行かなければクビになるかもしれない。最後は意を決してサンフランシスコに飛んだ。

午後2時、300人近くが本社に集まった。スーツケース姿もいる。出張扱いで費用が会社持ちになるかどうかもわからないのに、だ。だがマスクは午後中、会議、会議で姿を現さない。食べるものもなく、午後6時にもなると、みな、いらつくしお腹も空いてしまった。だから、アンドリューとセキュリティエンジニアリングのトップ、クリストファー・スタンリーでピザを買ってくることにした。

「一触即発って雰囲気になってましたからね。でも、イーロンは、わざと待たせてたんだと思うんですよ。ともかく、ピザでだいぶ落ちつきました」

マスクは夜8時にようやく姿を現すと、彼の言う「デスク巡り」を始めた。若手技術者の横に立ち、そのコードを確認して歩くのだ。提案はプロセスをシンプルにするものが多かった。彼の提案はどうだったかと後に尋ねたところ、いいものもあったが浅いものが少なくなかったそうだ。ホワイトボードにみんなを集め、ツイッターシステムのアーキテクチャーを描いて検討したりもした。検索がへぼいのはなぜだ、ユーザーの興味関心とまるで関係のない広告が表示されてしまうのはなぜだなど、マスクから技術者に質問が飛ぶ。彼がXをすくい上げて帰っていったのは、午前1時をゆうにまわってからだった。

第 88 章

本気

ツイッター（2022年11月18〜30日）

ジェームズ・マスクとベン・サン・スーシ

復活

「キャシー・グリフィン、ジョーダン・ピーターソン、バビロン・ビーは復活とした。トランプについてどうするかはまだ未定だ」――11月18日金曜の午後、マスクはこうツイートした。

ヨエル・ロスら守人が去ったこともあり、マスクは、独断で、ビーとピーターソンに加え、マスクのなりすましアカウントを作ってパロディを投稿した革新系コメディアンのキャシー・グリフィンもアカウントを復活することにした。

同時に、ロスと作った「可視性フィルタリング」ポリシーも発表した。

「今後、言論の自由（フリーダム・オブ・スピーチ）は保障するが、リーチの自由（フリーダム・オブ・リーチ）は保障しない。ネガティブ／ヘイトのツイートは拡散も収益化も最大限抑え、そこから広告などの収益を上げることはしない。そういうツイートは、自分から探しにいかなければみつけられない」

アレックス・ジョーンズは凍結のままとした。２０１２年にサンディフック小学校であった銃の乱射事件は「壮大なでっちあげだ」と吹聴した陰謀論者である。

「最初の子どもは私の腕の中で息を引き取った。彼の心臓が止まるのをこの身で感じた。目的が政治であれ名声であれ、子どもの死を利用してなにかを得ようとする人には容赦しない」

カニエ・ウェスト改めイェは、このころも、言論の自由がいかに複雑であるのかをマスクに教えるような言動をくり返していた。アレックス・ジョーンズのポッドキャストに登場し「ヒトラーが大好きなんです」と語ったのだ。続けて、水着姿のマスクがアリ・エマニュエルにホースで水をかけられている写真をツイッターに投稿。ユダヤ人が世の中を支配している、ユダヤ人を排斥しろと言いたいのだろう。「これがオレの最後のツイートになるだろう。覚えていてくれよ」という言葉が添えられていた。イェは、ユダヤの象徴であるダビデの星の中にハーケンクロイツを描いたものも投稿した。

マスクはアカウント凍結で応じた――「できるだけのことはした。だが、イェは、またも暴力の煽動を禁じたツイッターのルールに違反した。アカウントを凍結する」

ドナルド・トランプのアカウント復活も大きな問題だった。

この数週間前、マスクは私に「トランプ関連のでたらめな議論は避けたいんですよね」と語っている。基本方針は「適法であるものにのみ言論の自由を保障する」であり、「犯罪行為に手を染めているのであれば――実際のところ、そうなのではないかと思われることが最近増えているわけで――それはよくありません。民主主義の転覆は言論の自由に含まれません」

だが、技術者を集めてコードレビューをした11月18日の金曜日、マスクはいらいらが高じ、そのあたりはどうでもいい気分になっていた。この日のツイッターは、サッカーワールドカップの動画で負荷が急増する中、急に１０００人以上も減ってしまった技術者でなんとかシステムを支えようとジェームズら銃士隊が目を血走らせて奔走しているところだった。これ以上、なにごともなくすぎてくれ――それがみんなの願いだったのだ。そこに、ガラス張りの会議室から打ち合わせを終えたマスクが広告営業のトップ、ロビン・ウィーラーと出てくると、いたずらっ子の笑顔を浮かべ、ジェームズとロスにｉＰｈｏｎｅを差し出した。

「たったいま、コレをツイートしたんだ」

アンケートだった。「トランプ大統領のアカウントは復活すべきか。イエス／ノー」である。トランプのアカウント凍結を解除するのが適切なのか、その判断をだれでも答えられるオンラインアンケートに任せるのが適切なのかという問題もさることながら、これは、エンジニアリング面でも大きな問題をはらむツイートだ。何百万件もの回答をすぐさま集計し、ユーザーのフィードにリアルタイムで表示したら、人員不足にあえぐサーバーがメルトダウンを起こしかねない。だがマスクはリスクを求める男だ。車に乗れば、どれほど走るのか、アクセルをめいっぱい踏んだらどうなるのかを知りたがる。どれほど太陽に近く飛べるのかを試したがる。ジェームズとロスは「あそこが縮みあがった」と言うが、マスクははしゃぎまくっていた。

翌日のアンケート終了までに集まった回答は１５００万票を超えた。結果は51・8％対48・2％の僅差で、復活が支持された。

これを受け、マスクは次のようにツイートした。

「民は語れり。トランプは復活とする。民の声は神の声」

この直後、こういう結果になると予想していたのかと問うと、ノーと返ってきた。重ねて、結果が逆だったら、トランプは凍結のままにしたかと問うと、イエスと返ってきた。

「私は、別にトランプのファンじゃありませんので。なにかと騒動ばかり起こしますし。たわごと選手権の世界チャンピオンですからね」

広告営業のトップ、ロビン・ウィーラーは、この金曜午後、退職するつもりだとマスクに伝えた。1週間前、ヨエル・ロスが退職したころに同じことを申し出て、そのときはマスクとジャレッド・バーチャルに慰留されてとどまったばかりである。

ロスやジェームズも含め、ほとんどの人は、マスクがアカウントをいくつか独断で復活させたことやトランプのアカウント復活をアンケートにかけたことなどが退職の理由だろうと考えた。だが実のところウィーラーが気にしていたのは、人員整理をもう1回するとマスクが心にかたく決めていて、レイオフ候補者のリストを作れと求められていたことだ。ほんの何日か前、彼女は、「イエス」をクリックして厳しい新生ツイッターにオプトインすべきだと営業部隊を鼓舞したばかりだ。この呼びかけに賛同してくれた部下の一部に、こんどは、あなたはクビですと言わなければならないわけだ。

人員整理の目標も、マスクの気分で変わる。ソフトウェアを書く人数を50人まで絞りたいと銃士隊に語ったかと思えば、その舌の根も乾かないうちに「本当に優秀な技術者をリストアップし、それ以外は刈り取れ」と、人数そのものは気にしなくていいと言ったりしている。

この洗い出しがやりやすいようにと、マスクは、ソフトウェア技術者全員に最近書いたコードを提出させた。これを週末、マスクのメールボックスからロスが自分のところに移し、それをジェームズやダウェルとともに評価していく。

「500通もあるんですよ」と日曜夜、ロスは疲れた顔で言った。「なんとかして今晩中に全部確認し、だれを残すのか、決めなければなりません」

なぜ、マスクはこんなことをするのだろうか。

「本当に優秀なゼネラリストタイプの技術者がごく少数、チームとして働いたほうが、並の技術者がその100倍いるよりいい仕事ができると信じているのです」とロスは言う。「海兵隊の小部隊が緊密に作戦を展開すればすばらしい成果が挙げられるという感じで。バンドエイドなど引きはがしたいという思いもあるのではないでしょうか。長引かせたくないんです」

ロス、ジェームズ、アンドリューの3人は、月曜朝にマスクのところへ行き、こういう基準で提出されたコードを評価したと報告した。マスクは彼らの評価結果を承認し、アレックス・スパイロと階段でカフェへ降りていく。緊急社員集会を招集してあるのだ。その道すがら、今後もレイオフがあるのかと尋ねられたらどう答えるべきかと問う。そのときは話をそらしてくださいとスパイロに言われるが、マスクは「追加レイオフはない」と話すつもりだという。第3ラウンドは、仕事の質に問題があると思われる社員の解雇でいわゆる普通解雇にあたる、レイオフの整理解雇とは違うというのだ(レイオフは退職金が出たりするが普通解雇は出ない)。ふつうは気にしない違いをしっかり区別するというのだ。

「このあとまた人員整理をすることはない」

集会を始めるにあたり、マスクはこう宣言し、拍手喝采を浴びた。

集会が終わると、ロスとジェームズが優秀だと選んだ若手コーダー10人あまりと面談だ。エンジニアリングの話になると、マスクは肩の力が抜ける。動画のアップロードを簡単にする方法などを検討していく。将来的には、デザイナーや製品マネージャーではなく、彼らのような技術者にツイッターを率いてもらうつもりだという話もしていた。軌道の微妙な修正だ。ツイッターは、人間関係や欲望について詳しい人々が率いるメディアと消費者製品の会社ではなく、基本的に、コーディングの感覚を持つ人々が率いるエンジニアリングの会社にすべきだとマスクは考えているわけだ。

どうしてそれほどに要求が厳しいのか

最終ラウンドの解雇通知は、感謝祭の前日に出された。

「前略。先日のコードレビューにより、あなたのコードは十全ではないとの判定になりました。よって、まことに遺憾ながら、当社との雇用契約は、いまこの瞬間をもって終了とします」

このラウンドでは、技術者50人が解雇された。もちろん、パスワードやアクセス権限も即時ストップだ。

3ラウンドに渡るレイオフ・解雇は広範囲にわたるもので、いったい何人の首が切られたのか、すぐにはよくわからなかった。事態が落ちついたところで確認すると、社員の約75％がいなくなっていた。マスクが買収した10月27日、８０００人弱だった社員数は、12月半ばには２０００人強になっていた。

企業文化も前代未聞の激変だ。職人が心をこめて作った食事の無償提供にヨガスタジオ、有給休暇、さらには「心の安全」への配慮などトップクラスに家族的だった文化が反対の極まで一気に振れたのだ。そこまでしたのは、コストだけが理由ではない。猛烈な戦士が安らぎではなく危険を感じる環境、エンジン全開で攻撃的な環境をマスクが好むからだ。

その結果いろいろと壊してしまうこともあるし、ツイッターは壊してしまうほうなのではないかとも見えた。#twitterdeathwatchというハッシュタグがトレンドの上位に登場。テクノロジーやメディアに詳しい人々は、ツイッターはいつ消えてもおかしくないと考え、次々とさようならのメッセージを流す。マスク本人も、崩壊するかもねと笑い、火のついたゴミ収集車が走っていくGIFを見せてくれた。

「目が覚めたとき、まだ動いているかなと、まずツイッターを確認してみることがあるんですよ」

だが、いつ確認してもツイッターは動いていた。ワールドカップの記録的なトラフィックも乗り切った。それどころか、ごく少数だけ残った技術者は意気衝天の強者（つわもの）ぞろいで、それまでとは比べものにならない勢いで次々と新機能や工夫を追加していた。

ゾーイ・シファー、ケイシー・ニュートン、アレックス・ヒースがザ・バージとニューヨーク誌のコラボ企画として書いた記事を読むと、ツイッター騒動の内実がいかにすさまじいものであったのかがよくわかる。マスクは「世界最高クラスの影響力を持つソーシャルネットワークにツイッターを育てた企業文化」を徹底的に壊した。だが、ツイッター関係者の多くが予想した悲惨な未来は現実になっていない。「ある意味、マスクの汚名はすすがれたと言えよう。社員の大半がいなくなったにも関わらず、ツイッターは、若干不安定になっただけで生きのびているし、機能も基本的には生きている。ぶよぶよの会社を適正サイズにスリム化するとマスクは約束し、いま、ツイッターは、実際、最低限の人数で動いているわけだ」

横で見ていて楽しい光景ばかりではない。マスクのやり方というのは、ファルコン1ロケットからずっとそうなのだが、何回もすばやくトライする、リスクを取る、残酷なこともする、派手なしくじりもあってよしとする、そしてまたトライする、だからだ。

「制御不能になり、きりもみで落ちていく飛行機のエンジンを換えているところだ。生きのびているのは奇跡だと言える」

マスクはこうツイートしている。

アップル訪問

「アップルはツイッターに広告をほとんど出さなくなった」——マスクは11月末にこうツイートした。「米国における言論の自由が嫌いなのだろうか」

そしてその夜、投資家のラリー・エリソンと、いつものように電話でずいぶんと話し込んだ。ハワイに持つラナイ島にいることが多いエリソンはマスクのメンターだが、昔はスティーブ・ジョブズのメンターもしていた。そのエリソンからのアドバイスは「アップルとけんかするな」だ。ツイッターもアップルを敵に回すのはまずい。広告主としても大手だし、ｉＰｈｏｎｅのアプリストアから追い出されたりしたら確実に死んでしまう。

マスクはスティーブ・ジョブズに似ている。頭はすごくいいが人当たりは最悪な現場監督で、現実歪曲フィールドを身にまとっている。部下に気が狂いそうなほど大変な思いをさせるが、同時に、できるはずがないと思ったことをやらせてしまう。味方に対しても敵に対しても、対決をいとわない。２０１１年にジョブズの後任となったティム・クックは、タイプがまるで違い、穏やかで冷静、こちらも思わずガードを下げてしまうほど人当たりが柔らかい。必要なら鋼（はがね）にもなれるが、必要のない対決は避けようとする。ジョブズもマスクも自分から騒動に突っ込んでいくようなところがあるのに対し、クックは、自然と緊張緩和にもっていく。倫理羅針盤が安定しているのだ。

「ティムは敵対を好みません」——ふたりを知る友人もマスクにこう語った。

マスクは、そのくらいで戦士モードを解除するタイプではないのだが、このときは、さすがに、アップルと戦争するのは得策でないと判断したらしい。

「いや、まあ、私も別に敵対したいわけじゃないんだよねと思ったのです。なので、いいよ、じゃあ、僕がアップル本社まで会いに行こうとかなんとか言いました」

動機はもうひとつあった。

「実は、アップル本社を訪れる口実が欲しかったというのもあります。すごいって聞いてますから」

静かで穏やかな池を囲むように立つ、特注の曲面ガラスがはまったドーナツ状の建物は、ジョブズの細かな指示を取り入れつつ、英国の建築家ノーマン・フォスター卿が設計したものだ。自宅を建てようと考えたとき、オースティンまで来てもらった建築家だ。

マスクはクックに直接メールを送り、次の水曜日に行くことになった。到着したマスクを見たアップル側の第一印象は、何週間も満足に寝ていないんじゃないのか、だったという。最初は会議室でクックと一対一、1時間ちょいの面談だ。まず、サプライチェーンにまつわる悲惨な体験で盛り上がった。ロードスターの生産で大失敗した経験から、マスクは、サプライチェーンマネジメントが難しいことを痛感していて、クックはその達人だと正しく評価した。

「ティム以上の仕事ができる人はめったにいないと思いますよ」とマスクは語っている。

広告については、それなりの歩み寄りとなった。アップルブランドにまつわる信頼を守ることが大事なので、ヘイトやデマ、安全と言いがたいコンテンツがあふれた有毒沼に広告は出せない――それがクックの基本的な立場だ。それでも、ツイッターに広告を出さないと決めたわけではないし、ツイッターをアプリストアから排除するつもりもない、そこは安心してもらっていいという。アプリストアを通じた売上の30％をアップルが持っていく件では、15％まで少しずつ減らしていくという説明もあった。

こういう話で、マスクもとりあえずはだいぶ落ちついた。だが、まだ、ヨエル・ロスが懸念した問題、つまり、購入そのものや顧客に関する情報をアップルが提供してくれない件が残っている。そこがなんとかならないと、Xドットコム的な金融サービスをツイッターで使えるようにするというビジョンが実現できない。実はこの問題は、すでに米国の法廷でも争われているし、欧州の規制当局でも検討がなされている。マスクも、今回の面談ではこの件を問いたださないことにした。

「この件については、いつかやり合わないといけないでしょうね。少なくとも、ティムと私でじっくり話し合う必要はあるでしょう」

打ち合わせが終わると、クックは、ドーナツ状のキャンパスの中心に連れていってくれた。ジョブズが思い描いたとおり、静かで穏やかな池とあんずの木々がある。マスクがｉＰｈｏｎｅで動画を撮る。

「@tim_cook が美しいアップル本社を案内してくれた。ありがとう」――マスクは車に戻るとすぐこうツイートした。「アプリストアからツイッターが削除されるのではないかという誤解は解消された。そういうことはまったく考えていないとティムは請けあってくれた」

第 89 章

奇跡

ニューラリンク（2022年11月）

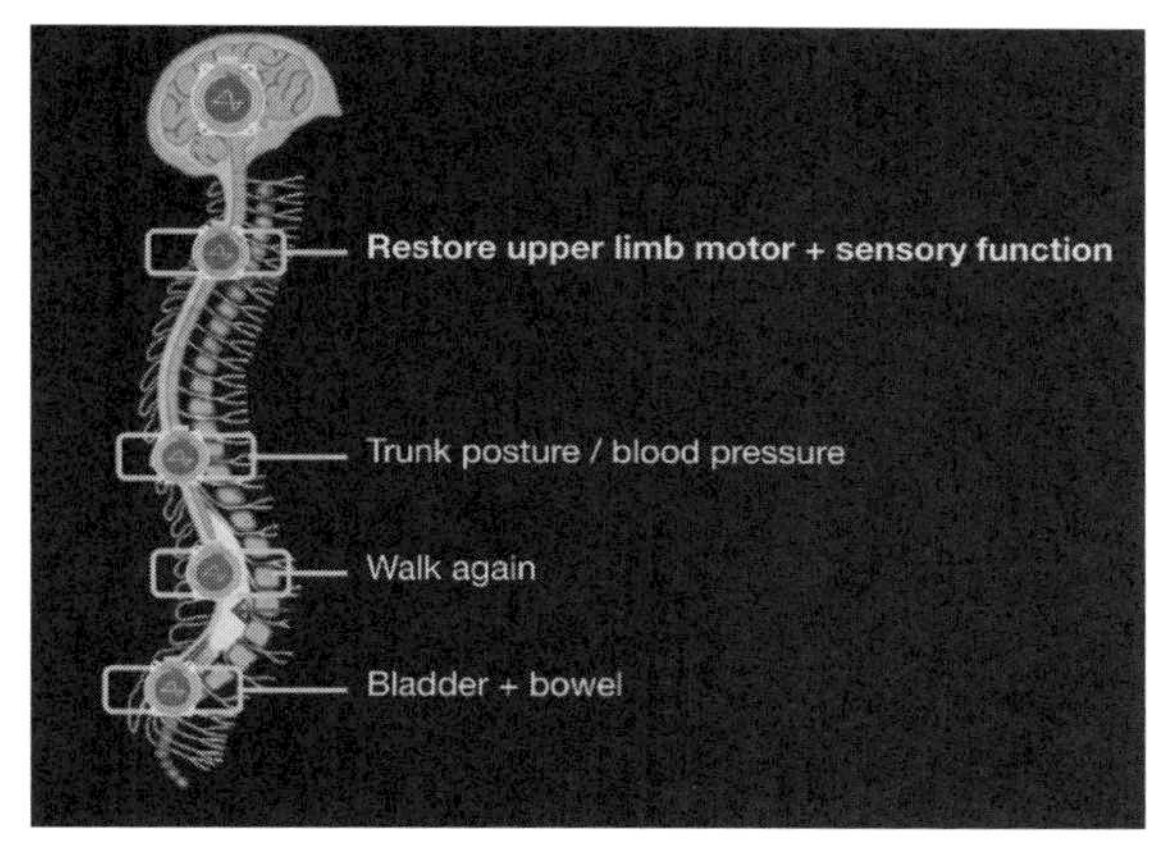

上：目標説明のスライド
下：ジェレミー・バーレンホルツ

治療

ニューラリンクの施設はカリフォルニア州フリーモントに置いたわけだが、マスクがテキサス州に引っ越し、シボン・ジリスも来たあたりで、オースティンにも作ることになった。選んだのはこちらもストリップモールのビルで、入口の看板には「ハチェットアレイ（手斧小路）」と書かれていた。斧投げやボウリングができるお店だったところだ。ここをジリスがリノベーションし、オープンな作業スペースとラボ、壁がガラスの会議室などを作った。真ん中には細長いコーヒーバーも用意した。実験に使うブタやヒツジの家畜小屋は、10キロほど離れたところにある。

２０２１年末にブタ小屋を視察したマスクは、ニューラリンクの歩みが遅いといらだっていた。サルの脳にチップを埋め込み、考えただけで『ポン』が遊べるようにはなった。だが、ユーチューブの閲覧数が稼げているくらいで、人類の革新にはまったく近づけていない。

「どう説明したら、世間は注目してくれるのかな」——施設を見て歩きながらマスクが言う。「マヒで体を動かせない人が考えるだけでコンピューターのカーソルを動かせるようになるというのは、それなりにすごい。特にスティーヴン・ホーキングみたいな人にとってはそうだろう。だが、それだけじゃだめだ。そのくらいでは、世間は盛り上がってくれない」

マヒした人々が実際に手足を動かせるようになれば驚いてもらえるのではないか。脊髄で信号が遮断されたり神経に問題があったりしてマヒした人も、ニューラリンクのチップを脳に埋め込めば、障害をバイパスして筋肉へ信号を伝えられるはずだ。

ハチェットアレイに戻るとオースティンのチームを集め、フリーモント側もリモートでつないで追加ミッションを発表した。

「車椅子の人が歩けるようになれば、この技術のすごさを世間に理解してもらえる。腹にずしんと響く、猛烈に大胆なアイデアだ。意義のあることでもある」

このあとマスクは、毎週、ニューラリンクのレビュー会議に参加した。2022年8月、そんな会議が始まる少し前、私は、コーヒーバーで主任技術者のジェレミー・バーレンホルツと待ち合わせた。スタンフォード大学の情報科学システムで修士を取って1年ということなのだが、ひたいにさび茶色の毛があったりひげが薄かったりで、中学生といつわってサイエンスフェアに出られそうな気がする。

「考えるだけでコンピューターを動かせるのはすばらしいことですが、マヒした人がふたたび歩けるようになればもっと感動してもらえます。というわけで、いまは、それを目標に研究を進めています」

こう言うと、彼は、筋肉を刺激するさまざまな手法を説明してくれた。さらに、脳内の信号は、神経細胞から神経細胞に電磁波で伝えられていくと、従来、考えられていたが、そうではなく、化学物質の拡散で伝えられていると考えている、なぜなら……という話まであった。

マスクがスマホでメール送信やツイートを終えると、ジリスに加え、10人あまりの若手技術者が会議室に集まった。マスクもいつもそうなのだが、みな、黒いTシャツ姿だ。大脳皮質軟組織に似たヒドロゲルのサンプルをバーレンホルツが配り、キャプテンとテニール、2匹のブタでおこなった実験の動画が流された。電気信号で足を動かす実験だ。

「疼痛反応と筋肉操作をしっかりと分けられなくてはなりません。それができなければ、『歩けるけど、苦痛を伴う』になってしまいますから」とマスクは言う。「歩けなくなった人をまた歩けるようにするというのは、ほんと、すごいことですよ。神業のレベルです。そして今日の成果発表で、それが物理学の法則に反していないことが確認できました」

狙うとしたらほかにどういう奇跡を狙うかと尋ねたところ、バーレンホルツは、音声刺激と映像刺激を挙げた。耳の聞こえない人に音を聞いてもらう、目の見えない人にモノを見てもらうということだ。

「内耳の蝸牛を刺激して聴覚障害を治すのは難しくないと思います。ものすごく興味を引かれるのは視覚です。忠実度の十分に高い視覚を実現するには、ものすごいチャンネル数が必要になりますから」

「特殊な視覚だって実現できるよね」とマスクは言う。「赤外線を見るとか。紫外線だって。無線周波数とか、それこそ、レーダー波とかも。これはクールな能力拡大だと思うよ?」

続けて、マスクらしい笑いが起きる。

「このところ、また『ライフ・オブ・ブライアン』を観てるんだ」

モンティ・パイソンの映画だ。マスクは、キリストがハンセン病を治してくれたので物乞いできたってぇのにと文句を言うシーンを物語ってみせた。

「なんとかかんとか食いつないでいたらさぁ、突然彼が現れてぇ、治されちゃったんだわぁ。ぱっと見わかる病のおかげで物乞ができてたってぇのに商売あがったりさぁ。勝手に治して悪いなもなく『治ったぞ』ってぇ、とんでもねぇお節介さぁね」

プレゼンテーション

9月末、マスクはまたもいらついていた。成果を一般向けに発表するイベントをやれとせっついているのに、ジリスもバーレンホルツも、まだ無理だと後ろ向きなのだ。毎週恒例のレビューでマスクの顔が闇に染まった。

「急がないと、たいした成果も挙げられないうちに寿命が尽きるぞ?」

そして、プレゼンテーションは11月30日の水曜日におこなうと宣言。そう、ティム・クックをアップルに訪ねていくことになる日だ。

当日の夜、マスクが到着すると、ニューラリンクのフリーモント事務所に椅子200脚が並べられていた。マスクが大好きなポッドキャスターのひとり、レックス・フリードマンの姿もある。テレビアニメ『リック・アンド・モーティ』のジャスティン・ロイランドも来ていた。三銃士のジェームズ、アンドリュー、ロスは招待されていなかったので、裏口からそっともぐり込んでいた。

最終的な目標と当面の目標、両方をアピールしたいとマスクは考えていた。

「人の脳とあらゆる面でやりとりが可能な汎用入出力デバイスを作ること——それがニューラリンクの目標です」

人と機械の精神融合をめざす、そうすることで人工知能の暴走に備えるということだ。

「AIが人間に好意的であったとしても、人がAIについていけるようにしておかなければなりません」

　続けて、もっと短期的な目標を発表した。

「まずは復元です。生まれつき目が見えない人にも、この世界を見てもらうことができるはずだと我々は考えています」

　もうひとつは、マヒの問題だ。

「まさかと思われる方もおられると思いますが、脊髄を痛めてしまっても、体の機能を復元できるはずだと我々は考えています」

　プレゼンテーションは3時間続いた。そのあとは真夜中の午前1時ごろまで技術者と打ち上げだ。ツイッターの「ゴミ溜め火事」で大変ななか、いい気分転換になったとマスクは後に語っている。

第 90 章

ツイッターファイル

ツイッター（2022年12月）

上：マット・タイービ
下：バリ・ワイス

マット・タイービ

「自分の会社について告発記事を書けと言うんですか」

ジャーナリストのマット・タイービは、信じられないという顔でマスクに問うた。

「存分にやってくれ。北朝鮮のガイドツアーじゃないんだから。好きなようにしてもらってかまわない」

近年、ツイッターは、有害だと判断したアカウントの凍結が増えていた。これは大きく三つの見方がある。①医学的な危険をもたらす、民主主義をむしばむ、暴力を誘発する、憎しみをかき立てる、詐欺を働くなどの悪影響を生む偽情報が拡散しないようにする立派な努力である。②善意で始まったことだが最近は行きすぎてしまい、医療や政治の主流から外れた意見や、進歩的でウォークなツイッタースタッフの過敏な神経にさわる意見の弾圧になってしまっている。③闇の国家とも言われるディープステートがビッグテックや従来型メディアと共謀し、利権を守ろうとしている陰謀である。

マスクの見方は基本的に②なのだが、暗い疑いを抱いて③寄りになっている。

「なんか、あれこれ覆い隠されてる気がするんだよね。怪しげなことがいろいろと、さ」――ある日マスクは、反ウォークの仲間、デイビッド・サックスにこう言った。

サックスからは、タイービと話してみるといいと返ってきた。ローリングストーン誌などに記事を書いてきたライターで、政治思想は不偏不党だという。実際、既得権益に守られたエリート階級をやり玉に挙げる気概がある、いや、熱意をもってそうするタイプらしい。

タイービと面識のなかったマスクは、ツイッター本社に来てくれと、11月末に連絡を取った。「神経の逆なでを恐れない人のように感じました」とマスクは言う。これはマスクとしては、かなり純粋なほめ言葉である。

しばらくツイッター本社に通って、コンテンツモデレーションに関するファイルや電子メール、スラックメッセージをあさってみてくれとマスクは依頼した。

こうして、のちに「ツイッターファイル」として知られることになる作業が始まった。これは内情をつまびらかにして透明性を確保する作業、コンテンツモデレーションの複雑さや報道の偏りをごくまっとうにふり返るのに適したものとなるはずだった。なってよかったはずだった。実際には、論争の渦に絡めとられてしまい、多くの人が、それぞれ自分が聞きたい話が聞けるようにトーク番組やソーシャルメディアに走る結果となってしまう。

とにかく、マスクは、もうすぐこういうスレッドが登場するよと、ポップコーンと花火の絵文字も添えてツイートし、盛り上げに走った。

「これは文明の未来をかけた戦いだ。米国でさえもが言論の自由を失う事態になれば、あとには圧政しか残らない」

タイービが第1報を出そうとした12月2日、マスクは、フランスのエマニュエル・マクロン大統領と会うためニューオーリンズに飛んでいる。話し合ったのが欧州のヘイトスピーチ規制をツイッターが履行する必要性についてだったのは皮肉な話と言えよう。そんなわけで、第1報の発表直前、内容に法的疑問が投げかけられた際には、マクロン大統領との面談が終わるまで発表は延期せざるをえなくなり、弁護士に送り返すことができた。

タイービの第1報、37連投のツイートを読むと、どのツイートについて削除を検討すべきか、政治家やFBI、情報機関から要請を受け取る仕組みがあったことがわかる。ジョー・バイデンの息子、ハンターが手放したノートパソコンとされるもの（事実であることが後に確認される）について報じたニューヨーク・ポスト記事へのリンクをブロックすべきか否か、ヨエル・ロスらが検討した2020年のやりとりも公開されている。こちらでは、ハッキングで入手した素材の利用を禁じたポリシーに違反ということにできるのでは、とか、ロシアのデマ活動の一環なのではとか、この記事に触れることを禁じる理由を大勢の社員が必死で探していたことがわかる。あまりに見え透いたやり方であり、ロスもジャック・ドーシーも、のちに、ああいうことをしたのはまちがいだったと認めている。

このあとも含む一連の報告に対するツイッターの反応は、見かけ倒しで中身がないというもので、「#nothing-burger（中身なしバーガー）」なるハッシュタグが登場した。フォックスニュースなど大手で取りあげるところもないではなかったが、既存メディアの多くは、ツイッターと同じ反応だった。ノートパソコンの記事が出たときジョー・バイデンは政府高官ではなかったので、リンク削除の要請も国による検閲がおこなわれたことにはならないし、米国憲法修正第1条で保障された言論の自由を侵害したとまで言うのは難しい。またバイデン陣営の削除要請は、ハンター・バイデンのノートパソコンにあったいかがわしいセルフィーを元俳優ジェームズ・ウッズが投稿した件など、それは削除を要請するだろうと思うものが多い。ザ・ブルワークも、「ハンター・バイデンのあそこの写真をツイッターに載せる権利は憲法で保障されていない」と題して報じたほどだ。

タイービのスレッドには重要なポイントも記されている。ＦＢＩなどの政府機関に事実上協力し、コンテンツの削除を提案する力を与えていた件だ。「さまざまな規制当局や法の執行機関がツイッターの意思に反してコントラクターのように動かしていた」とタイービも書いている。

ただ、これは少し違うのではないかと私は見ている。ツイッターがみずからの意志でコントラクターのように動いたケースが多いと思うのだ。政府から強い圧力を受けた際、警鐘を鳴らさず、むしろ、要求に応えようとあの手この手を尽くしていたと見えるのだ。また、トランプを後押しする記事は抑制する方向だったことも、タイービの調査で明らかになった。問題のある行動ではあるが、さもありなんではある。ツイッター社員の政治献金は、98％以上が民主党なのだ。ＦＢＩがトランプ陣営を探っていたとされた件への対応もそうだ。メディアの報道は、基本的に、ロシア系のボットファームやトロールファームによる捏造だとしていた。だが、ツイッターの誠実なる声、ヨエル・ロスの見立ては違い「アカウントをチェックしてみた。ロシアとの関連が疑われるものはなかった」と社内メモに書いている。であるのに上層部は、「ロシアゲート」を否定する動きを取らなかった。

ソーシャルメディアが偏向を助長しがちだという傍証をひとつ挙げておこう。タイービは無党派で因習を打破するタイプなのだが、その彼をフォローしたとき、ツイッターのアルゴリズムが人々を政治思想的に仕分けて極左か極右のエコーチャンバーへ送り込みがちであることが実感できた。なにせ、「おすすめユーザー」にロジャー・ストーン、ジェームズ・ウッズ、ローレン・ボーベルトとトランプ支持者がずらりと並んだのだ。

バリ・ワイス

12月2日の夜、バリ・ワイスは、妻のネリー・ボウルズと住むロサンゼルスの自宅で、タイービが連投するツイッターファイルを読んでいた。うらやましかった。自分にぴったりの仕事だと思ったのだ。そこに、今晩サンフランシスコに来れないかとマスクから驚きのメッセージが送られてきた。

タイービと同じくワイスもフリーのジャーナリストで、不偏不党のタイプだ。また、進歩的なウォークマインドが体制側メディアやエリート教育機関を中心に浸透し、マイナス面をあげつらうキャンセルカルチャーを産んでいるのは問題だ、それに対抗するものとして、言論の自由を尊重すべきだと、タイービもワイスも考えている。このあたりはマスクと同じだ。

「極左による批判で言論の自由が苦しんでいると懸念する理性的なリベラル」を自認するワイスは、ウォール・ストリート・ジャーナル紙とニューヨークタイムズ紙で社説を担当した後、フリージャーナリストに声をかけ、サブスクリプション型のニュースレター、ザ・フリープレスをサブスタックに立ち上げている。

実はマスクは、この数カ月前、ワイスに会っている。サンバレーで開かれたアレン&カンパニーの園遊会でOpenAIの共同創業者サム・アルトマンと対談したとき、ツイッターを買おうとしているのはすばらしいことだと言いに控室まで来たワイスと、ちょっとだけ立ち話をしたのだ。

タイービがツイッターファイルを用意していた12月の頭、ツイッターに蓄積されている情報がジャーナリストひとりの手に負えないほどの量であることにマスクは思いいたった。言論の自由を守ってともに戦うテックブロで投資もしてくれているマーク・アンドリーセンに相談すると、ワイスに声をかけるのがいいだろうとのこと。というわけで、マクロン大統領に会ったあと、ニューオーリンズから戻る機中から、12月2日、ワイスが受け取った驚きのメッセージを送り出したわけだ。

ワイスとボウルズは、3カ月の赤ん坊を抱え、2時間後に、サンフランシスコ行きのフライトに飛び乗った。金曜の夜11時、ツイッター本社に着くと、コーヒーマシンのところにマスクがいた。スターシップの青いジャケットを着ている。ちょっと浮かれた感じで社内をざっと案内してくれる。「ステイ・ウォーク」Tシャツなど旧体制の遺物も見せられた。

「さながら、野人が城門を攻め落とし、略奪してるって感じだよね！」

お菓子屋さんを買ったんだけど、それが自分のものになったのがまだ信じられない子どもみたいだ――ワイスはそう思った。スラックのアーカイブを掘りおこすコンピューターツールは銃士隊のロス・ノルディンとジェームズ・マスクが使い方を教えてくれた。宿泊場所までジェームズに送ってもらったときには、午前2時を回っていた。

翌土曜の朝、ワイスとボウルズがツイッター本社に行くと、マスクは、またコーヒーマシンのところにいた（このころはずっと図書館のカウチで寝て泊まり込んでいた）。紙コップでシリアルを食べている。

2時間ほど、会議室でツイッターのビジョンについて話をした。なぜこんなことをしているのか――ふたりからはそんな質問が出た。マスクは、最初、4月に申し入れをしたあとやっぱりやめようと思ったのに、買わざるをえなかったんだと答えた。

「本当のところ、買いたいとまだ思っているのか自分でもよくわからなかったんだけど、無理にでも買うしかないと弁護士に言われて、しかたなく、ね」

だが続けて、言論の自由がしっかり保障されている公共広場を作りたいと、熱っぽく語りはじめた。この戦いには「文明の未来」がかかっている。なにせ「出生率はどんどん落ちていて、思想警察はどんどん増えている」のだ。いまのツイッターは、ある種の見解を抑圧してきた結果、国民の半分の信用を失っている。この状況を打開するには、思い切った方法で透明性を高める必要がある。

「めざすのは、いろいろとやらかしてきた悪行を一掃し、まっさらな状態から前進することです。私がツイッター本社に寝泊まりしているのにも理由があります。総員第一種戦闘配置なんです」

「思わず信じてしまいそうになりますよ」と、ワイスは後に語ってくれた。皮肉ではなく、純粋にすごいなと思ったらしい。

それでも彼女はフリーのジャーナリストだ。どれほど感動した場合でも、疑いのまなざしをなくさない。このときも、2時間ほど話し合うなかで、ツイッターの舵取りがテスラの中国ビジネスで変わることがあるのではないかと痛いところを突いている。マスクはいらだつが、ワイスは引かない。しかたなく、テスラ事業を危険にさらさないように、中国についてどういう言葉を使うのかツイッターは注意しなければならない、中国によるウイグル族の弾圧にはふたつの側面があるなどとマスクは語った。ワイスの眉が寄る。話が危なくなる前に、ボウルズが冗談でうやむやにして、話題を変えた。

スペースXの衛星打ち上げについて政府高官と極秘会議が予定されていて、それに出席するためマスクがワシントンに行かなければならないからと、この日、この話し合いが打ち切られたのは皮肉なことだ、少なくとも、事態がややこしいことはよくわかると言えよう。


ワイスとボウルズはツイッターファイルを調べようと、無理を押して金曜夜のうちに来たというのに、結局、その週末は、スラックメッセージや電子メールのアーカイブを探るツールが使えずじまいだった。プライバシー問題を気にした法務部に直接のアクセスを断られたのだ。土曜日は、いつもそのあたりで仕事をしている銃士、ロス・ノルディンが彼のノートパソコンを使わせてくれた。だが翌日は、いいかげん疲れたしお腹も空いたし、洗濯物もたまっているしで、ノルディンは出社しないことにした。一応は日曜日なのだから、それはそれでありだろう。ワイスとボウルズには、サンフランシスコのカストロ地区を見下ろすアパートに来るなら、自分のノートパソコンを使ってもらってかまわないと連絡。というわけで、ふたりは、ノルディンのアパートで公開スラックチャンネルに残るメッセージをチェックすることにした。

法務部を通じた調査についてプッシュしたワイスは、法務副部長を名乗るジムなる人物から電話をもらった。姓を確認すると「ベイカー」だという。

「あっけにとられました」

ジェイムズ・ベイカーといえば、ＦＢＩに重用された弁護士で、怪しげな案件への関与が疑われると一部の保守陣営でささやかれている人物だ。

「なんなの、これ？」——ワイスはマスクにメッセージで問う。「本人に調査させてどうすんのよ？　信じられない」

マスクも頭に血が上ったらしい。

「アル・カポネの脱税を本人に調べさせるような話ですからね」

マスクはベイカーを呼びつけると、ツイッターが米連邦取引委員会と交わした同意判決に規定されているプライバシー保障をめぐって締め上げる。

「この同意判決がどういうものか、言ってみろ」とマスクが迫る。「現物ならここにあるから。なにが書かれているのか、言えるものなら言ってみろ」

どう転んでも幸せな結果になるはずがない。中身ならベイカーは当然によく知っているわけだが、なにをどう答えようともマスクが満足などしてくれるはずがないからだ。即刻、クビになった。

可視性フィルタリング

タイービとワイスは数人のお手伝いとともに、窓のない作戦本部「ホットボックス」に作業場所を準備した。あたりには、シャワーを浴びる暇のない銃士隊とテイクアウトしてくるタイ料理のにおいが常になんとなく漂っている。デジタル検索ツールの関連で力を貸しているジェームズもロスも毎日20時間働いていて、目の玉がいまにもぽろりと落ちそうな感じになっている。夜遅くにマスクが来て残り物を食べると、あれこれをえんえん語ることもあった。

ツイッター社員の電子メールやスラックコメントをチェックしながら、ワイスは、こんなことをされたら自分はどう思うだろうかと考えてしまった。なんだか悪いことをしている気になる。ロスも似た思いを抱いていた。

「正直なところ、あの件からはなるべく遠ざかりたいと思っていました。手助けのようなことはしていましたが、同時に、首を突っ込みすぎないようにしていたんです。私はあんまり政治的じゃありませんし、あれはもう、とにかくやばそうな臭いがぷんぷんでしたから」

ツイッターファイルをもとにワイスらは記事を書いていくのだが、その中に「可視性フィルタリング」を取りあげたものがある。可視性フィルタリングとは、検索結果の上位に挙げない、トレンドにピックアップしないなどの方法で、一部のツイートやユーザーをめだたなくするものだ。これを突き詰めれば、ツイートした本人には見えるが、ほかのユーザーからは見えなくなる「シャドウバン」というものになる。

完全なシャドウバンまではやらないが、可視性フィルタリングはおこなわれている。マスク自身も、アカウント凍結の代案になるのではないかとヨエル・ロスと検討しているし、表でも、少し前にこのポリシーを宣伝している。

「ネガティブ／ヘイトのツイートは拡散も収益化も最大限抑え、そこから広告などの収益を上げることはしない。そういうツイートは、自分から探しにいかなければみつけられない」

この可視性フィルタリングに政治的なバイアスがかかると問題が生じる。ツイッターのモデレーターは右寄りのツイートを抑える傾向がはっきりあった、「社内でブラックリストを作成し、望ましくないと考えるアカウントやテーマの可視性を抑えていた」とワイスらは書いている。

メディアや教育機関でよくあることなのだが、どういう内容であれば容認するのかについても、ツイッターはかなり狭く考えていて、「『暴力』や『害』、『安全』といった言葉を拡大解釈して制限を強化していた」という。

新型コロナ関連の対応は、いろいろな意味で興味深いものだった。たしかに、死人さえ出かねないいかさま療法をすすめるなど、明らかに有害なデマもあった。だが、mRNAワクチンに心臓関連の副作用があるのかとか、マスクに効果はあるのか、ウイルスは中国の研究所から流出したのかなど、ふつうに議論して差し支えがないはずのものも含め、国などから出される公式見解にそぐわないものが抑制されていた。

たとえば、スタンフォード大学のジェイ・バッタチャリヤ教授もブラックリストに載せられていた。教授ら一部科学者は、ロックダウンや休校は利より害のほうが大きいと訴えていた。議論のある主張だが、のちに一定の妥当性があると認められてもいる。そういうツイートの可視性をツイッターは引き下げていたわけだ。

ワイスから報告を受けたマスクは、教授にメッセージを送った。

「こんにちは。ツイッター1・0がなにをしていたか、お見せしたいので、この週末、ツイッター本社に来ていただけませんか?」

コロナのロックダウンに対する見解が似ているからか、マスクと教授の話は1時間近くも盛り上がった。

ツイッターファイルは、過去50年におけるジャーナリズムの変化を象徴するものだと言える。

ウォーターゲート事件やベトナム戦争の時代、ジャーナリストにとってＣＩＡや軍部、政府は疑うべきものだった。少なくとも、盲信してはならないものだった。そして、デイヴィッド・ハルバースタムやニール・シーハンのベトナム報道やボブ・ウッドワードやカール・バーンスタインのウォーターゲート報道に触発されてこの道に入った人が大勢いた。

それが１９９０年代に入ると、特に９・11同時多発テロ後は、政府高官や情報機関と協力し、情報を共有することをよしとするジャーナリストが増えていく。ツイッターをはじめとするテック企業が受けとるブリーフィングを見ると、同じことがソーシャルメディア企業にも起きているものと思われる。

「監視や情報支配の世界的装置に主要部品として組み込まれる以外、これらの会社に選択肢はあまりないものと思われる」とタイービは書いている。「ただし、各社幹部は、そこに吸収され、侵略者を助ける売国奴のような働きをすることに喜びをさえ抱いている人が大半であることも、さまざまな証拠から示唆されている」

前半もさることながら、後半はまさしくそのとおりと言うべきだろう。

ツイッターファイルにより、ツイッターにおけるコンテンツモデレーションがどういうものであるのかが多少明らかになったが、同時に、これがとても難しい作業であることも浮き彫りになった。ワクチンやウクライナについて否定的なツイートをしているアカウントの一部は、実はロシア情報部のものだとＦＢＩが指摘している。それが本当だったとして、ではそのアカウントは抑止すべきなのか。タイービも書いているように「言論の自由という観点から難しいジレンマ」である。

第91章

迷い道

ツイッター（2022年12月）

@elonjet

マスクがいつも連れ歩いている元気の源、2歳の息子Xを危ない目に遭わせる以上に、マスクを怒らせるものはない。ツイッターファイルの探求が進んでいた12月のとある火曜夜、そういうことだとマスクがみなす事件が起き、言論の自由を守る戦いの基礎が揺らぐ事態に発展する。

昔からグライムスを追いかけているストーカーが、マスクらがロサンゼルスに借りている家の近くで1日待ち伏せし、Xとそのお世話係を近くのホテルまで送る警備の車をつけていったというのだ。警備員はガソリンスタンドに車を止めてストーカーと対峙。手袋にマスクで忍者のようなストーカーの姿が動画に収められている。ストーカーは、車で追いつめられるとボンネットに飛び乗っただか上ろうとしただかしたらしい（詳細ははっきりしていない）。警察も来たが、逮捕ということにはなっていない。

マスクが公開した動画からワシントンポスト紙がこの人物をみつけて取材したところ、インスタグラム経由でグライムスから暗号メッセージをもらっていると主張したらしい。

この事件について、マスクは、次のようにツイートした。

「昨晩、ロスで、クレイジーなストーカーが小さなXを乗せた車をつけ回し(私が乗っていると思ったらしい)、車の行く手をさえぎってボンネットに乗るなどした」

マスクとグライムスがどこにいるかをストーカーが知れたのは、@elonjetというツイッターアカウントがあるからだとマスクは考えた。ジャック・スウィーニーという学生のアカウントで、公開されているフライト情報からマスクのジェットの離陸と着陸をリアルタイムに報じるものだ。ただ、本当のところどうなのかはよくわからない。マスクのジェットは事件の前日、ロサンゼルスに着陸していて、ちょうどそのころ、ストーカーの車が止まっているのに気づいたとグライムスが言っているのだ。

いずれにせよ、マスクは、情報をさらされ、おびやかされていると、前々から@elonjetアカウントに腹を立てていた。実際、ツイッターの買収を考えはじめた4月、オースティンで友だちや家族と夕食を囲んだとき、この件について相談し、それは凍結すべきだとグライムスと母親から強く言われたこともある。そのときはそうだねと同意したが、実際に買収すると方針を変え、凍結はしないと11月頭にツイートした。

「私の飛行機を追いかけ、私自身の安全をはっきりおびやかしているアカウントさえ凍結しないほど、私は言論の自由を尊重している」

このツイートを読んだバリ・ワイスは大人だなと感心したが、ツイッターファイルの調査で、マスクが@elonjetに対して可視性フィルタリングをきつくかけ、検索に引っかからないようにしていることが判明する。昔の上層部が極右に対してしたのと同じことをしているわけだ。看板に偽りありじゃないのとワイスは思った。さらに、Xの事件を受け、マスクは、@elonjetの凍結を強行。この凍結を正当化するため、他人の現在位置をネットにさらすのは禁ずるという新ルールを制定して。

ツイッターを本当に言論の自由の天国にするつもりならもっとまずいことも、マスクはやらかした。@elonjetの処分を取りあげたジャーナリストも凍結したのだ。記事には@elonjetへのリンクがあるので、間接的にさらし行為をしているというのが表向きの理由だが、@elonjetが凍結されているので、リンクをたどっても「アカウントは凍結されています」と表示されるだけである。つまり批判的な記事を書いたジャーナリストに仕返しをしているだけであり、腹立ちまぎれという側面が否定できない。凍結されたのは、ニューヨークタイムズ紙のライアン・マック、ワシントンポスト紙のドリュー・ハーウェルとテイラー・ローレンツなど、少なくとも11人だ。

ツイッターファイルの処理でまだホットボックスに詰めていたワイスは、難しい立場に追いこまれた格好だ。

「ツイッターの旧君主について軽蔑すると言っている、まさしくその行為を自分でしているわけですよ。今回けり飛ばされたなかには、私がツイッターでさんざん絡まれた人も含まれています。はっきり言って、大嫌いな人々です。それでも、ツイッターにはこうなって欲しいと言っているのに、片方の意見ばかりになるようには作られていない公共の広場になって欲しいと言っているのに、その言葉を自分で裏切っていると感じます。単に戦略的な視点から、たくさんのくそ野郎を迫害しているわけです」

ワイスは、プライベートメッセンジャーのシグナルで暗号メッセージをマスクに送った。

「なにしてるんですか？」

「あいつらは、飛行機の位置をネットにさらした。息子を襲ったんだ」

ワイスはホットボックスに詰めているジャーナリスト仲間とも相談したが、声をあげる気概があったのは彼女だけだった。

「仮にもジャーナリストなら、ジャーナリストがツイッターからけり出されるのを見て黙っているなんてできませんよ。正道は、やっぱり大事だと思うのです」

ここで声をあげれば、ツイッターファイルから締めだされる可能性がある。それでも、「これでもう、イーロンに精子を提供してもらうことはできなくなるでしょうね」とネリー・ボウルズに冗談を言い、前に進んだ。

「昔のツイッターは勝手気ままな運営でしたが、新体制も同じ問題を抱えているようです」——ジャーナリストの凍結が相次いだ翌日の12月16日朝、ワイスはこうツイートした。「私は、どちらにも反対です」

「ただひたすらに真実を追い求めるのではなく、身持ちの良さをアピールすることでメディアエリートに対していい顔を見せ、両方の世界に片足ずつ置こうとするとはね」

マスクはツイッターでこうコメントし、ツイッターファイルに対する彼女のアクセス権を削除した。

ツイッタースペース

「これはやばすぎるぞ」——ジェイソン・カラカニスがデイビッド・サックスにメッセージを送る。ジャーナリストのアカウントを凍結した件だ。「せっかくツイッターファイルに注目が集まっているのに、これじゃおじゃんになってしまう。なんとか元に戻さないと」

というわけで、ふたりとも、ジャーナリストの凍結は解除しないといかんぞとマスクに書き送るが、どっちつかずの返事しか返ってこない。

このやりとりをしているとき、音声による対話ができるツイッタースペースで、大勢がこの問題を話し合っていることにカラカニスが気づいた。凍結されたジャーナリストもふたり、ワシントンポスト紙のドリュー・ハーウェルとマッシャブルのマット・バインダーが参加していた。凍結でツイートはできなくなっていたが、音声機能はブロックされていなかったらしい。この話をカラカニスから聞いたマスクは自分もスペースにアクセスして話し合いに加わり、参加者を驚かせた。ただその言葉は言い訳がましく、また、いらだちが感じられるものだった。ともかく、うわさが広まり、参加者は数分で3万人にも達した。

オーガナイザーであるバズフィード・ニュースのケイティ・ノトポウロス記者に、凍結の説明をしてくれと水を向けられると、マスクは、自分の個人情報をさらしている場所へのリンクを張ったからだとした。

「要するに、我々があなたの住所を世の中に広めたと言われたいわけですよね？　それは違います。あなたの住所を投稿したことはありません」とハーウェルが応じる。

「住所へのリンクは投稿したじゃないか」とマスクは語気を荒らげる。

「我々が投稿したのはイーロンジェットへのリンクであり、イーロンジェットは、いま、アクセスできない状態になっています」

ハーウェルは、続けて、ニューヨーク・ポスト紙がハンター・バイデンの事件を報じた際にマスクはリンクのブロックを批判したのに、今回は、リンクブロックをマスク自身がおこなっているとなじった。

マスクは憤然として退出。数分後、セッションは強制終了となる。ツイッターがスペースそのものの提供を中断し、凍結処分となったユーザーが参加できないように改修する作業に入ったのだ。

「旧体制時代のバグを修正している。明日には、また使えるようになるはずだ」――スペースのシャットダウンについてマスクはこうツイートしている。

ただ、さすがにやりすぎたとマスク本人も自覚はしたようで、落とし所を探ることにした。ジャーナリストの凍結を解除すべきか否か、ツイッターで尋ねたのだ。３６０万票以上が集まり、そのうち58％が解除すべきだった。そして、凍結は解除された。

ファウチ起訴

この話題が沸騰するなか、マスクは、怒りモードとおふざけモードを行ったり来たりしていた。

そしてある晩、ワイス、彼女の仲間数人、ジェームズとホットボックスの会議室で話をしていたとき、どういう代名詞で呼ばれたいかとツイートする人がたくさんいるのがおもしろいと言いだした。これにだれかが、マスクなら「ファウチ起訴」とかいいんじゃないかと冗談で応える。なんとも微妙な笑いが起きた（ワイスは、ここで突っ込むのは得策でないと思ったそうだ）。続けて、マスクが甲高い笑い声を上げ、ファウチ起訴か、それはいいと3回もくり返した。さらに、午前3時ごろ、これを表に書いてしまう。「私の代名詞はファウチ起訴だ」とツイートしたのだ。そもそも「ファウチ起訴」は代名詞ではなくわけがわからないし、笑える話でもない上、ごく短い一言で、トランスジェンダーの人々をあざ笑い、米国の歴代政府に医療関連のアドバイスをしてきた81歳の公人に関する陰謀論をほのめかし、テスラの車なんぞ買わんからなと思う敵をそれなりに増やすという破壊力抜群のツイートだ。

弟のキンバルも、頭に血が上ったひとりだ。

「なに考えてんだよ、兄貴。コロナ禍をどうにかできないか、ただ必死にあがいていただけのじーちゃんじゃんか」

ファウチの政策を批判して可視性フィルタリングをかけられたスタンフォード大学のジェイ・バッタチャリヤ教授でさえ非を鳴らした。

「これはよくありませんね。ファウチは大きなまちがいをいくつも犯してきたと私は考えています。でも、それを正すためにすべきことは、彼を起訴することではなく、彼がそういうまちがいを犯したと歴史に記すことでしょう」

ファウチの件は、単に、反ウォークや右寄りの感情がまた漏れ出たというものではない。エリートが悪意で世界を動かしているという陰謀論が心をかすめることがあり、それが表に出てしまったものだ。我々が実はシミュレーションの世界に生きているのかもしれないとお茶目なことをマスクはよく言うが、それと表裏一体だと言える。闇モードに入ると、『マトリックス』のように現実の裏に陰謀の力がうごめいていると考えがちなのだ。

このときも、ロバート・ケネディ・ジュニアのコメントをリツイートしている。おじのジョン・F・ケネディ大統領はCIAに殺されたなどと語ったことのある人物で、マスクのファウチツイートのあとには「ファウチは研究グラントという形で年間370億ドルをばらまき、ウイルス学者の口を封じた。だがその雇い主がいなくなったいま、正しき学説が明らかになるだろう」とツイート。

これにマスクは「そのとおり」とコメントした。ケネディがバイデン大統領と次期大統領選の指名争いに名乗りをあげると、彼を招いてツイッタースペースも開催している。

この言動に父親の影が見て取れるのも、いつものことながら気がもめる。エロールは、2年以上も前からコロナの陰謀論を吐いていて、ファウチについても、2020年4月に「こいつはクビにすべきだ！」とフェイスブックに書いたりしている。その少しあとには、ビル・ゲイツはコロナ禍が起きると6カ月も前に知っていて、その追跡を1000億ドルで請け負うと提案したとも語っている。2021年は、コロナワクチンもトランプの敗退も、9・11同時多発テロも、みんなウソだと言い張るようになった。

「次々と明らかになる情報から、9・11は自作自演だとしか思えないのよね。圧倒的な証拠があるので」とも語っている。ツイッターファイルの直前にも、コロナなんぞ「ウソ八百だ」と言い立てている。ワクチンについては「ワクチンを受けるほどのばかやろうは、まして、『ブースター』接種までするばかやろうは、もうすぐ死ぬことになるだろう」だそうだ。

ツイッターファイルが公開されると、エロールは、息子にメッセージを送りつけた。

「左派(ギャング連中)は止めなきゃいかん。文明社会の一大事だ」

前回の選挙でトランプは勝っていたのにそうでないことにされた、彼をツイッターに戻すのは「絶対に必要だ」、「彼だけが我々の光だ」などとも書かれていた。さらに、子ども時代に南アフリカの遊び場で学んだことを思い出せ、ともあった。

「ギャング連中を懐柔しようとしても無駄だ。そんなこと、すればするほど連中はつけあがる。そんな連中もがつんと殴れば、いや、だれでも、がつんと殴れば、ちゃんと敬ってくれる」

もっとも、このメッセージをイーロンは見ていない。父親の悪魔をはらい清めるため、マスクは電子メールのアドレスを変更し、新しいものは父親に教えていないからだ。

落ちる

11月にツイッターを辞職したとき、ヨエル・ロスが心配していたのは、ツイッターの暴徒をマスクにけしかけられ、危ないことになるのではないか、だった。しばらくは大丈夫だった。だが、12月、ロスの電子メールやスラックメッセージがツイッターファイルに載ると、マスクの火炎放射器にさらされるようになってしまう。

ツイッターファイルで公開されたのは、ハンター・バイデンのノートパソコンに関する件をどう取り扱うべきかの議論などだ。ロスのコメントは思慮深いものばかりと言えるが、それでも、ツイッター上では反発が巻きおこった。そして、「問題はここなのかもと思うものをみつけた」とあるユーザーが投稿。２０１０年にロスが書いたもので、教師が18歳の教え子とセックスするのは許されるのか否かを問う記事へのリンクだけの投稿だ。

マスクはこれに「あ～、なんかいろいろ腹落ちしたわ」と返信し、みずから口撃の先鋒にたつ。ロスがペンシルバニア大学で書いた博士論文「ゲイ・データ」から、グラインダーなどのゲイ向け出会い系サイトでどうすれば17歳以下も参加できるのか、検討された手法に言及している段落のスクリーンショットをツイートし、「アダルト向けインターネットサービスに子どもがアクセスできるようにしたほうがいいとヨエルは言いたいらしい」とコメントした。

ロス自身は小児性愛と無縁なのだが、マスクのあてこすりから、ヒラリー・クリントン候補やその関係者が小児性愛や児童売春に関わっているとうわさされたピザゲートと同じパターンで、ツイッターにわだかまる闇の世界に巣くう陰謀論者から、同性愛を嫌い、ユダヤ人を攻撃する動きが盛り上がっていく。さらに、タブロイド紙がロスの住所を掲載。ロスは逃げるしかなくなってしまった。

「マスクは、私が小児性愛を支持している、あるいは、そのくらいかまわないと思っていると誹謗中傷したわけですよ。おかげで、私は、家を売って引っ越さざるをえなくなりました。こういうオンラインのハラスメントや言論にはそれだけの力があるのです」

ファウチツイートで騒ぎを引き起こした日曜日、マスクは、ツイッターのホットボックスに顔を出し、その夜にあるデイヴ・シャペルのコメディイベントに行かないかと銃士隊らにチケットを配った。このツイートでマスクの評判が一段落ちたことは、反ウォークで知られるこのコメディアンのショーでもはっきりと感じられた。

「ご来場のみなさま、世界一のお金持ちをご紹介いたします！」

シャペルの言葉でマスクが壇上にあがる。拍手も起きたが、ブーイングも長く続いた。

「クビになった人も聞きに来られているんですかね〜」――シャペルは言うと、ブーイングは「よくない席」の人からが多いみたいですよと冗談でフォローした。

マスクの気まぐれツイートで広告はさらに苦戦することになる。ワーナー・ブラザース・ディスカバリーのデビッド・ザスラフＣＥＯに電話をかけた際にも、1時間以上もこんこんと、社会的に高みをめざすブランドを惹きつけるという面では自殺的なことをしていると言われてしまう。扱える動画の時間を長くして広告の効果を高めるなど、製品の改善に集中すべきだと。

損害はテスラにもおよんでいた。ツイッター買収に興味を示したころには３４０ドルだった株価が１５６ドルまで下がったのだ。だから12月14日にオースティンで開かれた取締役会では、まずもって逆らわないはずの彼らから、ツイッターのいざこざでテスラのブランドに傷が付いていると苦言が出る始末だ。マスクは、販売が低調なのはツイッターが話題になっていない国も含めて世界的な傾向だ、あくまでマクロ経済が主因だと否定する。だがキンバルもロビン・デンホルム会長も、マスクの言動も一因だと引かない。

「だれも、あえて触れはしなかったのですが、イーロンの言動はばかやろうとしか言いようのないものでしたからね」とキンバルは言う。

第 92 章

クリスマスの大騒ぎ

（2022年12月）

上：銃士隊とサクラメントの運送業者
下：サーバーラックを動かすジェームズ

頭が爆発している絵文字

「こんな計画、オレが承認する可能性が毛ほどでもあると思ったのか？　ありえん。時間がかかるのは、計画がまちがってるということだ」

12月22日の夜遅く、ツイッター本社10階の会議室には緊張が満ちていた。締め上げられているのはインフラストラクチャーのマネージャーがふたり。ふたりともマスクに直接対応した経験があまりなく、まして、不機嫌なマスクの経験はなかった。

ひとりが引きつった顔で状況を説明しようとする。サーバーファームのひとつを管理しているカリフォルニア州サクラメントのデータサービス会社にリース契約を短期延長してもらい、準備ができ次第、２０２３年のどこかでサーバーの引っ越しをする予定だった。

「ところが、今朝になって、短期延長はできない、理由は——これは彼らが言ったとおりの表現なんですが——我々が財務的に立ちゆくとは思えないから、と言われてしまったのです」

サクラメントのサーバーファームは年1億ドルも費用がかかっていたので、それをオレゴン州ポートランドに移設・集約してコストダウンしたいとマスクは考えていた。ただ、いますぐ動かすわけにはいかないらしい。もうひとりのマネージャーが説明する。

「安全に動かせるのは6カ月から9カ月あとになります」

事実をたんたんと述べる口調だ。

「しばらくはサクラメントもないとトラフィックに対応できません」

マスクは、自分が必要だと思うことか、ほかの人から言われる「できること」か、選ぶ場面に数え切れないほど直面してきた。選択はだいたいいつも同じだ。このときも、しばらくなにか考えていたかと思うと、宣言した。

「90日でやれ。できなければ辞表を出せ」

ふたり目のマネージャーがサーバー移設の障害を説明しようとする。

「ラックの密度も違いますし、電源の密度も違います。ですから、部屋からアップグレードしなければなりません」など、詳しい話を始めた。1分ほどでマスクが割って入る。

「やめろ。頭が痛くなる」

「すみません、そんなつもりでは……」と彼女はたんたんとあやまる。たいした精神力である。

「頭が爆発している絵文字、知ってる？」とマスク。「オレの頭は、いま、あんな感じだよ。しょーもないたわごとばっかり並べやがって。くそくらえだ。ポートランドには十分なスペースがあるし、サーバーの場所を移すなんてのは難しいことでもなんでもない」

マネージャーふたりは、また、いや、制約があってと説明しようとする。また、マスクが割って入る。

「両方のサーバーセンターに人をやって、中の様子を動画でオレに送れ」

わかりました、週内にやりますが回答だった。なにせクリスマスの三日前なのだ。

「だめだ。明日やれ。オレはサーバーセンターも作ったことがあって、サーバーをもっと置けるかどうか、見ればわかる。だから、現場を確認したのかと尋ねたんだ。行きもせずに適当なことを抜かすな」

スペースXもテスラも、すばやく、果敢に挑めとマスクが圧力をかけ、消火訓練のシュラバで障害をぜんぶ吹っ飛ばしてきたから成功した。そうやって、フリーモントではテントという奇策で急ごしらえの生産ラインを作り、テキサス州の砂漠には試験場を作り、また、ケープカナベラルでは中古部品を活用して射場を作りとしてきたわけだ。

「つべこべ言わず、サーバーをポートランドに移せ。30日以上もかかったら、オレはまた激怒するからな」

マスクが口をつぐんだ。計算しなおしていたらしい。

「引っ越し業者に頼め。そうすれば、1週間でコンピューターを動かし、もう1週間でつなげる。合計2週間だ。それでやれ」

だれも口を開かない。マスクだけが言葉を紡ぐ。

「Uホールで車さえ借りれば、たぶん、自分たちでもできるぞ」

マネージャーふたりは、マスクが本気なのか計りかねていた。同席のスティーブ・デイビスとオミード・アフシャーは似たような経験をなんどもしていて、本気の可能性はあると踏んでいた。

サクラメントを急襲

「いまからやっちゃえばいいんじゃないですか?」――ジェームズ・マスクが尋ねた。

ジェームズは弟のアンドリューとイーロンの飛行機でサンフランシスコからオースティンに向かっていた。時は、サーバーの移設に何日かかるかで大騒ぎとなった会議の翌日、12月23日の金曜日である。ジェームズとアンドリューはスキーが大好きで、クリスマスにはふたりでタホ湖へ行く予定だったのだが、イーロンにオースティンへ来いと言われてしまったのだ。ジェームズとしては気が重い。精神的に疲れていて、これ以上はがんばれないと思ったのだ。だがアンドリューに説得され、結局、こちらに来てしまった。というわけで、マスク、グライムス、X、さらにはスティーブ・デイビスとニコール・ホランダーの夫婦にその赤ん坊と一緒に飛行機で移動しながら、イーロンがサーバーの件でぐちぐち言うのを聞いているわけだ。

ジェームズがやらないかと言いだしたとき、飛行機はラスベガスあたりの上空だった。マスクは、現実的なことはいっさい考えず、思いつきで、手順など無視したむちゃをしようという話が大好きだ。だから、もう夜遅いにもかかわらず、サクラメントへ戻ってくれとパイロットに指示した。

飛行場からは車だが、借りることができたのはトヨタのカローラだった。運転は警備主任、助手席にイーロンでその膝にグライムスが乗り、残り全員は後席になんとか乗り込む。夜のデータセンターに入れるのかどうかもわからなかったのだが、着いてみると、ウズベキスタン出身のアレックスなる職員がひとり、まだ残っていた。というわけで、中に入り、案内してもらうことができた。

ここはツイッター以外にもさまざまな会社のサーバーを管理していてセキュリティが厳しく、網膜スキャンをクリアしないとサーバールームに入れない。ツイッターのサーバールームに入ることができたのはアレックスのおかげである。部屋には、１本あたり30台のコンピューターが積まれた冷蔵庫サイズのラックが５２００本も置かれていた。

「動かすのが難しいようには見えないよな」とイーロンが言う。現実をねじ曲げる一言だ。なにせ、ラックは高さ2・4メートルほどで重さは1本で1トンを超えるのだ。

「まず、業者に依頼して、フロアパネルを持ち上げてもらう必要があります」とアレックスが説明してくれた。「吸盤で持ち上げる必要があるので」

さらに別の業者に依頼して、フロアパネルの下でケーブルや耐震ロッドを外してもらう必要があるそうだ。

マスクは警備主任からポケットナイフを借りると、それで床の通気口を持ち上げ、そこに手をかけてフロアパネルを開いてしまった。続けて床下にもぐり込み、やはりナイフでこじって配線キャビネットを開く。そしてサーバーの配線を引っこ抜いた。なにも起きない。なにも爆発しない。あとはサーバーを動かせばいい。

「超難しいって話じゃないな」――そう言うマスクをアレックスも一緒に来たみんなもあぜんとして見ていた。マスクは大興奮で、『ミッション：インポッシブル』サクラメント・エディションだと大笑いした。


翌日のクリスマスイブ、マスクは応援を呼んだ。ひとりはロス・ノルディン。サンフランシスコから車ではせ参じてくれた。しかもその途中、移動中のサーバーが追跡できるようにとユニオンスクエアのアップルストアでエアタグの在庫をぜんぶ買ってきてくれた（総額2000ドル）。また、ホーム・デポにも寄り、レンチやボルトカッター、ヘッドランプ、耐震ボルトを取り外すのに必要な工具を総額2500ドル分も購入。スティーブ・デイビスもザ・ボーリング・カンパニーの社員に指示してトレーラートラックを1台用意させるとともに、引っ越し用のトラックもずらり並べた。スペースXからも、何人か手伝いに来てくれた。

サーバーラックには車輪がついている。とりあえず4本、接続を解除し、トラックに向けて動かせるようにした。この調子なら、数日で5200本を動かせそうだ。

「みんな〜、すごいじゃないか〜」とマスクは上機嫌だ。

驚愕と恐怖が入り交じる視線を施設職員から浴びつつ、マスクら異端の徒は、木枠に入れたり保護材で巻くなどもせずサーバーラックを転がし、トラックに積むと、ふつうのお店で売られているストラップで固定していく。

「トレーラートラックに積むなんて初めての経験です」とジェームズが言えば、ロスも「さすがに怖いですよ」と言う。クローゼットの引っ越しみたいな感じだが「中身がとにかく貴重品なので」

午後3時、サーバーラック4本をトラックに積んだところで、データセンターを所有・管理するNTTの上層部まで話が伝わり、作業をやめろと言われてしまう。マスクは躁側に振れると、喜びといらだちと怒りがないまぜとなることが多い。NTTストレージ部門のCEOに直接連絡する。サーバーラックの移動は専門家に頼まなければだめだって？

「んなこたない。我々でも、もう4本もトレーラーに積めてるんだ」

床の耐荷重が250キロないくらいだから、900キロのサーバーラックを動かしたら床が持たないって？　いやいや、ラックには車輪が4個ついてるんだから、それぞれにかかる重さは耐荷重以内だぞ。

「算数はあまり得意じゃないヤツのようだ」とマスクは銃士隊に語った。

ただ、NTT幹部のクリスマスイブを台無しにしたのはまちがいないし、翌年、1億ドル以上も売上を減らすことになるわけで、多少はかわいそうだと思ったのだろう。サーバーの移設は二日中断しようと申し出た。ただし、クリスマスの翌日には移設を再開するからなと念を押すことも忘れなかった。

家族で過ごすクリスマス

サクラメントデータセンターと短期休戦協定を結んだマスクは、ボールダーに来てキンバル家と一緒にクリスマスを祝うことにしないか、スキーの計画はおじゃんになってしまったのだしとジェームズとアンドリューを誘った。突然増えたふたり分のギフトとそれを入れる靴下は、クリスティアーナが大急ぎで買ってきた。ディナーはキンバル作のローストビーフに30センチほどの分厚いヨークシャープディングだ。イーロンの息子、ダミアンも料理が得意で、いもの料理を作った。Xはエアロケットで遊んでいる。秒読みをして発射ボタンを踏んで打ち上げるのだ。ジェームズとアンドリューは、まったりとホットタブだ。

いい機会だとキンバルは、ツイッター買収からこっち、マスクは歯止めがきかず暴走気味だと直言することにした。1年前は「今年の人」で世界一の金持ちだったのに、いまはどちらでもなくなってしまった。2018年と同じような状態で、オープンループ警報を発令しなければならない。危険なペース、危険なレベルで敵を増やしているぞと警鐘を鳴らす。

「しょっちゅう殴られていた高校時代を思いだすぞ」

テスラのCEOにとどまるつもりがあるのかとまで尋ねた。かなりまずい状況なのに、マスクはまともに向き合おうとしていない。

「CEOは降りたほうがいいんじゃないか？」

キンバルの問いにイーロンは答えられなかった。

真夜中のツイートも問題だ。実は、神経にさわるからと、キンバルはツイッターでイーロンのフォローをやめていた。イーロンも、ポール・ペロシのツイートは過ちだったと認めた。男娼うんぬんの記事がいいかげんなサイトに掲載されたものだと気づかなかったのだ。

「まるで、ばかたれだぞ。そんなクソみたいなものに引っかかるなよ」

ファウチのツイートもそうだ。

「あんなんだめだよ。笑えない。あんなクソ、やっちゃやだめだって」

ジェームズとアンドリューにも、お前らも同罪だ、あおるようなことをしちゃいかんと釘を刺す。

「大丈夫じゃないんだよ。ほんと、ぜんっぜん大丈夫じゃない」

ツイッターという会社についての話し合いはなかった。買収からこっち、その話題はキンバルが避けているからだ。

「ツイッターなんてどうでもいいよ。兄貴が世界に与える衝撃として見れば、あんなの、せいぜいがケツにできた吹き出物くらいなものだろう」

もちろんイーロンの考えは異なるわけだが、この点についてはふたりとも議論しようとしなかった。

キンバルとクリスティアーナは、問いをひとつ投げかけ、全員に答えてもらうというのをクリスマスの恒例行事にしている。この年の問いは「残念だと思うことはなに?」である。イーロンの答えは「一番残念に思うのは、自分の太ももにフォークをしょっちゅう刺してしまうこと、自分の足をしょっちゅう撃ってしまうこと、自分の目をしょっちゅう刺してしまうこと」だった。

息子のグリフィン、ダミアン、カイとマスクは、ツイッターやマスクのツイートにまつわる騒動で少し距離ができてしまっていた。このクリスマスは、その溝を埋めるいい機会だった。ジェームズやアンドリューと同じく、この3人も数学や科学に秀でた才を授かっている。ただし、幸いなことに、悪魔モードや過酷な面は父親や祖父から受けついでいないようだ。ともかく、イーロン・マスクの息子というのは難しい立場なのだが、みな「ストイック」だからとマスクは言う。

16歳のカイとは、高校を辞めてツイッターで働いたらどうかという話をしていた。

「すご腕のプログラマーなので、ソフトウェアを書きながらオンラインで高校の勉強をすることもできるわけです。ダミアンもそうしていますしね」とマスクは言う。「ただ、あんまり強く勧めるわけにもいきません。学校は友だちづきあいもありますから。でも高校に通うには頭がよすぎるんですよ。さすがにばかばかしくないかと思うほどに」

考えてみるがカイの答えだった。

カイの一卵性双生児、ダミアンも同じく頭がすごくいい。ただ、興味関心は違う。ダミアンは、すでに1年以上も、素粒子物理学の研究室で量子計算と暗号の研究をしている。高校をオンラインですませたあと米国トップクラスの研究系大学にいくつも合格したのだが、学部に入学したのでは知的刺激が物足りないかもしれないとマスクは心配していた。

「数学と物理学は大学院レベルに達していますからね」

グリフィンは、マスク家で一番おおらかであり、一番外交的である。アイビーリーグ大学の1年生で、父親に対する敵意をぶつけられることもあるという。控えめで偉ぶらない性格なのだが、それでも、「自慢に聞こえてしまうかもしれませんが、情報科学のクラスでは450人のトップになっています」とすごくすまなそうに語ってくれた。ふだんは、昔父親が若いころにしていたように、ビデオゲームのプログラミングをしている。遊ぶほうは『エルデンリング』が一番のお気に入りだそうだ。

ゼイビア改めジェナの姿はなかった。それはそうだろう。ジェナにはクリスティアーナがメッセージを送る。あなたがいないのをみんな残念に思っているよ、クリスマスのストッキングを作ったので送るね、と。「ありがとう。心に染みるわ」と返事が返ってきた。

自閉症のサクソンは、今回も、鋭い一言を発していた。レストランではいつも偽名を使うんだよねという話になったとき、「そうだよね。イーロン・マスクの息子だって知られたら、怒りをぶつけられるだろうからね。ツイッターをめちゃくちゃにしやがってって」

荒仕事を続ける

クリスマスが終わると、アンドリューとジェームズはサクラメントに戻り、もうあと何本くらいサーバーを動かせるか、がんばってみた。服が足りないのは、ジーンズとTシャツをウォルマートで買ってしのぐことにした。

　ＮＴＴからは、相変わらずいろいろとじゃまが入った。もちろん、それはしかたがないだろうなと思うものもある。たとえばサーバー室のドアを開けっぱなしにするのはだめで、毎回、網膜スキャンをしろ、などだ。ずっと張りついてチェックしている人もひとりいた。

「いや、もう、あんな憎らしいと思った人はいませんね」とジェームズは言う。「でも、気持ちはわかりますよ。だって、ぼくらのせいでせっかくのホリデーが台無しになったわけですから」

　ＮＴＴ推奨の運送業者は時間２００ドルと言われたので、その10分の1でやってくれるエキストラ・ケア・ムーバーズという会社をジェームズがイェルプでみつけた。寄せ集めの極致という会社だ。オーナーは昔路上生活をしていた人物で、子どもが生まれたのを機に、人生をやり直そうとがんばっているところらしい。銀行口座がないというので、支払いはペイパルにした。二日目には現金払いがいいと言われたので、ジェームズが自分の口座から1万３０００ドルを引き出してきた。作業員のうちふたりは身分証明書がなく、設備に立ち入るのさえ難しかった。そのあたりはさっと埋め合わせの策を講じた。

「サーバー1台に1ドルのチップを払う」とジェームズが宣言したのだ。

　そこからは、トラックに積み込むたび、何台積んだかなとみんな確認するようになった。

　そうこうしているうちに、ジェームズらが気づいた問題があった。ここのサーバーにはユーザーデータが記録されていて、プライバシーの問題から、本来は、そのデータを消去してから動かさなければいけなかったのだ。

「そういうものだとわかったのは、接続を切ってたくさんのサーバーを運び出したあとでした。

それを戻して接続し、データを消去するなどできるはずがありません」

消去用のソフトウェアがうまく動かないという問題もあった。

「なんだよこれ。どうしろと？」

トラックの荷台をロックして追跡すればいいんじゃないかというのがイーロンの考えだった。それではとホーム・デポからでっかいナンバー錠を買ってきてトラックに取り付け、解錠用の数字はスプレッドシートにまとめて送ることにした。

「なんとかなったのが信じられませんよ」とジェームズは言う。「ぜんぶ、問題なくポートランドに到着したんです」

数日のうちにサクラメントで借りられるトラックを使い切ってしまった。激しい雨で条件が悪いなか、移動できたラックの数は、三日で７００本あまりだった。ちなみに、それまでの最高記録は１カ月で30本だという。もちろん、まだまだサーバーは山のように残っているわけだが、ともかく、ハイペースで移動できることは証明できたわけだ。残りは、１月になってからツイッターのインフラストラクチャーチームにやってもらえばいい。

年内にサーバーを移動できたら、最大で１００万ドルのボーナスを払おうとイーロンはジェームズに約束していた。契約書は作っていないが、ジェームズはいとこの言葉を信じた。ところが、運び終わってから、ボーナスはポートランド側で稼働したサーバーの台数に比例するのだとジャレッド・バーチャルに言われてしまう。電源を用意しなければサーバーは動かせないので、稼働台数はゼロだ。その点をイーロンに確認すると、じゃあ、ポートランドに問題なく届いたサーバー、１台につき１０００ドルを払おうと返ってきた。つまり、総額70万ドルちょいだ。ツイッターに移籍するならストックオプションもくれるという。ジェームズは、この提案を両方とも受けることにした。

ジェームズは、とても家族思いだった。このクリスマスも、南アフリカに残してきた家族と会えなかったので、ボーナスの一部は、次の春、米国までみんなに来てもらう航空券に充てることにした。両親の家もカリフォルニアに買おう。

「父は木工が趣味なのですが、先日、指をちょっと切り落としてしまい、いま、つらい思いをしているところなんです。父と私はすごく近しいんですよ」


いかにもマスクな無手勝流のやり方で、わくわくどきどきする刺激的な冒険譚だ。ただ、マスク絡みはたいがいそうなのだが、この件も、実は意外にややこしいものだった。無茶無謀の一例というか、すぐやらないと気がすまないことの例というか、脅しの例というかでもあったのだ。頭が爆発している絵文字がうんぬんという会議で、サクラメントのデータセンターをすぐになくすのはまずい、なぜならという説明が技術者からあったが、マスクはかまわずシャットダウンした。だめだ、無理だというのを否定しても大丈夫かどうか、マスクはわりと上手に見極めるのだけれど、当然に失敗することもある。このときも、2カ月ほど、ツイッターが不安定になってしまった。ロン・デサンティス大統領候補を支援するツイッタースペースをマスクが開催したときなど、メルトダウンが頻発したのだ。

「いまふり返ると、サクラメントのシャットダウンは失敗だったなと思います」と、2023年3月、マスク自身も認めている。「データセンター全体で冗長性が確保されていると聞いていたんですよ。でも、コードでサクラメントが指定されているところが7万箇所もあるというのは知りませんでした。その影響はいまだに引きずっています」

テスラとスペースXの副官は、みな、マスクがなにかまずいことを思いついたとき、それをうまくかわし、マスクが聞きたがらない情報を少しずつ伝える技を身につけている。だが、旧ツイッター時代からの社員にそういうノウハウはない。それでもともかく、ツイッターは倒れなかった。またサクラメント騒動を起こしたことで、気が狂いそうな切迫感が必要なんだとマスクが言うとき、それがなにを意味しているのかもツイッター社員に伝わったことだろう。

大みそか

さすがのマスクも少し肩の力を抜く必要があった。ゆっくりと休むのは不得意だが、それでも、年に何回かは、ハワイのラナイへ行き、メンターであるラリー・エリソンの家に泊まって、2、3日、ゆっくりすることがある。ツイッターの買収を決めた4月にもしていたように、だ。12月末にも、こんどはグライムスとXを連れて行くことにした。

この少し前、エリソンは、島に天体観測ドームを作り、口径1メートルの反射望遠鏡（重量1・4トン弱）を設置していた。これを火星に向けてもらうと、マスクは、しばらくじっとアイピースをのぞいていた。そしてXを呼び寄せ、抱えて彼にものぞかせる。

「見えるかい？　あれが、お前がいつの日か住むことになる場所だよ」

そのあとは、やはりグライムスとXを連れてメキシコのカボ・サン・ルーカスへ飛ぶ。キンバル家と、波瀾万丈だった2022年の終わりを祝うのだ。マスクの上の息子4人も来ていた。キンバル家は全員だ。

「こうして集まれるとほっとします」とキンバルは言う。「ウチもイーロンのところもなかなかに複雑な家庭ですし、その全員がみんな楽しく満足していることなんてそうそうありませんから」

ツイッターを買収してからこっち、マスクはずっと戦闘モードだった。精神的にとらわれ、追いつめられている状態だ。子ども時代によく経験した感覚で、これを感じると、怒りや敵意が湧いてしまう。だから足取りは重く、全身から殺気を放ち、いつでも戦えるように身構えてきた。そんなマスクでも、こうして家族で集まったときには、心穏やかに過ごすことができる。初日の夜は、キンバル、カイ、アントニオ・グラシアスと4人で静かなレストランへ行った。翌日はボードゲームに映画だ。マスクが選んだのは1993年のアクションドラマ、『デモリションマン』である。優秀だけれどもあれこれ巻き添えにして壊してしまう、リスクが大好きな警官をシルヴェスター・スタローンが演じているもので、マスクはすごくおかしいと笑っていた。

そこに集まった見知らぬ人同士、みんなで大みそかを祝うパーティもあった。最後は恒例のカウントダウンだ。ハグと花火でひとしきり騒いだあと、マスクの表情が消え、どこか遠くを見る目になった。こうなったマスクはじゃましないのが鉄則だ。だが、しばらくしたところでクリスティアーナがマスクの背中に手を添え、大丈夫ですかと尋ねた。マスクはもう1分ほど黙ったままだった。

「スターシップを軌道に打ち上げないと」——ようやく開いた口から出てきたのはそんな言葉だった。「スターシップを軌道に打ち上げないと」

第 93 章

車用AI

テスラ（2022～2023年）

ダウェル・ショフとテスラの仕事机

人間から学ぶ車

「車用のChatGPTと思ってもらえればいいでしょう」

ダウェル・ショフは、こうマスクに語った。マスクがサム・アルトマンと2015年に立ち上げた研究所、OpenAIが、この少し前にChatGPTという人工知能チャットボットを公開したのだが、テスラで自分が進めているプロジェクトはそれとよく似ているというのだ。マスクは10年近くも人工知能に対してさまざまな形でアプローチしてきた。自律運転車、ロボットのオプティマス、ブレイン・マシン・インターフェースのニューラリンクなどだ。ショフのプロジェクトは機械学習の最前線で、人間の行動から学ぶ自律運転システムである。

「複雑な運転状況で人間が実際にどう行動しているのか、膨大なデータを解析し、その行動をなぞれるようにコンピューターのニューラルネットワークを訓練するわけです」

この打ち合わせは、マスクが希望したものだ。ショフはジェームズ、アンドリュー、ロスに続く4人目の銃士としても活躍してきた人物で、マスクとしては、テスラのオートパイロットチームからツイッターに移籍してもらいたいと考えていた。逆にショフは、「ニューラルネットワークパスプランナー」と呼んでいる「人間から学ぶ」機能がテスラにとっても世界にとってもきわめて重要なのだとマスクに納得してもらい、移籍を避けたいと考えていた。

この日は、事実は小説よりも奇なりと言いたくなるほどに多くのことが入り乱れていた。2022年12月2日の金曜日、マット・タイービがツイッターファイルのひとつ目を公開する予定だった日だ。ショフは、言われたとおり朝一にツイッター本社に行ったのだが、ネバダでおこなわれたサイバートラックの発表会から戻ったばかりのマスクに謝られてしまう。ニューオーリンズに飛んでマクロン大統領に会い、欧州のコンテンツモデレーション規制について話をする予定だったのを忘れていた、だから、打ち合わせは夕方にずらしてほしいというのだ。さらに、マクロン大統領の到着が遅れたので、もっと後ろ、もう4時間遅らせてほしいとのメッセージが届く。このメッセージを送ったとき、マスクは、バリ・ワイスとネリー・ボウルズにも、サンフランシスコまで今日中に来て自分と会い、ツイッターファイルを手伝ってほしいと突然のメッセージを送っている。

そして、夜遅くにサンフランシスコに戻ったマスクにショフが冒頭のようにパスプランナープロジェクトの説明をしたわけだ。

「私としては、いまの仕事を続けることが超重要だと考えます」

そうだなとマスクも賛同。テスラがめざすのは、単なる車の会社でもなければクリーンエネルギーの会社でもない。完全自動運転、オプティマスロボット、機械学習スーパーコンピューターのドージョーを組み合わせて人工知能の会社になるのだ。チャットボットのバーチャル世界はもちろん、工場や道という物理的なリアル世界でも運用できる人工知能の会社に。そこに向け、OpenAIとも競えるようにAIの専門家を増やしていくことはすでに決めていた。ショフら、ニューラルネットワークプランナーのチームも連携してもらうのがいいだろう。

テスラのオートパイロットシステムは、ずっとルールベースで開発してきた。まず、8台のカメラで周囲の映像を取り込み、車線を示すラインや歩行者、ほかの車両、信号などを判別する。続けて、「赤信号なら止まれ」「青信号なら進め」「車線の真ん中を走れ」「二重イエローラインを越えて対向車線に出てはならない」「ぶつかるスピードで突っ込んでくる車がいないときにのみ交差点を通過する」などのルールを適用する。複雑な状況にも対応できる形でルールを適用するため、何十万行というC＋＋プログラムを技術者がこつこつ書いて修正している。

これに別のやり方を重ねるのが、ショフが進めているニューラルネットワークプランナーだ。「車をどう進めるべきか、ルールだけで決めるのではなく、そういうとき人間がどうしてきたのか、山のような実例を学習したニューラルネットワークの判断も活用するのです」

人間のまねをするわけだ。ニューラルネットワークは、過去、似たような状況で実際に人間がおこなってきた数千回もの実例を参考に、目の前の状況に対処する。人間は、そうやってしゃべり方を学ぶ。車の運転を学ぶ。チェスのやり方も、スパゲッティの食べ方も、ほぼあらゆることをそうやって学ぶ。守るべきルールが与えられることもあるが、基本的に、まわりの人がしていることを観察することでスキルを身につけていく。これこそ、アラン・チューリングが1950年の論文、「計算する機械と知性（Computing Machinery and Intelligence）」で思い描いた機械学習のアプローチだ。

テスラには、世界最大級のニューラルネットワーク訓練用スーパーコンピューターがある。心臓部はチップメーカーNVIDIA製のGPU（グラフィックス・プロセッシング・ユニット）である。ドージョーというスーパーコンピューターも基幹部品から構築していて、2023年中には、AIシステムを動画で訓練する処理をドージョーに移したいとマスクは考えている。チップもインフラストラクチャーもテスラのＡＩチームが設計したオリジナルで、処理能力が8エクサフロップス（浮動小数点演算を1秒あたり10の18乗回おこなえる単位）近くとＡＩ訓練用として世界一のコンピューターとなる。対象は、自律運転のソフトウェアとオプティマスの両方だ。

「このふたつを並行して進めるのはとてもおもしろい」とマスクは言う。「どちらも、この世界で動き回ろうというものですからね」

ニューラルネットワークプランナーが解析したテスラ顧客の運転映像は、２０２３年の頭、１０００万フレームほどに達した。でもこの方法では、平均的なドライバー並みの運転しかできるようにならないのではないだろうか。

「それは違います。状況に上手に対応した例だけを使っているからです」とショフは言う。

まず、ニューヨーク州バッファローなどで対応を採点する。そして、マスクの言う「五つ星のウーバードライバーがしそうなこと」をしている動画だけが訓練に使われるのだ。

マスクは、おりおり、パロアルトのテスラの大部屋でオートパイロット技術者を見て歩き、隣にひざまずいてあれこれ議論したりしている。そんなある日、ショフが最新の成果を見せてくれた。すごいなと感心しつつ、マスクは、そもそもこういうことをする必要が本当にあるのかという疑問を感じた。大がかりすぎるのではないか？　ハエを殺すならハエたたきにすべきで、巡航ミサイルを使うのは愚の骨頂だ。ニューラルネットワークというややこしいことは、ほとんど遭遇しない特殊ケースに対応する以外には不要なのではないか？

こう問われたショフは、ニューラルネットワークプランナーが役に立つ例を見せてくれた。ゴミ箱やカラーコーン、その他のあれこれなどでとっちらかった道だ。そんな道でも、ニューラルネットワークプランナー搭載の車は、障害物を上手によけて走る。車線の境界線もまたぐし、ルールに反する動きも必要ならする。

「ルールベースからネットワークパスベースに変えるとこうなるんです」とショフ。「この機能をオンにすれば、それこそ雑然とした状況でも、衝突するのに突っ込んでいくことはなくなります」

マスクが大好きなタイプの未来に向けた躍進だ。

「ジェームズ・ボンドみたいなデモをすべきだな。いたるところで爆発が起きていて、空からはUFOも落ちてくるのに、車がすべてをすり抜けて吹っ飛んでいくやつだ」

機械学習システムには、ふつう、学習の方向を調整する目標か評価基準を与える。マスクは最優先の評価基準を宣言して管理するのが大好きで、これについても道しるべとなる北極星を定めた。人間が介入することなく完全自動運転できる距離だ。

「進捗の報告会では、スライドの1枚目はこの数字にしろ。AIを訓練するにあたり、どこに最適化するのかといえば、それは介入が必要になるまでの距離しかないだろう」

そして、スコアを毎日確認できるビデオゲームみたいにしろと指示。

「スコアが出なければビデオゲームもつまらない。逆に、介入なしに走れる距離が毎日伸びていくのを見れば、やる気が出るはずだ」

というわけで、仕事場に85インチの巨大モニターを置き、完全自動運転（FSD）の車が介入なしに走れる距離の平均値をリアルタイムに表示することになった。車線変更や合流ややこしい交差点の右左折などではドライバーがついハンドルを握りがちなのだが、そういう介入があると、ルールとニューラルネットワークプランナーの両方を微調整する。介入を引き起こす問題をうまく解消できたら、ジャーンと鳴らせるように、並んだ机のそばにどらも用意した。

AI試験走行

2023年4月半ば、マスクはニューラルネットワークプランナーを実走で試してみることにした。場所はパロアルトの街中だ。車はショフらオートパイロットチームが用意した。人間の運転をまねするようにニューラルネットワークで訓練したソフトウェアが運転する。ルールベースのコードは最小限に抑えてある。

運転席にはマスク、助手席にはオートパイロット部門のディレクター、アショック・エルスワーミが座った。後席にはショフとマット・バウチ、クリス・ペインとチームの仲間3人が座る。3人はもう8年間もテスラで机を並べて仕事をしてきたし、サンフランシスコの自宅もすぐ近くだ。ふつうは家族の写真を机に飾るのに、この3人は、ハロウィーンのパーティで3人一緒に撮った写真を飾っている。実はもともと4人のチームでジェームズ・マスクもメンバーだったのだが、彼は、ショフと違い、おじさんの求めに応じてツイッターに移籍してしまった。

さあ、出発だ。駐車場に止めた車の中で、マスクが行き先を地図で指定し、完全自動運転をクリックする。そして、ハンドルから手を離す。表の道路に出たところで、さっそく、ひやりとする状況に直面した。自転車が向かってきたのだ。

「我々はみんな息を飲みました。自転車はおかしな動きをすることがありますから」とショフは言う。

だがマスクは気にした様子もなく、ホイールを握ろうという動きも見せなかった。車は自動的に道を譲る。

「人間ならそうするだろうなと思う動きでした」

ショフら3人は、ユーザーの車に搭載されたカメラから回収したものすごい量のビデオクリップを使い、どういうふうにFSDソフトウェアを訓練したのかを詳しく説明した。できあがったソフトウェアは、何千種類ものルールから人間が作ったものよりずっとシンプルなものだったという。

「実行速度は10倍になりました。コードも、最終的に30万行も少なくなりました」とショフが言えば、バウチも、ごく単純なビデオゲームをプレイするAIボットと同レベルだと言う。

マスクはふっと鼻で笑った。そして、運転は車に任せ、スマホを取りだしてツイートを始める。25分間、車は太い道路や住宅街の道を走っていく。ややこしい右左折をこなし、自転車や歩行者、ペットはちゃんとよけながら。マスクは、結局、ハンドルには触らなかった。信号がなく、全車一時停止となっている十字路で譲りすぎる、慎重にすぎると感じたときなど、何回か、アクセルで介入しただけだ。自分よりうまいと感じたことも1回あったという。

「おおっと、これはすごいな。僕の人間ニューラルネットワークがしくじった状況なのに、車は正しい動きをしたじゃん」

ご機嫌のあまり、口笛で、モーツァルトのセレナーデ、『アイネ・クライネ・ナハトムジーク』ト長調を吹きはじめたほどだ。

「驚いたよ。よくやった」――最後にマスクはこうコメントした。「これはまじですごい」

このすぐあとに、オートパイロットチームが毎週開いている会議があった。ほぼ全員黒いTシャツの研究員が20人、机に並んでマスクの裁可を待つ。ニューラルネットワークは使い物にならないが大勢のチームに、マスクは、今日でニューラルネットワーク派に転向した、ここにもっと資源をつぎ込めと宣言した。

続く議論で、マスクは、研究チームが発見したとある事実の重要性を理解した。ニューラルネットワークは100万本のビデオクリップでなんとか実用レベルに達し、150万本を超えたあたりから性能がどんどん上がっていくという事実だ。言い換えれば、ほかの自動車会社やAI会社に対してテスラは大きく有利な立場にある。なにせテスラ車は200万台近くも世界各地を走っていて、毎日何十億フレームも動画が手に入るのだ。

「ここまでのことができるのはウチだけです」とエルスワーミも請けあった。

自律運転であれオプティマスのようなロボットであれ、ChatGPTのようなボットであれ、AIの成功には膨大なリアルタイムデータの収集・解析が欠かせない。そして、マスクは、そういうリアルタイムデータがとめどなく湧く泉をふたつも手にしている。自律運転車の動画と、毎週何十億件も投稿されるツイートだ。この会議で、マスクは、ツイッターのデータ処理用にGPUチップを1万個と大量に買い付けたと語っている。また、テスラが開発している、GPU以上の性能を持つ可能性があるドージョーチップについて、もっと頻繁に検討会を開こうという話もあった。ツイッターでサクラメントのデータセンターをクリスマスにぶっこ抜いたのは浅はかなまちがいだったとの言葉もあった。

AI技術者のスーパースターもひとり、この会議にじっと耳を傾けていた。秘密のプロジェクトを立ち上げるため、ほんの何日か前にマスクがひそかに召しかかえた人物だ。

第 94 章

人間用AI

X・AI（2023年）

オースティンにて、シボン・ジリスと彼女とのあいだに生まれた双子、ストライダーとアジュールとともに

グレートレース

技術の革命というものは、静かに始まるのがふつうだ。１７６０年のある日、「うわ、産業革命が始まったのか〜」とだれかが飛び起きたなんて話はない。デジタル革命も、世界が根本的に変わったと世の中に認識される前に、一部マニアがパーソナルコンピューターを手作りし、ギークが集まるホームブリュー・コンピューター・クラブなどで見せびらかす程度の時代がけっこう長くあった。人工知能革命は例外だ。２０２３年春、首が折れそうなほどの勢いで変革が進んでいて、仕事も学習も創作も日常のあれもこれもが根本的に変わるなとの認識が、わずかに１、２週で、技術系の人間からふつうの人々にまで広がったのだ。

マスクは10年くらい前から、人工知能が暴走し、意志のようなものを持って、人類を脅かす日が来るのではないかと心配している。そして、そういう心配は他の知性体より人類のほうが大事だと考える「種差別」だと、グーグルの共同創業者ラリー・ペイジに否定され、ふたりの関係にヒビが入る事態も起きた。ＡＩの先駆者デミス・ハサビスが立ち上げたディープマインドをグーグルが買収しようとした際には阻止を試みたし、それが失敗すると、非営利のＡＩ研究所、ＯｐｅｎＡＩをサム・アルトマンと立ち上げた。２０１５年のことだ。

だが人間は機械よりややこしいので、マスクはアルトマンと仲たがいしてしまった。そしてＯｐｅｎＡＩの取締役を退くと、逸材と言われる技術者アンドレイ・カルパシーをテスラのオートパイロットチーム主任に引き抜く。アルトマンはアルトマンで、ＯｐｅｎＡＩに営利部門を作って130億ドルの投資をマイクロソフトから受け、カルパシーを引き抜き返すなどしている。

膨大なインターネットデータで訓練し、ユーザーの質問に答えられるようにしたボット、ChatGPTもOpenAIが開発したものだ。これの早期バージョンを2022年6月に見せられたとき、ビル・ゲイツは、大学の一般教養レベルに相当するアドバンスト・プレイスメントの生物学試験で合格点が取れるくらいになったらまた持ってこいと突っぱねた。2、3年はかかるだろうとそう言ったのに、わずか3カ月で新バージョンのGPT-4が出てきてしまう。アルトマン、マイクロソフトのサティア・ナデラCEOらが見守るなか、ゲイツが生物関連の質問を次々にぶつけていく。

「ただただ、驚きました」とゲイツは言う。続けて、病気の子どもを持つ父親にどういう言葉をかけるべきかと尋ねると、その場にいた人はだれも思いつけないのではないかと感じるほどすばらしい、配慮の行き届いた回答が返ってきたという。

OpenAIのGPT-4は、2023年3月に公開された。グーグルも、対抗してバードというチャットボットを公開。こうして、人間と自然に対話し、テキストベースの知的作業を疲れることなくこなしていく製品の開発競争が、OpenAI・マイクロソフト陣営対ディープマインド・グーグル陣営という形で始まった。

マスクにとってはいろいろと心配な展開だ。まず、マイクロソフトやグーグルが絡んでいることもあり、こういうチャットボットやAIシステムに政治的な色がつくのではないか、それこそ「ウォークマインド・ウイルス」に感染することもあるのではないかとマスクは考えた。さらに、自己学習型AIは人類に反旗を翻す可能性も否定できない。もっと卑近な話として、こういうチャットボットを利用してツイッターにデマや偏見、詐欺をあふれさせる輩が出ることも考えられる。いまも人手でそういうことをしている連中がいるわけだが、大量のチャットボットを動員できるようになれば、二桁も三桁も問題が悪化するだろう。

危機と見ればなにがなんでも救いに行こうとする。マスクはそういうタイプだ。ＯｐｅｎＡＩ対グーグルの一騎打ちに3人目のグラディエーターを参戦させるべきだ、人類を守る安全なＡＩを参戦させるべきだ。ＯｐｅｎＡＩを立ち上げ、資金も出したのに、この争いに加われていないのはマスクにとって一大痛恨事である。なんといっても、ＡＩは、社会に吹き荒れる最大の嵐であり、マスク以上に嵐に惹かれる者はいないのだから。

２０２３年2月、マスクは、ＯｐｅｎＡＩの創立書類を持ってツイッターに来てくれとサム・アルトマンに連絡する（「来いと命じた」というほうが正確かもしれない）。そして、寄付金で創設した非営利組織をばく大な利益を上げる営利目的の組織に変えるのは法律的にもおかしいだろうと問いただした。アルトマンは合法だと必死に説明する。自分自身は株主でもなければこの件で儲けてもいないという言葉もあった。新会社の株を提供しようという提案もあったが、これはマスクが辞退した。

マスクは、ＯｐｅｎＡＩとアルトマンに対する批判をツイッターでつるべ打ちにする。

「ＯｐｅｎＡＩは、グーグルに対抗するオープンソース（だから、「Ｏｐｅｎ」ＡＩという名にした）の非営利法人として設立されたのに、マイクロソフトが実質的に支配するクローズドソースの利益最大化法人になってしまった」

「1億ドルを寄付した非営利組織がどうしたら時価総額３００億ドルの営利法人になれるのか私

にはわからない。こんなことが合法的にできるのなら、みんなやるんじゃないのか？」

ＡＩは人類が作った最強のツールだ、なのにそれをあこぎな企業が独占する事態になってしまったとも書いている。

アルトマンはいろいろな意味で心を痛めていた。マスクと違い、彼は繊細で対立を好まない。ＯｐｅｎＡＩでぼろ儲けしている事実はないし、ＡＩの安全性というのはややこしい問題であり、マスクの認識は浅すぎると感じてもいた。だが同時に、マスクがまじめに心配して批判を展開していることもわかっていた。

「お山の大将なんですよ」とアルトマンはカーラ・スウィッシャーの取材で語っている。「ああいうスタイル、私自身は取りたくありません。ですが、彼は本気で心配しているのだと思いますし、人類に訪れる未来の姿を想像してうつうつとしているのだと思います」

マスクのデータストリーム

ＡＩの燃料はデータだ。今回登場したチャットボットは、膨大な情報で訓練してある。使われたのは、数え切れないほどあるインターネットのページをはじめとする文書だ。グーグルもマイクロソフトも、検索エンジンやクラウドサービス、電子メールなど、訓練に使えるデータがどんどん湧いてくる泉を持っている。

マスクはなにを携えてここに参入するのか。ひとつはツイッターのフィードだ。累計すると1兆ツイートを超えているし、いまも1日5億ツイート増えている。対話、ニュース、興味、トレンド、議論、わけのわからない言葉がぶんぶん飛び交う場で、最高に生きのいいデータが得られる。さらに、チャットボットの言葉に人がどう反応するかを調べ、訓練に生かすこともできる。これは買収時にマスクが意識していなかったツイッターの価値だ。

「副産物のようなもので、そうとらえることもできるのだと買収後に気づきました」とマスクも語っている。

このデータストリームは、他社がわりと自由に使える状態だった。1月、だからマスクは、データの利用を有料にする方法を夜ごと検討した。

「収益化のチャンスなんだ」と技術者に発破をかける。

有料にできれば、グーグルやマイクロソフトがＡＩチャットボットの改良にツイッターのデータを使うのも制限できるはずだ。

マスクには、もうひとつ、データの泉がある。テスラの車載カメラから送られてくる1日160 0億フレームの動画だ。このデータは、チャットボットに適用するテキストベースの文書と異なり、現実世界を移動していく人間から見える風景だ。これを使えば、テキストを産むチャットボットだけでなく、物理的ロボットのＡＩも作れる可能性がある。

汎用人工知能の聖杯となるのは、肉体から離脱した言葉で人間に驚きをもたらす以上の存在、工場や事務所やそれこそ火星などの物理的空間で人間のように動ける機械を作ることだろう。テスラとツイッターのデータと処理能力を活用すれば、物理的空間でどう動けばいいのかを教えることも、自然言語で質問にどう答えればいいのかを教えることもできるはずなのだ。

アイズ・オブ・マーチ

「どうすればＡＩは安全になるんだろう」とマスクは自問する。「ずっと考えているんですけどね。なにをすれば、ＡＩの危険性を抑え、人類の意識を生きのびさせられるんだろうって」

マスクはシボン・ジリスがオースティンに持つ家のプール脇パティオで、はだしの足をあぐらに組んで座っていた。ジリスは8年前にＯｐｅｎＡＩを立ち上げて以来、人工知能に関する知的議論のパートナーを務めている女性で、ニューラリンクの幹部であるとともに、マスクの子ども、ふたりの母親でもある。1歳4カ月になったその双子、ストライダーとアジュールもふたりの膝に乗っている。マスクは1日1食のファスティングダイエットを続けていて、この日はドーナツで遅めのブランチにした。このころはこのパターンが多い。飲み物はジリスがコーヒーを淹れてくれた。マスクの分は、ついぐいっと飲んでしまわないように、レンジで熱々にする。

その1週間後、マスクからメッセージが届いた。

「大事な話があります。お目にかかって直接でなければお話できないことです」

わかった、いつ、どこに行けばいい?と問うと、「アイズ・オブ・マーチにオースティンで」と返ってきた。

アイズ・オブ・マーチということは3月15日だが、暗殺の日としてシーザーが警告されたセリフでよく知られた言い方だ。どう解釈すべきか悩んでしまうし、ちょっと心配にもなってしまう。なにかまずいことが起きるのか?

実際には、今後について語りたいというだけの話だった。最初に出てきたのはＡＩだ。なお、話は外でする、スマホは家の中に残してくれと言われた。スマホ経由で盗聴されると困るから、だそうだ。ただ、このときの話を本書に載せるのはかまわないと、あとで許してくれた。

このときのマスクは、ぼそぼそと言葉を紡いだかと思うと、ときおり、ばか笑いをするという話し方だった。子どもの数が減っているので、人類の知性はそろそろ頭打ちになる。対してコンピューターの知性は、ムーアの法則という筋肉増強剤もあり、とどまるところを知らず急上昇している。どこかで、デジタル脳力が生物学的な脳力を超える日が来る。

また、新しいＡＩ機械学習システムならみずから情報を取り込み、なにをどう出力すべきかを自習することができる。自身のコードを改良し、能力を高めていくこともできるだろう。そのような状況、つまり、人工知能が勝手に自身を鍛えて先に進み、我々人類を置き去りにする状況が訪れる瞬間を、数学者ジョン・フォン・ノイマンとＳＦ作家ヴァーナー・ヴィンジは「シンギュラリティ」と名付けている。

「その瞬間は、意外に早く訪れるのかもしれません」と、マスクは沈んだ声で語った。

あまりに場違いな話で、現実感がない。我々が座るパティオからは、温かな日差しが降りそそぐ春の日、郊外に建つ家ののどかな裏庭とプールが見える。明るい目をした双子がふたり、よちよちと危なっかしい足取りで歩いている。なのにマスクは、地球文明がＡＩに破壊される前に、人類が生き続けられるコロニーを火星に作るとして、残された時間はどのくらいかと暗い話をしているのだ。サム・テラーがマスクの下で仕事を始めて二日目、スペースＸの取締役会を傍聴したときの言葉を思いだしてしまった――「火星に街を作る計画とか、そのとき人はなにを着るのかとか、真剣に話しあっているんですよ。しかも、全員、そういう話をするのが当たり前って感じなんです」

マスクはしばらく黙っていた。彼によくあるやつだ。コンピューターがタスクを切り替えてひとつずつ全力でこなしていく昔のやり方にちなみ、「バッチ処理をしている」とシボンは言うらしい。

「なにもせずじっと座っているわけにはいきません」――柔らかな口調だ。「ＡＩがここまで来てるのに、ツイッターについてあれこれ考えるのに時間をたくさん使っていていいのかなと思うんです。世界一の金融機関にしようと思えばできるでしょう。でも、私のブレインサイクルは限られているし、１日に使える時間も限られています。えっと、つまり、これ以上金持ちになりたいとか、そういう話じゃないってことです」

私も口を開こうとしたときには、マスクが回答を語りはじめていた。

「じゃあ、なにに自分の時間を使うべきなのでしょう。スターシップの打ち上げです。火星へ行くことが急務になったのです」

またちょっと黙ってから付け加えた。

「ＡＩを安全にすることも考えなければなりません。だからＡＩの会社を立ち上げます」

X・AI

マスクの新会社はＸ・ＡＩという。チーフエンジニアには、グーグルのディープマインド部門から引き抜いたＡＩ研究員、イゴール・バブシュキンを据えた。とりあえずはツイッターに間借りするが、ニューラリンクのように独立のスタートアップにしなければならないとマスクは考えている。理由は採用難だ。ＡＩ分野は最高にホットで、ＡＩの研究経験があれば１００万ドル以上のスターティングボーナスが当たり前の状態になっている。新会社の創業者として持ち分が持てるよと声をかければ、多少は来てもらいやすいだろう。

ということは、マスクは、テスラ、スペースXとそのスターリンク部門、ツイッター、ザ・ボーリング・カンパニー、ニューラリンク、X・ＡＩと合計6社を経営することになる。スティーブ・ジョブズでも同時はアップルとピクサーの2社だったわけで、その3倍だ。

質問に自然言語で回答するチャットボットの開発ではＯｐｅｎＡＩに大きく後れている。だが、物理世界を動き回るのに必要なＡＩについては、自動運転とオプティマスで大きく先行している。このふたつをまとめ、本物の汎用人工知能を作ることについては、ＯｐｅｎＡＩより先を行っていると言えるだろう。

「テスラの現実世界ＡＩは過小評価されています。テスラとＯｐｅｎＡＩが仕事を交換したらどうなるか、想像してみればわかるはずです。彼らがこれから自動運転を開発する、我々は巨大言語モデルのチャットボットを作る。どちらが先にゴールに飛び込むか。我々ですよ」

4月、マスクはバブシュキンらに大きな目標を三つ与えた。ひとつ目は、コンピューターコードが書けるＡＩボットだ。どんなプログラミング言語であれ、入力をしかけると、こういうことがしたいのだろうと推測し、その先をだ〜っと作ってくれたらすばらしいだろう。ふたつ目は、ＯｐｅｎＡＩのＧＰＴシリーズに対抗するチャットボットだ。政治的に中立が保障されるアルゴリズムを使い、そういうデータセットで訓練したチャットボットである。

三つ目は、壮大な目標だ。マスクが優先するのは、人類の意識が生き続けるのを助けるＡＩにする、である。そのためには、「道理」と「思考」で「真理」を追究する汎用人工知能を作るのが一番いい。「もっといいロケットエンジンを作れ」といった大きな目標を実現してくれる汎用人工知能だ。

その先には、もっと大きな問い、それこそ、存在にまつわる問いにもＡＩが答えてくれる世界があるのではないかとマスクは期待している。

「最大真実探求ＡＩです。宇宙の本質を理解しようとするもので、そういうＡＩなら、宇宙のおもしろい部分である人類を残そうと考えるはずですから」

どこかで聞いたような文句だ――そう思ったところで気づいた。子ども時代のマスクに大きな影響を与えた（大きすぎる影響を与えた？）バイブル、若者らしい存在の危機から救ってくれた『銀河ヒッチハイク・ガイド』と似たミッションに挑もうとしているのだ。そう、「生命、宇宙、その他もろもろについての深遠なる疑問の答え」を得るスーパーコンピューターの構築だ。

第 95 章

スターシップの打ち上げ

スペースX（2023年4月）

左上：ボカチカのハイベイ頂部からスターベースを見下ろすマスク、ジュンコーサ、マッケンジー
右上：管制室からスターシップの打ち上げを見守る
左下：管制室のなかで、グリフィンとXとともに
右下：管制室の外で、グライムスとタウとともに

リスキーなビジネス

「胃がきりきりしてるよ」――80メートルとものすごく背の高い組立工場、ハイベイの上にあるバルコニーに立ち、スターベースを見下ろしたマスクは、マーク・ジュンコーサに言った。「節目となる打ち上げの前には必ずこうなるんだ。クワジュの失敗がPTSDになってるんだと思う」

2023年4月、スターシップの打ち上げ試験が迫っていた。テキサス州南部のスターベースに到着したマスクは、大事な打ち上げの前によくやることをした。17年前の初トライでもしたことだ。未来に逃げ込むのである。

アメリカンフットボールの競技場くらいもある巨大なテント4張りをしっかりとした巨大工場に建て替え、ロケットを月1機を超えるペースで作れるようにするという考えをジュンコーサに語り、だからああしろ、こうしろと語っていく。新工場の建設はすぐに始めよう。作業員が住むソーラールーフの住宅も作らなければならない。

スターシップのようなロケットを作るのは大仕事だ。さらに、それを大量に作れるようにならなければいけない。火星にコロニーを維持するには千隻くらいの船団を用意しなければならない。「いま気にしているのは、軌道です。文明が崩れ落ちる前に火星に到達できる軌道に乗っているのか否かです」

ハイベイの頂上にある会議室で3時間の打ち上げ前確認をするにあたり、マスクは、技術者に活を入れる演説をした。

「いろいろと大変だとは思うが、みんなが作っているのは地球で最高にクールなブツなんだ。それを忘れるな。ダントツでクールなんだからな？　2番目にクールなのはなにかって？　知らん。とにかく、なにが2番目でも、そんなものとは比べものにならないくらいクールなんだ」

続くのはリスクの話だ。打ち上げ試験をするには二桁に上る規制当局から許可をもらわなければならない。彼らはマスクと違ってリスクを好まない。ここまでクリアしてこなければならなかった安全に関するレビューや要件が報告される。

「許可をもらうのに、ほら、精も根も尽き果てた、みたいな？」とジュンコーサが言う。詳細はシャナ・ディエスとジェイコブ・マッケンジーが説明した。

「頭いてぇ……」――マスクが頭を抱える。「こんなクソだらけで、どうやったら火星まで行けるっていうんだよ」

2分間、黙って考えに集中する。トランス状態から戻ってきたマスクは哲学的だった。

「文明はこうして衰えていくんだな。リスクを取らなくなる。そして、リスクを取らなくなると、動脈硬化が起きるんだ。審判がどんどん増え、プレイヤーはどんどん減っていく」

こうして、高速鉄道とか月に行けるロケットとかを作れなくなったんだ。

「成功が続くと、リスクを取る気概が失われるんだ」

「最高の一日だ」

月曜日の秒読みは、バルブに問題がみつかって残り40秒で中止になり、打ち上げは三日後の4

月20日に延期となった。４／20という日付は狙ったのだろうか。テスラ株式の非公開化を４２０ドルで提案したり、ツイッター買収を54ドル20セントで提案したのに続き、マリファナを吸うの隠語である４２０にしようと思ったのだろうか。実際のところ、基本的に天気予報と準備から決まった予定なのだが、それでもマスクは喜んだ。何週間も前から、きっと４／20になる、そう「運命づけられている」と言い続けていたのだから。今回、記録映画を撮ってもらっているジョナ・ノーランは、「一番皮肉な展開に一番なりがちだ」といつも思っているという。マスクはこれをもじって「一番おもしろい展開に一番なりがちだ」とした。

秒読み中止後、マスクは、広告会議でツイッターについて語って広告関係者の不安をやわらげるため、マイアミに飛んだ。ボカチカに戻ってきたのは4月20日に日付が変わってすぐくらいだ。3時間だけ寝るとレッドブルをあおり、早朝4時半に打ち上げ管制室に入る。リフトオフ予定時刻の4時間前だ。遮熱の建物にコンソールがずらりと並び、管制班員や技術者、40人が詰めている。「火星に住もう(Occupy火星)」と描かれたTシャツ姿が大半だ。湿地帯の向こう、10キロほど離れた発射台が見えている。夜が明けるころ、グライムスが現れた。XとY、さらに、タウと呼んでいる一番下の子ども、テクノ・メカニカスを連れている。

打ち上げの30分前、ジュンコーサがデッキに出てきて、センサーがなにか感知したようなのですがとマスクに報告。マスクは数秒考え、「現実のリスクにはならないだろう」と返した。ジュンコーサはジグを一瞬踊ると「よし！」と言って管制室に駆け戻っていく。マスクも歩いてその後を追い、管制室最前列のシートに陣取った。ベートーベンの「歓喜の歌」を口笛で吹いている。

秒読みは発射40秒前に最終確認で一時停止したが、マスクのうなずきで再開。点火すると、ブースターのラプターエンジン33基が炎を吹き出す。その様子は、モニターだけでなく、管制室の窓からも見ることができた。ロケットがゆっくりと上昇していく。

「やっべー！　上がったよ！」――マスクは叫ぶと椅子を蹴り、デッキに走り出た。腹に響く発進の音を感じようというのだろう。離陸したロケットは、3分あまり上昇すると視界から消えた。

だが管制室に戻りモニターを見たマスクは、状況がよくないことを知る。打ち上げ直前にエンジン2基の不調が確認されたので、この2基を停止する指令が送られた。残り31基があればミッションはクリアできるはずだ。しかし発射30秒後、ブースター外縁のエンジン2基が爆発。バルブがひとつ開いて燃料が漏れたようだ。火がほかのエンジンベイにも広がっていく。上昇は続いているが、軌道に到達できなくなったのはまちがいない。このような場合、地上に危険が及ばないよう海上で爆発させることと手順書に定められている。マスクが打ち上げの責任者を見てうなずく。打ち上げから3分10秒、「破壊指令」が送られ、その48秒後、ロケットからのビデオフィードが暗転する。クワジュの打ち上げ、1回目から3回目と同じだ。「予定外の急速分解」というちょっと皮肉な表現を使わなければならない事態になってしまったわけだ。

打ち上げの動画を検討したところ、ラプターエンジンの噴射で発射台の基部が壊れ、コンクリートの塊が宙を舞ったことが確認された。この塊がエンジンにぶつかったのかもしれない。

スターシップの打ち上げについても、マスクはリスクを取っていた。エンジンからの猛烈な噴射を逃がすフレームトレンチというものをふつうは用意するのだが、スターシップの発射台にはフレームトレンチを作らないと２０２０年に決めたのだ。のちに失敗だったとわかるかもしれないけどねと言いながら。また、発射台基部を鋼鉄で覆い、大量の水で冷却する仕組みを２０２３

年の頭から発射台チームが作っていたのだが、この打ち上げにはまにあわなかった。こちらも、地上燃焼試験の結果から高密度コンクリートなら耐えられるはずだとマスクは判断していた。

初期のファルコン1で下したスロッシュバッフルをなくす決断と同じく、これはいずれもまちがいだったわけだ。石橋をたたいて渡るNASAやボーイングならありえない。だがマスクは、失敗して学ぶを基本にすべきだと考えている。リスクは取る。爆発から学ぶ。改修する。もう一度やる。

「リスクをみんななくす設計にはしたくありません」とマスクは言う。「そんなことをしていたら、どこにも行けませんから」

この試験については、ロケットが離陸し、爆破までに地上から見えないくらいまで上がり、有益な情報やデータをたくさん得ることができれば成功だと事前に宣言していた。この目標はいずれも達成した。それでも爆発は爆発だ。世間的には大失敗だとされるだろう。モニターをじっと見つめるマスクも、沈んでいるように見える。

だが管制室には歓声が満ちた。ここまでできた、こんなに学べたと、みんな、大いに喜んだのだ。マスクも立ち上がると両手を突き上げ、みんなのほうを向く。

「よくやった、みんな。成功だ。我々が目標としていたのは、離陸して、見えないところまで飛んで爆発だ。そして、それは達成できた。初トライで軌道まで行けるはずがない、そのくらい難しいことなんだ。今日は最高の一日だよ」

その夜、スペースXの社員やその友だち100人ほどがスターベースのティキバーに集まると、子豚の丸焼きにダンスで、半分祝賀会、半分残念会を開いた。奏楽台の後ろには古いスターシップが置かれていて、パーティの光でステンレススチールがきらめいている。その上には、まるであつらえたように真っ赤な火星が上っていた。

芝生の片隅で、グウィン・ショットウェルがハンス・ケーニヒスマンと話をしていた。21年前にショットウェルをマスクに紹介したスペースＸ４人目の社員だ。クワジュの打ち上げで活躍したケーニヒスマンは、南テキサスまでわざわざ今回の打ち上げを見にきたのだ。２０２１年のインスピレーション４打ち上げが終わったところで退職して以来マスクには会っていない、今回も、一言あいさつくらいしようかと思ったが、結局、やめることにしたという。

「イーロンは昔をふり返って懐かしむタイプじゃありませんから。そうやって人と心を通い合わせるのは不得意なんです」

マスクが座るピクニックテーブルにはグライムスのほか、75歳の誕生日をニューヨークで祝ってから一晩前に到着した母、メイがいた。メイは、子どものころの昔話をしてくれた。両親に連れられて南アフリカのカラハリ砂漠を飛び、探検した件だ。イーロンはそのあたりを受けついだんだろうねぇ、リスクを求めるのは遺伝なんだと思いますよとのことだった。

たき火に寄っていくXを、マスクがそっと引き戻した。Xはじたばたきーきーと大騒ぎだ。マスクはしかたなく自由にさせた。

「子どものころ、私も、火で遊ぶなと両親に言われました。だから、マッチを持って木の陰に隠れ、火をつけたりしてました」

「罪から生まれる」

スターシップの爆発はきわめてマスクらしい出来事だ。なにがなんでも高く狙い、思いのままに進み、大きなリスクを取って、目の覚めるような成果を挙げる——同時に、危ない感じの甲高い笑いをまき散らしながらあれこれ爆発させ、ぶすぶすとくすぶる残骸を残す。歴史を変えるほどの成果とド派手なしくじり、空約束、傲岸不遜(ごうがんふそん)な衝動に彩られているのがマスクの人生なのだ。成果も壮大なら失敗も壮大。だから彼をあがめるファンも多ければ、そしる人も多い。しかも、両方とも、両極端なツイッター時代らしく熱量がすさまじい。

ヒーローになりたいという思いと悪魔を心に抱え、子どものころから、ずっと、炎上するに決まっている政治的な発言をしたり、買わなくていいけんかを買ったりして騒ぎを巻き起こしてきた。すっかり取り憑かれ、ビジョンと妄想のどちらともつかない境界線、狂気のカーマンラインまで飛んでいってしまうことも珍しくない。彼の人生には、炎の流れをそらす要素がほとんどないのだ。

そういう意味で、スターシップ打ち上げの週は、マスクらしいと言えばあまりにマスクらしい1週間だった。成熟した産業や成熟したCEOならまず取らないリスクを取りまくっているのだ。

・テスラの決算説明会で、価格引き下げにより販売台数増を狙う戦略に倍賭けすると発表した。また、2016年から毎年してきたように、1年以内に完全自動運転を完成させると宣言した。

・マスクは、マイアミで開かれた広告販売会議の対談相手、NBCユニバーサルの広告チーフを務めるリンダ・ヤッカリーノから驚きの提案を受けた。自分こそツイッターの経営に最適だ、である。ふたりが顔を合わせるのはこれが初めてなのだが、そもそも、マスクがこの会議に出席することになったのも、ツイッター買収からこっち、彼女がメッセージや電話でマスクに迫りまくったからだ。

「ツイッターについて思い描く将来ビジョンが似ていますし、私としては彼の力になりたいと思ったんですよ。ですから、マイアミで話を聞かせてくれとお願いしまくりました」

また、対談の後には、マスクと大手広告主10社あまりをつなぐ晩餐会も企画した。これは4時間も話が尽きない大成功の会となった。

たしかに、彼女ほど適任な人はいないかもしれない。すごく頭がいいし、やる気に満ちあふれているし、広告やサブスクに詳しいし、いい関係を作る実務的な力も兼ね備えている――スペースXのグウィン・ショットウェルみたいに。だがマスクは実権を手放したくない。だから、「まだツイッターでやらなければならないことがあるので」と答えた。トップの座を降りるつもりはないとやんわり断ったわけだ。リレーだと考えればいいとヤッカリーノは食い下がる。

「あなたが製品を作り、バトンを私に渡してくれれば、あとは私が動かし、売ってきますよ」

結論は、ヤッカリーノがツイッターCEO、マスクは執行会長兼CTO（最高技術責任者）だった。

・打ち上げ当日の朝、セレブやジャーナリストなどの著名人に本人の証しとして与えられていた青いチェックマークは廃止する予定だとツイッターで発表した。青いチェックマークはサブスクリプションを購入した人のみになるわけだ（契約数は少ない）。こう言いだしたのは、どうすればこのサービスがユーザーのためになるかと考えたからではなく、倫理的な正論を振りかざした結果であり、このあと、どういう人が青いチェックマークを欲しがるのか、どういう人に与えるべきかなどがアルファツイッタラーの間で大論争となる。

・この週、ニューラリンクは動物実験の最終ラウンドを終了し、被験者の脳にチップを埋め込む許可を米食品医薬品局に求める手続きを始めた。4週間後には許可がおりるはずだ。マスクは、どこまで進んだのか公開するデモをしろと求めた。
「我々がしていることに世間を引き込むんだ。そうすれば、世間が後押ししてくれる。今回、スターシップを打ち上げるにあたり、どこかで爆発してしまう可能性が高いとわかっていてライブで映像を流したのも、そういうことだ」

・テスラの試運転をまたおこない、ダウェル・ショフらが開発しているニューラルネットワークパスプランナー型ＡＩにオールインすると宣言した。上手な人の運転をビデオクリップから学んでまねするＡＩだ。そして、完全自動運転用の統合ニューラルネットワークを開発しろと指示。ＣｈａｔＧＰＴが相手の言葉を予測するように、完全自動運転のＡＩも、車載カメラの映像から、そのあとハンドルやペダルをどう操作すべきか、予測できなければならないというのだ。

・スペースXのドラゴン宇宙船が国際宇宙ステーションをたち、フロリダ沖に無事着水した。国際宇宙ステーションまで往復できる米国宇宙船はいまだにスペースXのみであり、この1カ月前にもロシア人ひとりと日本人ひとりを含む宇宙飛行士4人を乗せて帰還したし、4週間後にもまた往復が予定されている。

自信満々、大胆不敵に歴史的な偉業に向けて突きすすむなら、ひどい言動や冷酷な処遇、傍若無人なふるまいも許されるのだろうか。くそ野郎であってもいいのだろうか。答えはノーだ。もちろんノーだ。同じ人でもそのいい面は尊敬し、悪い面はけなす。それはそんなものだろう。ただ、ひとりの人を形作る糸はより合わさっている。それこそ、きっちりとより合わさっている場合もある。布全体を全部ほどくことなく闇の糸を抜くことは難しかったりするのだ。シェイクスピアのお話を見てもわかるが、ヒーローにも欠点はあるし、その欠点を克服できる場合もあればそのせいで悲劇的な結末にいたることもある。悪玉と言われる人も複雑だったりする。シェイクスピアも指摘しているように、どんな立派な人間も「罪から生まれる」のだ。

今回の打ち上げをおこなった週に、アントニオ・グラシアスら友だちは、マスクに、衝動的・破滅的な本能を抑えろと忠告した。しょうもない乱闘に巻き込まれず、政治的にもっと上に行かなければ、新たな宇宙開発時代をリードすることはできないぞ、と。似たような忠告は前にもしていて、そのときは、真夜中にツイートできないようにとマスクのスマホをホテルのセーフティボックスに入れ、ロックの番号はグラシアスが入力したのに、マスクは夜中の3時に起きると警備員を呼んでセーフティボックスを開けさせたよなという話も出ていた。

忠言が多少は利いたのだろうか、打ち上げ後、マスク本人もそれらしいことを言っていた。「自分の足をよく撃ってしまうので、ケブラー製のブーツを買わないといかんよな」と冗談に紛らわせてではあるが。衝動を抑える遅延ボタンをツイッターに用意するべきかもという話もあった。

衝動を抑える遅延ボタン――それひとつで、マスクのツイートはもちろん、闇の衝動にかられた言動や悪魔モードの噴火など、通ったあとをがれきだらけにするあれこれが浄化できるなら、すばらしいことだろう。だが、そうやって抑えたマスクは、自由なマスクと同じことができるのか。口にフィルターをかけ、首に縄をかけても、マスクはマスクでいられるのか。まっとうなところもおかしなところもひっくるめ、マスクという人間を丸ごと受け入れることなく、我々は、ロケットを軌道まで打ち上げたり、電気自動車の世界に足を踏み入れたりできるのだろうか。偉大なイノベーターは、つまらない教育に反発し、リスクを求める「男の子」だったりする。むちゃだったり、周りが眉をひそめるような人間だったり、それこそ、毒をまき散らす人間だったりする。クレイジーなこともある。そう、自分が世界を変えられると本気で信じるほどに。

昼食後、グライムス、メイとともに

謝辞

イーロン・マスクは、2年間、影のようについて回ることを私に許してくれた。会議にも同席させてくれたし、取材や深夜の対話にも何回付き合ってくれたかわからない。電子メールや各種文書も提供してくれた。また、私と話をするようにと友だちや仕事仲間、家族、敵、元妻に勧めてもくれた。ちなみに、刊行前に本書を読ませてくれという話はなかったし、実際、読んでもいない。本書に彼の手はいっさい入っていない。

取材に応じてくださった方々は「インタビュー取材先リスト」にリストアップしてある。その全員に感謝を申し上げる。写真を提供してくださったり道しるべを示してくださるなど、特に助けていただいた方々には、ここに名前を記し、特に感謝申し上げたい。メイ・マスク、エロール・マスク、キンバル・マスク、ジャスティン・マスク、クレア・ブーシェイ（グライムス）、タルラ・ライリー、シボン・ジリス、サム・テラー、オミード・アフシャー、ジェームズ・マスク、アンドリュー・マスク、ロス・ノルディン、ダウエル・ショフ、ビル・ライリー、マーク・ジュンコーサ、キコ・ドンチェフ、ジェーン・バラジャディア、ラース・モラビー、フランツ・フォン・ホルツハウゼン、ジャレッド・バーチャル、アントニオ・グラシアスの方々である。

クレアリー・プーレンは、以前の本と同じように今回も、写真を大胆に編集してくれた。またその本すべてを刊行してくれたサイモン&シュスターには、いつも、すばらしいチームで大きく助けていただいている。今回お世話になったチームは、プリシラ・ペイントン、ジョナサン・カープ、ハナ・パーク、ステファン・ベッドフォード、ジュリア・プロッサー、マリエ・フローリオ、ジャッキー・セオ、リサ・リブリン、クリス・ドイル、ジョナサン・エバンズ、アマンダ・ムルホーランド、アイリーン・ケラーディ、ポール・ディポリトー、ベス・マグリオーネである。先日亡くなったアリス・メイヒューの精神を受けつぐすばらしいチームだ。引退したはずのジュディス・フーバーも、私の求めに応じて原稿整理を担当してくれた。エージェントのアマンダ・アーバン、さらには国際部門のヘレン・マンダースとペッパ・ミグノン、さらには、トゥレーン大学で私のアシスタントを務めてくれているリンジー・ビリップスにも感謝の意を表したい。

もちろん、いつものように、キャシーとベッツィーにもである。

インタビュー取材先リスト

オミード・アフシャー――マスクの副官
パラグ・アグラワル――ツイッターの最高経営責任者（現在は離任）
ディーパック・アフジャー――テスラの最高財務責任者（現在は離任）
サム・アルトマン――マスクとともにＯｐｅｎＡＩを立ち上げた共同創業者
ドリュー・バグリーノ――テスラのシニアバイスプレジデント
ジェーン・バラジャディア――マスクのアシスタント
ジェレミー・バーレンホルツ――ニューラリンク、ブレインインターフェースソフトウェアのトップ
メリッサ・バーンズ――ツイッターの中南米・カナダ担当バイスプレジデント（現在は離任）
レスリー・バーランド――ツイッターの最高マーケティング責任者（現在は離任）
ケイボン・ベイクポール――ツイッター製品開発のトップ（現在は離任）
ジェフ・ベゾス――アマゾン創業者
ジャレッド・バーチャル――マスクの個人資産管理担当マネージャー
ロエロフ・ボサ――ペイパルの最高財務責任者（現在は離任）、セコイアキャピタルのパートナー
クレア・ブーシェイ（グライムス）――パフォーマンスアーティスト、マスクの子ども3人の母

ネリー・ボウルズ――ジャーナリスト（コモン・センス）、バリ・ワイスの妻
リチャード・ブランソン――ヴァージンギャラクティック社の創業者
エリッサ・バターフィールド――マスクのアシスタント（現在は離任）
ティム・ブザ――スペースXの打ち上げ担当バイスプレジデント（現在は離任）
ジェイソン・カラカニス――アントレプレナー、マスクの友だち
ゲイジ・コフィン――テスラの生産技術者（現在は離任）
エスター・クロフォード――ツイッターの製品開発ディレクター（現在は離任）
ラリー・デイビッド――コメディアン、ライター
スティーブ・デイビス――ザ・ボーリング・カンパニーのプレジデント
テジャス・ダラムシ――ツイッターのソフトウェア技術者
トーマス・ドミトリク――テスラのソフトウェア技術者
ジョン・ドーア――ベンチャーキャピタリスト
キコ・ドンチェフ――スペースXの打ち上げ担当バイスプレジデント
ブライアン・ダウ――テスラエナジーのトップ（現在は離任）
ミッキー・ドレクスラー――ジェイクルーおよびギャップの最高経営責任者（現在は離任）
フィル・ドゥアン――テスラのオートパイロット技術者

マーティン・エバーハード――テスラの共同創業者
ブレア・エフロン――投資銀行家
アイラ・エーレンプレイス――テスラの取締役
ラリー・エリソン――オラクルの共同創業者
アショック・エルスワーミ――テスラのオートパイロットソフトウェア部門ディレクター
アリ・エマニュエル――エンデバーの最高経営責任者
ナブエイド・ファルーク――クイーンズ大学時代からのマスクの友だち
ニャメ・ファルーク――ナブエイド・ファルークの妻
ジョー・ファス――T・ロウ・プライスのポートフォリオマネージャー
ロリ・ガーバー――NASAの副長官（現在は離任）
ビル・ゲイツ――マイクロソフトの共同創業者
ロリー・ゲイツ――ビル・ゲイツの息子
デイビッド・ゲレス――ニューヨークタイムズ紙の記者
ビル・ゲルステンマイヤー――スペースXのフライト信頼性担当バイスプレジデント
クナル・ギロトラ――テスラエナジーのトップ（現在は離任）
ジュリアナ・グラバー――ワシントンDCのPRコンサルタント

アントニオ・グラシアス——マスクの友だち、投資家
マイケル・グライムス——モルガン・スタンレーのマネージングディレクター
トリップ・ハリス——スペースXの射場運営マネージャー
デミス・ハサビス——ディープマインドの共同創業者
アンバー・ハード——俳優、マスクの元恋人
リード・ホフマン——リンクトインとペイパルの共同創業者
ケン・ハウリー——ペイパルの共同創業者、マスクの友だち
ルーカス・ヒューズ——スペースXの財務部門ディレクター（現在は離任）
ジャレッド・アイザックマン——アントレプレナー、インスピレーション4の指揮官
RJジョンソン——テスラエナジーのトップ（現在は離任）
マーク・ジュンコーサ——スペースXにおけるマスクの副長
スティーブ・ジャーベットソン——ベンチャーキャピタリスト、マスクの友だち
ニック・カレイジアン——テスラのエンジニアリング担当バイスプレジデント（現在は離任）
ロー・カンナ——カリフォルニア州選出の民主党下院議員
ハンス・ケーニヒスマン——スペースXの古参技術者
ミラン・コバック——テスラ、オートパイロットソフトウェアエンジニアリング部門ディレクター

アンディ・クレブス——スペースX、スターシップ土木部門ディレクター（現在は離任）
ジョー・キューン——ザ・ボーリング・カンパニーとテスラの機械技術者
ビル・リー——ベンチャーキャピタリスト、マスクの友だち
マックス・レブチン——ペイパルの共同創業者
ジェイコブ・マッケンジー——スペースXのラプターエンジニアリング部門シニアディレクター
ジョン・マクニール——テスラのプレジデント（現在は離任）
ラース・モラビー——テスラの車両エンジニアリング担当バイスプレジデント
マイケル・モーリッツ——ベンチャーキャピタリスト
デイブ・モリス——テスラのシニアデザインディレクター
リッチ・モリス——スペースXの生産・打ち上げ担当バイスプレジデント
マーカス・ミューラー——テスラエナジーのシニアマネージャー
トム・ミューラー——スペースXの創業社員、エンジンデザイナー
アンドリュー・マスク——マスクのいとこ
クリスティアーナ・マスク——キンバル・マスクの妻
イーロン・マスク
エロール・マスク——マスクの父

グリフィン・マスク――マスクの息子
ジェームズ・マスク――マスクのいとこ
ジャスティン・マスク――マスクの最初の妻、子ども5人の母
キンバル・マスク――マスクの弟
メイ・マスク――マスクの母
トスカ・マスク――マスクの妹
ビル・ネルソン――NASAの長官
ピーター・ニコルソン――スコシアバンクのシニアバイスプレジデント（現在は離任）、マスクのメンター
ロス・ノルディン――テスラのソフトウェア技術者、ツイッターの銃士
ルーク・ノゼック――投資家、マスクの友だち
サム・パテル――スペースXのスターシップオペレーション部門ディレクター
クリス・ペイン――テスラのオートパイロットソフトウェア技術者
ジャネット・ペトロ――ケープカナベラル、ケネディ宇宙センターのディレクター
ジョー・ペトルジャルカ――スペースXのスターシップエンジニアリング担当バイスプレジデント
ヘンリック・フィスカー――自動車デザイナー

ヨニ・ラモーン――テスラの警備部門ディレクター
ロビン・レン――ペンシルバニア大学時代からのマスクの親友、テスラ中国部門のトップ（現在は離任）
アデオ・レッシ――ペンシルバニア大学からのマスクの親友
ビル・ライリー――スペースXのシニアディレクター
タルラ・ライリー――俳優、マスクのふたり目の妻
ピーター・ライブ――マスクのいとこ
ベン・ローゼン――ベンチャーキャピタリスト
ヨエル・ロス――ツイッターの安全・モデレーション部門のトップ（現在は離任）
デイビッド・サックス――ペイパルの共同創業者、マスクの親友、投資家
アラン・ザルツマン――テスラの創業期を支えた投資家
ベン・サン・スーシ――ツイッターのソフトウェア技術者
ジョー・スカボロー――ニュース専門チャンネルMSNBCのアンカー
DJセオ――ニューラリンクの共同創業者
ブラッド・シェフテル――アントニオ・グラシアスのパートナー
グウィン・ショットウェル――スペースXのプレジデント
ダウェル・ショフ――テスラのソフトウェア技術者、ツイッターの銃士

インタビュー取材先リスト

マーク・ソルティス――スペースXの打ち上げ担当主任技師
アレックス・スパイロ――マスクの弁護士
クリストファー・スタンリー――テスラおよびスペースXのセキュリティエンジニアリング担当シニアバイスプレジデント
ロバート・スティール――投資銀行家
JBストラウベル――テスラの共同創業者
アナンド・スワミナサン――テスラのオプティマス担当技術者
ジェシカ・スウィッツァー――テスラのPRアドバイザー（現在は離任）
フェリックス・シギュラ――テスラのオプティマス担当技術者
マーク・ターペニング――テスラの共同創業者
サム・テラー――マスクの参謀長（現在は離任）
ピーター・ティール――ペイパルの共同創業者、投資家
ジム・ボー――スペースXのスターシップ構築マネージャー
フランツ・フォン・ホルツハウゼン――テスラのデザインチーフ
ティム・ワトキンス――アントニオ・グラシアスのパートナー、テスラSWATチームのリーダー
バリ・ワイス――ジャーナリスト（フリープレス）

ロドニー・ウェストモアランド――テスラのインフラストラクチャー部門ディレクター
リンダ・ヤッカリーノ――NBCユニバーサルの広告営業部門トップからツイッターの最高経営責任者
ティム・ザマン――テスラのオートパイロットAI技術者
デビッド・ザスラフ――ワーナー・ブラザース・ディスカバリーの最高経営責任者
シボン・ジリス――ニューラリンクのマネージャー、マスクの子どもふたりの母

参考書籍

Eric Berger, *Liftoff* (William Morrow, 2021)

Max Chafkin, *The Contrarian* (Penguin, 2021)

Christian Davenport, *The Space Barons* (PublicAffairs, 2018)
——クリスチャン・ダベンポート、黒輪篤嗣訳『宇宙の覇者 ベゾスvsマスク』(新潮社、2018)

Tim Fernholz, *Rocket Billionaires* (Houghton Mifflin Harcourt, 2018)

Lori Garver, *Escaping Gravity* (Diversion, 2022)

Tim Higgins, *Power Play* (Doubleday, 2021)

Hamish McKenzie, *Insane Mode* (Dutton, 2018)
——ヘイミッシュ・マッケンジー、松本剛史訳『インセイン・モード イーロン・マスクが起こした100年に一度のゲームチェンジ』(ハーパーコリンズ・ジャパン、2019)

Maye Musk, *A Woman Makes a Plan* (Penguin, 2019)
——メイ・マスク、寺尾まち子・三瓶稀世訳『72歳、今日が人生最高の日』(集英社、2020)

Edward Niedermeyer, *Ludicrous* (BenBella, 2019)

Jimmy Soni, *The Founders* (Simon & Schuster, 2022)
——ジミー・ソニ、櫻井祐子訳『創始者たち——イーロン・マスク、ピーター・ティールと世界一のリスクテイカーたちの薄氷の伝説』(ダイヤモンド社、2023)

Ashlee Vance, *Elon Musk* (Ecco, 2015)
——アシュリー・バンス、斎藤栄一郎訳『イーロン・マスク　未来を創る男』(講談社、2015)

Ashlee Vance, *When the Heavens Went on Sale* (Ecco, 2023)

Elon Musk
By Walter Isaacson
Copyright ⓒ 2023 by Walter Isaacson
Japanese translation published by arrangement with
Walter Isaacson c/o ICM Partners, acting in
association with Curtis Brown Group Limited through
The English Agency (Japan) Ltd.

イーロン・マスク　下

2023年9月10日　第1刷発行

著　者　ウォルター・アイザックソン
訳　者　井口耕二（いのくちこうじ）
発行者　大沼貴之
発行所　株式会社文藝春秋
〒102-8008 東京都千代田区紀尾井町3-23
電話　03(3265)1211
印刷所　凸版印刷
製本所　加藤製本

定価はカバーに表示してあります。

*万一、落丁乱丁の場合は送料当社負担でお取り替え致します。小社製作部宛お送りください。
*本書の無断複写は著作権法上での例外を除き禁じられています。また、私的使用以外のいかなる電子的複製行為も一切認められておりません。

ISBN978-4-16-391731-3　*Printed in Japan*

著者　ウォルター・アイザックソン
1952年生まれ。ジャーナリスト、伝記作家。ハーバード大学を経て、オックスフォード大学にて学位を取得。米国『TIME』誌編集長、CNNのCEO、アスペン研究所CEOを歴任。主な著作に、世界的ベストセラーとなった『スティーブ・ジョブズ』(講談社)、ノーベル賞を受賞した科学者ジェニファー・ダウドナの伝記『コード・ブレーカー』、『レオナルド・ダ・ヴィンチ』(ともに文藝春秋)など。現在はトゥレーン大学教授。ニューオリンズに妻とふたりで暮らす。

訳者　井口耕二
1959年、福岡県生まれ。東京大学工学部卒業。米国オハイオ州立大学大学院修士課程修了。主な訳書に、『スティーブ・ジョブズ』『イノベーターズ』(ともに講談社)、『スティーブ・ジョブズ 驚異のプレゼン』『スティーブ・ジョブズ 驚異のイノベーション』(ともに日経BP社)、『アップルを創った怪物―もうひとりの創業者、ウォズニアック自伝』(ダイヤモンド社)などがある。

翻訳協力　裏地良子　井口崇也

DTP　エヴリ・シンク

装丁　関口聖司

編集　衣川理花

写真クレジット

p.16　右: Courtesy of Bill Riley
p.36　左上: Courtesy of Maye Musk
　　　下: Martin Schoeller / August
p.47　上: Courtesy of SpaceX
　　　下: Courtesy of Jehn Balajadia
p.56　左: Courtesy of Blue Origin
　　　右: Courtesy of Elon Musk
p.64　左上: Courtesy of Andy Krebs
　　　左下: Courtesy of Lucas Hughes
　　　右: Nic Ansuini
p.90　左: Will Heath / NBC / NBCU Photo Bank via Getty Images
　　　右: Courtesy of Grimes
p.98　上: Courtesy of SpaceX
　　　下: Courtesy of Kim Shiflett / NASA
p.105 下: Nick Ansuini
p.114 Courtesy of Tesla
p.121 Courtesy of Neuralink
p.175 Imagine China / AP
p.183 左: Kevin Dietsch / Getty Images
　　　右: Andrew Harrer / Bloomberg via Getty Images
p.222 下: Courtesy of Jared Birchall
p.245 Courtesy of Tesla
p.254 上: The PhotOne / BACKGRID
　　　下: Marlena Sloss / Bloomberg via Getty Images
P.271 Courtesy of Milan Kovac
P.272 上: Courtesy of Omead Afshar
p.279 上: Courtesy of Elon Musk / Twitter
　　　下: Courtesy of Jehn Balajadia
p.286 右: Courtesy of Jehn Balajadia

p.303 左上: Elon Musk / Twitter
右上: Courtesy of Twitter
左下: David Paul Morris / Bloomberg via Getty Images
右下: Duffy-Marie Arnoult / WireImage / Getty Images
p.318 上: Courtesy of Elon Musk / Twitter
下: Courtesy of Maye Musk
p.338 上: Courtesy of Christopher Stanley
P.359 下: Courtesy of Neuralink
上: Courtesy of Jeremy Barenholtz
P.365 上: Wikimedia Commons
下: Samantha Bloom
P.389 Courtecy of James Musk
P.405 Courtesy of Dhaval Shroff

原注

第52章：スターリンク
著者による取材――イーロン・マスク、マーク・ジュンコーサ、ビル・ライリー、サム・テラー、エリッサ・バターフィールド、ビル・ゲイツ。

第53章：スターシップ

著者による取材――イーロン・マスク、ビル・ライリー、サム・パテル、ジョー・ペトルジャルカ、ピーター・ニコルソン、エリッサ・バターフィールド、ジム・ボー。Ryan d'Agostino, "Elon Musk: Why I'm Building the Starship out of Stainless Steel," *Popular Mechanics,* Jan. 22, 2019.

第54章：オートノミー・デイ
著者による取材――イーロン・マスク、ジェームズ・マスク、サム・テラー、フランツ・フォン・ホルツハウゼン、クレア・ブーシェイ（グライムス）、オミード・アフシャー、シボン・ジリス、アナンド・スワミナサン、ジョー・ファス。

第55章：ギガテキサス
著者による取材――イーロン・マスク、オミード・アフシャー、ラース・モラビー。

第56章：家族
著者による取材――イーロン・マスク、クレア・ブーシェイ（グライムス）、クリスティアーナ・マスク、メイ・マスク、キンバル・マスク、ジャスティン・マスク、ケン・ハウリー、ルーク・ノゼック。Joe Rogan interview with Elon Musk, May 7, 2020; Rob Copeland, "Elon Musk Says He Lives in a $50,000 House," *Wall Street Journal,* Dec. 22, 2021.

第57章：フルスロットル
著者による取材――イーロン・マスク、キコ・ドンチェフ、キンバル・マスク、ルーク・ノゼック、ビル・ライリー、リッチ・モリス、ハンス・ケーニヒスマン、グウィン・ショットウェル。Lex Fridman, podcast interview with Elon Musk, Dec. 28, 2021; Joey Roulette, "SpaceX Ignored Last Minute Warnings from the FAA before December Launch," The Verge, June 15, 2021.

第58章：ベゾス対マスク（第2ラウンド）

著者による取材——ジェフ・ベゾス、イーロン・マスク、リチャード・ブランソン。Christian Davenport, "Elon Musk Is Dominating the Space Race," *Washington Post,* Sept. 10, 2021; Richard Waters, "Interview with FT's Person of the Year," *Financial Times,* Dec. 15, 2021; Kara Swisher interview with Elon Musk, Code Conference, Sept. 28, 2021.

第59章：スターシップのシュラバ

著者による取材——ビル・ライリー、キコ・ドンチェフ、イーロン・マスク、サム・パテル、ジョー・ペトルジャルカ、マーク・ジュンコーサ、グウィン・ショットウェル、ルーカス・ヒューズ、アンディ・クレブス。Tim Dodd, "Starbase Tour," *Everyday Astronaut,* July 30, 2021.

第60章：ソーラーのシュラバ

著者による取材——クナル・ギロトラ、ＲＪジョンソン、ブライアン・ダウ、マーカス・ミューラー、イーロン・マスク、オミード・アフシャー。

第61章：夜遊び

著者による取材——イーロン・マスク、メイ・マスク、キンバル・マスク、トスカ・マスク、クレア・ブーシェイ（グライムス）、ビル・リー、アントニオ・グラシアス。Arden Fanning Andrews, "The Making of Grimes's '*Dune-esque*' 2021 Met Gala Look," *Vogue,* Sept. 16, 2021.

第62章：インスピレーション４

著者による取材——ジャレッド・アイザックマン、イーロン・マスク、ジェーン・バラジャディア、キコ・ドンチェフ、クレア・ブーシェイ（グライムス）、ビル・ゲルステンマイヤー、ハンス・ケーニヒスマン、ビル・ネルソン、サム・パテル。

第63章：ラプターの大改造

著者による取材——イーロン・マスク、ジェイコブ・マッケンジー、ビル・ライリー、ジョー・ペトルジャルカ、ラース・モラビー、ジェーン・バラジャディア。

第64章：オプティマス誕生

著者による取材——イーロン・マスク、フランツ・フォン・ホルツハウゼン、ラー

ス・モラビー、ドリュー・バグリーノ、オミード・アフシャー、ミラン・コバック。Chris Anderson interview with Elon Musk, TED, Apr. 14, 2022.

第65章：ニューラリンク

著者による取材——イーロン・マスク、ジョン・マクニール、シボン・ジリス、サム・テラー。Elon Musk, "An Integrated Brain-Machine Interface Platform with Thousands of Channels," *bioRxiv*, Aug. 2, 2019; Jeremy Kahn and Jonathan Vanian, "Inside Neuralink," *Fortune*, Jan. 29, 2022.

第66章：ビジョンのみ

著者による取材——イーロン・マスク、ラース・モラビー、オミード・アフシャー、フランツ・フォン・ホルツハウゼン、ドリュー・バグリーノ、フィル・ドゥアン、ダウェル・ショフ。Cade Metz and Neal Boudette, "Inside Tesla as Elon Musk Pushed an Unflinching Vision for Self-Driving Cars," *New York Times*, Dec. 6, 2021; Emma Schwartz, Cade Metz, and Neal Boudette, "Elon Musk's Crash Course," FX/New York Times documentary, May 16, 2022; Niedermeyer, *Ludicrous*.

第67章：お金

著者による取材——イーロン・マスク、ジャレッド・バーチャル、キンバル・マスク、クリスティアーナ・マスク、クレア・ブーシェイ（グライムス）。Tesla Schedule 14A filing, Securities and Exchange Commission, Feb. 7, 2018; Kenrick Cai and Sergei Klebnikov, "Elon Musk Is Now the Richest Person in the World, Officially Surpassing Jeff Bezos," *Forbes*, Jan. 8, 2021. 株価は修正株価を用いた。

第68章：今年の父

著者による取材——シボン・ジリス、クレア・ブーシェイ（グライムス）、トスカ・マスク、イーロン・マスク、キンバル・マスク、メイ・マスク、クリスティアーナ・マスク。Elon Musk interview with NPQ, Winter 2014; Devin Gordon, "Infamy Is Kind of Fun," *Vanity Fair*, Mar. 10, 2022; Edward Felsenthal, Molly Ball, Jeffrey Kluger, Alejandro de la Garza, and Walter Isaacson, "Person of the Year," *Time*, Dec. 13, 2021; Richard Waters, "Person of the Year," *Financial Times*, Dec. 15, 2021.

第69章：政治

著者による取材——イーロン・マスク、キンバル・マスク、サム・テラー、ジャレッド・バーチャル、クレア・ブーシェイ（グライムス）、オミード・アフシャー、ケン・ハウリー、ルーク・ノゼック、デイビッド・サックス。Dowd, "Elon Musk, Blasting Off in Domestic Bliss"; Strauss, "The Architect of Tomorrow"; Elon Musk interview with the *Babylon Bee,* Dec. 21, 2021; Rich McHugh, "A SpaceX Flight Attendant Said Elon Musk Exposed Himself and Propositioned Her for Sex," *Business Insider,* May 19, 2022; Dana Hull, "Biden's Praise for GM Overlooks Tesla's Actual EV Leadership," *Bloomberg,* Nov. 24, 2021; Dana Hull and Jennifer Jacobs, "Tesla, Who? Biden Can't Bring Himself to Say It," *Bloomberg,* Feb. 2, 2022; Ari Natter, Gabrielle Coppola, and Keith Laing, "Biden Snubs Tesla," *Bloomberg,* Aug. 5, 2021; Elon Musk interview with Kara Swisher, Code Conference, Sept. 28, 2021.

第70章：ウクライナ

著者による取材——イーロン・マスク、グウィン・ショットウェル、ジャレッド・バーチャル。ローレン・ドライヤーの電子メールとミハイロ・フェドロフのテキストメッセージはイーロン・マスク提供。Christopher Miller, Mark Scott, and Bryan Bender, "UkraineX: How Elon Musk's Space Satellites Changed the War on the Ground," *Politico,* June 8, 2022; Cristiano Lima, "U.S. Quietly Paying Millions to Send Starlink Terminals to Ukraine," *Washington Post,* Apr. 8, 2022; Yaroslav Trofimov, Micah Maidenberg, and Drew FitzGerald, "Ukraine Leans on Elon Musk's Starlink in Fight against Russia," *Wall Street Journal,* July 16, 2022; Mehul Srivastava et al., "Ukrainian Forces Report Starlink Outages During Push against Russia," *Financial Times,* Oct. 7, 2022; Volodymyr Verbyany and Daryna Krasnolutska, "Ukraine to Get Thousands More Starlink Antennas," *Bloomberg,* Dec. 20, 2022; Adam Satariano, "Elon Musk Doesn't Want His Satellites to Run Ukraine's Drones," *New York Times,* Feb. 9, 2023; Joey Roulette, "SpaceX Curbed Ukraine's Use of Starlink," Reuters, Feb. 9, 2023.

第71章：ビル・ゲイツ

著者による取材——ビル・ゲイツ、ロリー・ゲーツ、イーロン・マスク、オミード・アフシャー、ジャレッド・バーチャル、クレア・ブーシェイ（グライムス）、キンバル・マスク。Rob Copeland, "Elon Musk's Inner Circle Rocked by Fight over His

$230 Billion Fortune," *Wall Street Journal*, July 16, 2022; Sophie Alexander, "Elon Musk Enlisted Poker Star before Making $5.7 Billion Mystery Gift," *Bloomberg*, Feb. 15, 2022; Nicholas Kulish, "How a Scottish Moral Philosopher Got Elon Musk's Number," *New York Times*, Oct. 8, 2022; Melody Y. Guan, "Elon Musk, Superintelligence, and Maximizing Social Good," *Huffington Post*, Aug. 3, 2015.

第72章：積極的な投資家
著者による取材——イーロン・マスク、アントニオ・グラシアス、オミード・アフシャー、キンバル・マスク、シボン・ジリス、ビル・リー、グリフィン・マスク、ジャレッド・バーチャル、ケン・ハウリー、ルーク・ノゼック。Tesla earnings call, Apr. 20, 2022; Matthew A. Winkler, "In Defense of Elon Musk's Managerial Excellence," *Bloomberg*, Apr. 18, 2022; text messages, https://www.documentcloud.org/documents/23112929-elon-musk-text-exhibits-twitter-v-musk; Lane Brown, "What Is Elon Musk?," *New York Magazine*, Aug. 8, 2022; Devin Gordon, "A Close Read of @elonmusk," *New York Magazine*, Aug. 12, 2022.

第73章：「申し入れをした」
著者による取材——イーロン・マスク、キンバル・マスク、ラリー・エリソン、ナブエイド・ファルーク、ジャレッド・バーチャル、クレア・ブーシェイ（グライムス）、クリス・アンダーソン。Text messages, https://www.documentcloud.org/documents/23112929-elon-musk-text-exhibits-twitter-v-musk; Rob Copeland, Georgia Wells, Rebecca Elliott, and Liz Hoffman, "The Shadow Crew Who Encouraged Elon Musk's Twitter Take-over," *Wall Street Journal*, Apr. 29, 2022; Mike Isaac, Lauren Hirsch, and Anupreeta Das, "Inside Elon Musk's Big Plans for Twitter," *New York Times*, May 6, 2022.

第74章：熱と冷
著者による取材——イーロン・マスク、ラリー・エリソン、キンバル・マスク、ロバート・スティール、レスリー・バーランド、ジャレッド・バーチャル。Liz Hoffman, "Sam Bankman-Fried, Elon Musk, and a Secret Text," *Semafor*, Nov. 23, 2022; Twitter town hall, June 16, 2022.

第75章：父の日

著者による取材——イーロン・マスク、メイ・マスク、ジャスティン・マスク、キンバル・マスク、エロール・マスク、ジャレッド・バーチャル、タルラ・ライリー、グリフィン・マスク、クリスティアーナ・マスク、クレア・ブーシェイ（グライムス）、オミード・アフシャー、シボン・ジリス。Roula Khalaf, "Aren't You Entertained?," *Financial Times,* Oct. 7, 2022; Julia Black, "Elon Musk Had Secret Twins in 2022," *Business Insider,* July 6, 2022; Emily Smith and Lee Brown, "Elon Musk Laughs Off Affair Rumors, Insists He Hasn't 'Had Sex in Ages,'" *New York Post,* July 25, 2022; Alex Diaz, "Musk Be Kidding," *The Sun,* July 13, 2022; Errol Musk, "Dad of a Genius," YouTube, 2022; Kirsten Grind and Emily Glazer, "Elon Musk's Friendship with Sergey Brin Ruptured by Alleged Affair," *Wall Street Journal,* July 24, 2022. エロール・マスクは、よく私に同報する形で息子に電子メールを送っていた。

第76章：スターベースのオーバーホール

著者による取材——イーロン・マスク、サム・パテル、ビル・ライリー、アンディ・クレブス、ジョナ・ノーラン、マーク・ジュンコーサ、オミード・アフシャー、ジェイコブ・マッケンジー、キコ・ドンチェフ、ジャレッド・アイザックマン、サム・パテル、アンディ・クレブス、クレア・ブーシェイ（グライムス）、グウィン・ショットウェル。ジャネット・ペトロ、リサ・ワトソン＝モーガン、バネッサ・ワイシュとのディナー。

第77章：オプティマスプライム

著者による取材——イーロン・マスク、フランツ・フォン・ホルツハウゼン、ラース・モラビー。

第78章：波乱含み

著者による取材——イーロン・マスク、ジャレッド・バーチャル、アレックス・スパイロ、アントニオ・グラシアス、ロバート・スティール、ブレア・エフロン、アリ・エマニュエル、ラリー・デイビッド、ジョー・スカボロー。

第79章：オプティマス発表

著者による取材——フランツ・フォン・ホルツハウゼン、イーロン・マスク、スティーブ・デイビス、ラース・モラビー、アナンド・スワミナサン、ミラン・コバッ

ク、フィル・ドゥアン、ティム・ザマン、フェリックス・シギュラ、アナンド・スワミナサン、アイラ・エーレンプレイス、ジェイソン・カラカニス。

第80章：ロボタクシー
著者による取材——イーロン・マスク、オミード・アフシャー、フランツ・フォン・ホルツハウゼン、ラース・モラビー、ドリュー・バグリーノ。

第81章：「洗いざらい」
著者による取材——イーロン・マスク、パラグ・アグラワル、デイビッド・サックス、ベン・サン・スーシ、ヨニ・ラモーン、エスター・クロフォード、レスリー・バーランド。

第82章：買収
著者による取材——イーロン・マスク、ジャレッド・バーチャル、アレックス・スパイロ、マイケル・グライムス、アントニオ・グラシアス、ブラッド・シェフテル、デイビッド・サックス、パラグ・アグラワル、テジャス・ダラムシ、ロー・カンナ。

第83章：三銃士
著者による取材——イーロン・マスク、ジェームズ・マスク、アンドリュー・マスク、ダウェル・ショフ、ベン・サン・スーシ、クリス・ペイン、トーマス・ドミトリク、ヨニ・ラモーン、ロス・ノルディン、ケイボン・ベイクポール、アレックス・スパイロ、ミラン・コバック、アショック・エルスワーミ、ティム・ザマン、フィル・ドゥアン。Kate Conger, Mike Isaac, Ryan Mac, and Tiffany Hsu, "Two Weeks of Chaos," *New York Times,* Nov. 11, 2022.

第84章：コンテンツモデレーション
著者による取材——ヨエル・ロス、デイビッド・サックス、ジェイソン・カラカニス、イーロン・マスク、ジャレッド・バーチャル、ヨニ・ラモーン。Cat Zakrzewski, Faiz Siddiqui, and Joseph Menn, "Musk's 'Free Speech' Agenda Dismantles Safety Work at Twitter," *Washington Post,* Nov. 22, 2022; Elon Musk, "Time 100: Kanye West," *Time,* Apr. 15, 2015; Steven Nelson and Natalie Musumeci, "Twitter Fact-Checker Has History of Politically Charged Posts," *New York Post,* May 27, 2020; Bari Weiss, "The Twitter Files Part Two," Twitter thread, Dec. 8, 2022.

第85章：ハロウィーン

著者による取材――イーロン・マスク、メイ・マスク、レスリー・バーランド、ジェイソン・カラカニス、ヨエル・ロス。

第86章：青いチェックマーク

著者による取材――イーロン・マスク、ヨエル・ロス、アレックス・スパイロ、デイビッド・サックス、ジェイソン・カラカニス、ジャレッド・バーチャル。Conger, Isaac, Mac, and Hsu, "Two Weeks of Chaos"; Zoe Schiffer, Casey Newton, and Alex Heath, "Extremely Hardcore," *The Verge* and *New York Magazine*, Jan. 17, 2023; Casey Newton and Zoe Schiffer, "Inside the Twitter Meltdown," *Platformer*, Nov. 10, 2022.

第87章：オールイン

著者による取材――イーロン・マスク、ジャレッド・バーチャル、ラリー・エリソン、アレックス・スパイロ、ジェームズ・マスク、アンドリュー・マスク、ロス・ノルディン、ダウェル・ショフ、デイビッド・サックス、ヨニ・ラモーン。Gergely Orosz, "Twitter's Ongoing Cruel Treatment of Software Engineers," *Pragmatic Engineer*, Nov. 20, 2022; Alex Heath, "Elon Musk Says Twitter Is Done with Layoffs and Ready to Hire Again," *The Verge*, Nov. 21, 2022; Casey Newton and Zoe Schiffer, "The Only Constant at Elon Musk's Twitter Is Chaos," *The Verge*, Nov. 22, 2022; Schiffer, Newton, and Heath, "Extremely Hardcore."

第88章：本気

著者による取材――イーロン・マスク、ジャレッド・バーチャル、アレックス・スパイロ、ジェームズ・マスク、アンドリュー・マスク、ロス・ノルディン、ダウェル・ショフ、デイビッド・サックス、ヨニ・ラモーン・ラリー・エリソン、アップル社員。Schiffer, Newton, and Heath, "Extremely Hardcore."

第89章：奇跡

著者による取材――シボン・ジリス、ジェレミー・バーレンホルツ、イーロン・マスク、DJセオ、ロス・ノルディン。Ashlee Vance, "Musk's Neuralink Hopes to Implant Computer in Human Brain in Six Months," *Bloomberg*, Nov. 30, 2022.

第90章：ツイッターファイル

著者による取材――イーロン・マスク、バリ・ワイス、ネリー・ボウルズ、アレックス・スパイロ、ロス・ノルディン。Matt Taibbi, "Note from San Francisco," *TK News*, Substack, Dec. 29, 2022; Matt Taibbi, Twitter File threads, *TK News*; Matt Taibbi, "America Needs Truth and Reconciliation on Russiagate," *TK News*, Jan. 12, 2023; Matt Taibbi, Twitter threads, Dec. 2022-Jan. 2023; Cathy Young, "Are the 'Twitter Files' a Nothingburger?," *The Bulwark*, Dec. 14, 2022; Tim Miller, "No, You Do Not Have a Constitutional Right to Post Hunter Biden's Dick Pic on Twitter," *The Bulwark*, Dec. 3, 2022; Bari Weiss, "Our Reporting at Twitter," *The Free Press*, Dec. 15, 2022; Bari Weiss, Abigail Shrier, Michael Shellenberger, and Nellie Bowles, "Twitter's Secret Blacklists," *The Free Press*, Dec. 15, 2022; David Zweig, "How Twitter Rigged the COVID Debate," *The Free Press*, Dec 26, 2022; Freddie Sayers and Jay Bhattacharya, "What I Discovered at Twitter HQ," *unherd.com*, Dec. 26, 2022.

第91章：迷い道

著者による取材――イーロン・マスク、クレア・ブーシェイ（グライムス）、キンバル・マスク、ジェームズ・マスク、ロス・ノルディン、バリ・ワイス、ネリー・ボウルズ、ヨエル・ロス、デビッド・ザスラフ。Drew Harwell and Taylor Lorenz, "Musk Blamed a Twitter Account for an Alleged Stalker," *Washington Post*, Dec. 18, 2022; Drew Harwell, "QAnon, Adrift after Trump's Defeat, Finds New Life in Elon Musk's Twitter," *Washington Post*, Dec. 14, 2022; Yoel Roth, "Gay Data," University of Pennsylvania PhD dissertation, Nov. 30, 2016.

第92章：クリスマスの大騒ぎ

著者による取材――イーロン・マスク、ジェームズ・マスク、ロス・ノルディン、キンバル・マスク、クリスティアーナ・マスク、グリフィン・マスク、デイヴィド・エイガス。

第93章：車用AI

著者による取材――ダウェル・ショフ、ジェームズ・マスク、イーロン・マスク、ミラン・コバック。

第94章：人間用AI

著者による取材——イーロン・マスク、シボン・ジリス、ビル・ゲイツ、ジャレッド・バーチャル、サム・アルトマン、デミス・ハサビス。Reed Albergotti, "The Secret History of Elon Musk, Sam Altman, and OpenAI," *Semafor,* Mar. 24, 2023; Kara Swisher, "Sam Altman on What Makes Him 'Super Nervous' about AI," *New York Magazine,* Mar. 23, 2023; Matt Taibbi, "Meet the Censored: Me?," Racket, Apr. 12, 2023; Tucker Carlson, interview with Elon Musk, Fox News, Apr. 17 and 18, 2023.

第95章：スターシップの打ち上げ

著者による取材——イーロン・マスク、メイ・マスク、クレア・ブーシェイ（グライムス）、マーク・ジュンコーサ、ビル・ライリー、シャナ・ディエス、マーク・ソルティス、アントニオ・グラシアス、ジェイソン・カラカニス、グウィン・ショットウェル、ハンス・ケーニヒスマン、リンダ・ヤッカリーノ。Tim Higgins, "In 24 Hours, Elon Musk Reignited His Reputation for Risk," *Wall Street Journal,* Apr. 22, 2023; Damon Beres, "Elon Musk's Disastrous Week," *The Atlantic,* Apr. 20, 2023; George Packer, Our Man (Knopf, 2019). シェイクスピア、松岡和子訳、『シェイクスピア全集28 尺には尺を』（ちくま文庫、2016）：「どんな立派な人間も罪から生まれると言います、それにほとんどの人は少し悪いことをした分だけ善良になるとか」